黑龙江省 2020 年度高等教育教学改革一般研究项目(SJGY20200339)资助

哈尔滨商业大学博士科研启动基金(14RW28/168164)资助

会展经典案例分析

主　编　陈正康

副主编　杜泽文　郭海霞

哈尔滨工程大学出版社

Harbin Engineering University Press

内容简介

本书精选了30个国内外会展活动与场馆的相关案例,具有以下几个特点:一是全面性。本书案例涉及展览活动、会议活动、节事活动及会展场馆管理等方面。二是典型性。本书案例既有传统的会展活动,又有新兴的会展活动。三是实用性。本书不仅给出了会展活动的不同举办方式,而且对其进行了深入剖析,挖掘其背后的原理和规律,抓住会展活动运作的本质,起到"举一反三"的作用,具有较强的实践指导意义。

本书适合作为会展经济与管理、旅游管理等专业的本科教材使用,也适合会展、旅游行业从业人员参考使用。

图书在版编目(CIP)数据

会展经典案例分析/陈正康主编. —哈尔滨:哈尔滨工程大学出版社,2022.12
ISBN 978-7-5661-3772-2

Ⅰ.①会… Ⅱ.①陈… Ⅲ.①展览会-案例 Ⅳ.①G245

中国版本图书馆 CIP 数据核字(2022)第 241479 号

会展经典案例分析
HUIZHAN JINGDIAN ANLI FENXI

选题策划　夏飞洋
责任编辑　张　彦　刘思凡
封面设计　李海波

出版发行　哈尔滨工程大学出版社
社　　址　哈尔滨市南岗区南通大街 145 号
邮政编码　150001
发行电话　0451-82519328
传　　真　0451-82519699
经　　销　新华书店
印　　刷　哈尔滨午阳印刷有限公司
开　　本　787 mm×960 mm　1/16
印　　张　15.25
字　　数　312 千字
版　　次　2022 年 12 月第 1 版
印　　次　2022 年 12 月第 1 次印刷
定　　价　45.00 元
http://www.hrbeupress.com
E-mail:heupress@hrbeu.edu.cn

前　言

目前,我国已是全球最大的会展经济体。《国务院关于进一步促进展览业改革发展的若干意见》(国发〔2015〕15 号)明确提出了"由展览业大国向展览业强国转变"的建设目标。实现此目标关键在于培养一批高素质的会展人才,会展人才的培养离不开各院校的会展专业建设。

会展专业属于实践性较强的专业,强调理论与实践相结合。作为会展强国的德国,其做法是一边学习理论,一边实践锻炼。在我国,由于会展资源分布不均衡、会展企业规模较小等原因,会展专业学生参与实践的机会并不多。如何缓解这一问题呢? 使用案例教学显得尤为重要。

案例教学已被广泛应用,其教学质量好坏关键在于教材。然而,目前涉及会展案例的教材并不多见,且现有教材存在一些不足:

一是全面性欠缺。比如有些教材只包括展览、会议及节庆活动,缺少关于会展场馆方面的案例。

二是案例数量较少。部分教材只选取了少数国内的会展案例,缺乏国外以及新兴会展活动的经典案例。

三是知识性内容过多,评析部分较少。学生学习后,往往只是记住了一些知识,但却不知道其背后的"奥秘",因此难以在实践中应用。

基于上述考虑,编者查找了大量国内外的相关资料,结合编者多年会展案例教学以及深入参与会展实践活动的经验,对会展活动的经典案例进行了深入、系统的研究。

本书具有以下几个特点:

一是全面性。本书涉及多种类型的会展活动案例,旨在使读者对各类会展活动有一个全面的认识和了解。

二是典型性。本书精选了30 个国内外会展活动的经典案例,既有传统的典型会展活动,如广交会;又有新兴的典型会展活动,如"双十一"购物节。其目的在于开阔读者视野,学习古今中外会展活动的经典运作方式。

三是实用性。本书不仅给出了会展活动的经典运作方式,而且挖掘了其背后的原理和规律。在探讨"是什么"的基础上,更强调探究"为什么"。帮助读者透过案例,抓住会展活动运作的本质,使读者更好地将理论与实践有机结合。

本书共分为四章,涵盖展览、会议、节事及会场场馆经营与管理等内容。

第一章是展览活动的经典案例,包括中国进出口商品交易会、中国义乌国际小商品博览会、FIBO CHINA 上海国际健身与健康生活方式展览会、国际名家具(东莞)展览会、第 86 届中国国际医药原料药/中间体/包装/设备交易会、中国制造网SMART EXPO 云展会及艺高高万人艺术展。

第二章是会议活动的经典案例,包括达沃斯论坛、《财富》全球论坛、博鳌亚洲论坛、亚布力中国企业家论坛及 FBIF 食品饮料创新论坛。

第三章是节事活动的经典案例,包括悉尼农历新年庆典、美国超级碗、巴西狂欢节、慕尼黑啤酒节、潍坊国际风筝会、青岛国际啤酒节、浙江三门青蟹节、上海国际艺术节、天猫"双十一"购物狂欢节及南宁国际民歌艺术节。

第四章是会展场馆经营与管理的经典案例,包括汉诺威国际会展中心、科隆展览中心、国家会展中心(上海)、上海新国际博览中心、深圳国际会展中心、成都世纪城新国际会展中心、重庆国际博览中心及佛山·南海国际会展中心。

本书主要由哈尔滨商业大学商务学院会展经济与管理教研室多位教师共同完成,陈正康老师负责总体统筹设计工作并编写了第一章和第二章,杜泽文老师编写了第三章;郭海霞老师编写了第四章。同时,在编写本书的过程中,哈尔滨商业大学硕士研究生邸嘉禹、耿婧雅、张佳玉、李秋燕,本科生白宇航、徐瑞琪、姜馨宇、郭婧、孟雨、潘诗华、赵荣、曹新羽、于思航、孙承璇、司睿、田戎宇、王鑫宇、田佳锐、李梦迪,以及北京第二外国语学院寇煌悦同学进行了资料收集与整理等工作,在此表示感谢。

特别感谢哈尔滨商业大学教授、会展经济与管理教研室主任、哈尔滨市会展行业协会会长孟凡胜老师的大力支持,孟老师学术功底深厚,行业成就卓著,甘为人梯,提携后辈,无私奉献,为本书的完成提供了大量的支持和帮助。

本书受到黑龙江省 2020 年度高等教育教学改革一般研究项目(项目编号:SJGY 20200339)和哈尔滨商业大学博士科研启动基金(项目编号:14RW28/168164)的资助。

由于编者水平有限,书中难免有疏漏之处,恳请同行专家和广大读者不吝赐教。

编　者

2022 年 3 月

目　　录

第一章　展览活动的经典案例分析

第一节　中国进出口商品交易会

一、展会介绍

中国进出口商品交易会(The China Import and Export Fair,简称广交会),创办于 1957 年 4 月 25 日,每年春秋两季在广州举办,由商务部和广东省人民政府联合主办,中国对外贸易中心承办,是中国目前历史最长、规模最大、商品种类最全、到会采购商最多且分布国别地区最广、成交效果最好、信誉最佳的综合性国际贸易盛会,被誉为"中国第一展"。

广交会是生产商、批发商和分销商进行交流、沟通和贸易的汇聚点。专业性是其所代表的行业发展趋势的特点,在某种程度上广交会甚至就是一个市场,企业可以在广交会中建立并维持与利益相关者的关系,建立在市场中的企业整体形象。

通过广交会期间的调查,企业可以收集到有关竞争者、分销商和新老顾客的信息,能够迅速、准确地了解国内外最新产品和发明的现状与行业发展趋势等,从而为企业制定下一步的发展战略提供依据。

广交会具备了其他营销沟通工具的共同属性。一场精心策划的广交会可以成为企业营销计划中最节省成本的部分。无论一家公司的规模有多大,广交会都为之提供一个很好的业务机会。通过训练有素的展台职员、积极的展前和展中促销、引人入胜的展台设计以及严谨的展台跟进,参展公司可以变得光芒四射。具有展示竞争力优势的广交会为参展企业以及同行的竞争对手提供了展示自身的机会。每一个成熟的参展商均知道,与其他企业市场营销工具(如广告等)相比,通过广交会参展能够较好地实现吸引新客户、发现潜在客户、节约费用、节省时间等企业基本市场营销目标,因此广交会被称为企业最有效的市场营销工具。

二、广交会的运作方式

以第 124 届广交会为例。

(一)广交会的分期做法

1. 第 124 届广交会的时间安排(表 1-1)

表 1-1　第 124 届广交会的时间安排

时间	展会安排及展出内容
10 月 10—14 日	筹展
10 月 15—19 日 第一期	电子电器产品、照明产品、自行车、摩托车、汽车及配件、电力设备、通用机械、工程农机、大型机械设备、五金、建筑及装饰材料、卫浴设备、化工产品、新能源
10 月 20—22 日	撤换展
10 月 23—27 日 第二期	日用陶瓷、家居用品、个人护理用品、浴室用品、宠物用品、钟表眼镜、玩具、礼品、工艺品、园林用品、家具
10 月 28—30 日	撤换展
10 月 31—11 月 4 日 第三期	男女装、童装、内衣、运动服及休闲服、服装饰物及配件、家用纺织品、纺织原料面料、地毯及挂毯、办公用品、箱包、体育及旅游休闲用品、医药保健品及医疗器械、食品
11 月 5 日	撤展

2. 评析

把一届展会分为三期进行,在会展业中并不多见。分期有以下三方面优势:

(1)打破了会展硬件设施和服务接待等硬约束。举办一场大型展会,不单单是场馆能否容得下的问题,吃住行游购娱等各个环节都需要一个城市具有保障能力。广交会分三期举办,一定程度上提升了广州这座城市的承载力,因为像广交会这样的大型展会,其人流量是巨大的,三期展会中间的空闲时间为展、客商撤展并离开广州市提供了充足的时间,缓和了广州市的资源压力(如交通、住房、生态系统承载力、基础设施承载力、环境承载力等情况)。

(2)广交会将展会分为三期,三期在不同的时间段分别展出不同产业的产品,把综合展转变成多个专业性展览会。这种做法既可继续保持广交会的综合性特色和优势,又符合国际展览业的发展趋势,提升了广交会的专业化水平。

(3)展会规模的适度扩大,一方面可使更多的企业获得参展机会,缓解现有规模不能满足中外企业参展需求的矛盾,也有利于广交会进一步提高专业化的服务水平;另一方面,三期展会中间有 3 天左右的时间撤展、布展,时间上合理布局,有利于缓解展馆的运营压力以及提升硬件设施的服务能力,分三期不仅可以增加展会规模,还可以提高广交会展馆的利用率。

(二)广交会参展企业设置资格标准的做法

1. 参展企业资格标准

并不是所有企业都有资格参加广交会,广交会对参展企业出口金额有严格的限制标准。124 届广交会参展企业资格见表 1-2。

表 1-2 广交会统计口径下企业出口金额须达到的最低标准

地区	企业类型	最低出口金额/万美元
沿海	流通型	150
沿海	非流通型	75
中部及东北	流通型	75
中部及东北	非流通型	40
西部	流通型	40
西部	非流通型	20

注:广交会统计口径下的出口额是指中国海关统计的一般贸易和进料加工贸易出口额中,扣除非看样成交产品(如大米、大豆、原油、成品油、煤炭、焦炭、金属及非金属矿产品、烟草等)后的出口额。

2. 评析

广交会依据不同地区的企业实力和产品特色,制定不同参展企业出口额最低标准,以保证出口多样化和地区均衡。设置参展企业资格有两大功效:一是筛选出优质企业和优质产品;二是对企业参展积极性有极大的促进作用。因此,参展企业出口额设有最低标准,企业若想连年参展,就必须在广交会期间实现出口额达标或超标,这个最低出口额相当于参展指标和任务,参展企业必须努力完成出口任务甚至扩大出口。

(三)广交会出口展展位使用管理办法

为加强广交会出口展展位使用管理,严格处理违规转让或转租(卖)展位行为,规范办展秩序,广交会对出口展展位使用进行严格管理。

1. 展位使用规定

(1)广交会严禁违规转让或转租(卖)展位,以及展览期间空置展位。展位实际使用者须与展位楣板标明的参展企业一致。

(2)交易团负责本团展位使用的管理,并与本团参展企业签订广交会出口展展位使用责任书。

(3)参展企业指定专人负责展位使用。展位负责人须为该展位参展企业正式员工并具有广交会核发的当届参展商证。

(4)每届广交会参展企业按规定时间将展位负责人情况录入广交会网络管理系统。每位展位负责人只能负责本企业在某一展区的一个或多个连片展位,工作时间必须在岗,并有责任配合相关部门对出口展展位使用情况进行检查。

(5)流通型企业在申请某一展区的展位数量超过1个时,可与有联合经营或供货关系的非流通企业(联营或供货单位)共同参展(联营参展),并须一并提交有关材料。流通型参展企业在同一展区最多可申请与两家非流通企业共同参展。通过审核并获得参展展位后,流通型企业为参展企业,非流通企业为联营(供货)单位。

(6)联营参展时,展位楣板上只允许列明参展企业名称,同时由中国对外贸易中心(以下简称外贸中心)制作包括联营(供货)单位信息的参展证明。参展企业不得以任何名义向联营(供货)单位收取超出正常展位费用的任何费用。

2. 展位使用的监督检查

(1)相关商(协)会会同地方商务主管部门和外贸中心组成出口展展位联合检查组(简称展位检查组),对违规转让或转租(卖)出口展展位情况进行检查。大会政工办、业务办可视需要派员参加。展位检查组职责由大会政工办、业务办拟定,并监督指导。

(2)大会政工办负责违规转让或转租(卖)出口展展位的初步认定,以及展位归属纠纷案件的接收和跟踪处理;大会业务办负责展位归属、展位空置、违规转让或转租(卖)出口展展位的认定与处理。大会政工办和业务办每届广交会的工作时间为4月10日至当届广交会闭幕和10月10日至当届广交会闭幕。

3. 展位违规使用的认定

存在以下情况的,视为违规转让或转租(卖)展位:

(1)以非参展企业的名义对外签约。

(2)在出口展展位内派发或展示非参展企业的宣传资料,包括印有非参展企业名称、宣传非参展企业或其产品的网站、光盘或纸质材料等。

(3)以任何方式将出口展展位转让、转售、分包、分租。

(4)未报、虚报、假报出口展展位负责人,或未按要求办理出口展展位负责人变更手续。

(5)参展企业无法提供与广交会备案登记企业信息资料相符的广交会参展证明牌或其他证明材料。

(6)经展位检查组确认的其他违规转让或转租(卖)展位的行为。

除上述情况外,联营参展存在以下情况的,也视为违规转让或转租(卖)展位:

(1)参展企业向联营(供货)单位收取超出正常展位费用的其他费用。

(2)在一个联营展位内联营(供货)单位超过1家的。

(3)在出口展展位内派发或展示非参展企业或非备案联营(供货)单位的宣传资料,包括印有非参展企业或非备案联营(供货)单位名称的名片、宣传非参展企业或非备案联营(供货)单位或其产品的网站、光盘或纸质材料等。

(4)参展企业未在出口展展位内摆放包括联营(供货)单位信息的参展证明。

(5)联营参展超出流通型企业与非流通型企业联营类型限制范围。

(6)经展位检查组确认的其他违规转让或转租(卖)展位的行为。

4. 展位违规使用的处理

(1)对参展企业所属交易展团的处理:

①取消从下届起连续4届在违规所属出口展区的参展资格并相应扣减所属交易团展位基数,至下次展位基数重核时为止。

②处理结果在《广交会通信》上通报。

③取消所属交易团获得当届组展表彰对象的资格。

(2)对违规转让或转租(卖)出口展品牌展位的参展企业,取消其从下届起连续15届在违规所属出口展区品牌展位的参展资格,并取消其相应届数内在违规所属出口展区品牌展位的评选资格。

(3)对被认定违规空置展位的参展企业,按以下办法处理:

①空置一般性展位,取消其从下届起连续2届广交会的参展资格,并相应扣减相关交易团出口展展位基数,有效期至下次各交易团出口展一般性展位基数重核为止。

②空置品牌展位,其空置展位所在展区的品牌展位全部收回重新安排,直至下次品牌重新评审为止。

③取消空置展位所属交易团获得当届组展表彰对象的资格。

④空置展位的展位费全额收取,不予退回。

5. 评析

展位管理是保证展会信用和质量的重要举措,如果缺乏有效管理,致使展会的展位被倒卖,或假冒伪劣产品充斥展场,对客商形成欺诈,不仅会面临大量的商业投诉和退货,更可怕的是葬送了展会的公信力和未来。基于此,广交会对展位的使用控制非常严格,以此保障了广交会的纯粹和质量。反观一些地方上的展会,对展位管理松懈,展会刚开始的两天有专人视察并严加管理,等视察结束以后,大多数展位基本上都涌入了"展虫",假冒伪劣产品充斥全场,展会变成了假冒伪劣产品零售的叫卖场,这样的展会不仅管理混乱,展会品质也会随之降低。

(四)广交会绿色发展的做法

1.总体目标

以党的十八大和十八届三中全会精神为指导,借鉴国际先进经验和成功做法,充分调动、发挥广交会各参与方的主动性和积极性,以节能降耗、减少污染、确保安全为主要目标,以广交会人流、物流等方面的绿色发展为主要工作内涵,在不增加企业负担、参展企业自主选择实施方式的前提下,推行绿色布展,鼓励绿色参展,实施绿色撤展,倡导绿色会议,打造绿色展馆,全面、系统、有序地推进广交会绿色发展,不断提高广交会综合竞争力和国际声誉。

2.主要内容

(1)推行绿色布展

按照减量化、标准化、模块化、构件化和可循环使用的总体原则,加快推进绿色布展,特别是特装展位绿色布展,提高绿色展位普及率。

修订《广交会绿色特装展位标准》,要求特装展位模块化、构件化、安全、轻质,使用可循环利用的环保材料。制定《广交会特装展位搭建材料废弃物处置管理办法》,设置特装展位搭建材料废弃物排放最高限量标准,最终实现零排放。

实行特装施工企业准入制,提高准入门槛,增加绿色展位设计、ISO9001 体系认证等资质条件;实行分级管理,扶持绿色特装设计和搭建能力强的施工企业,逐步淘汰落后施工企业,加大对违规特装施工企业的处罚力度。

将各交易团参与组织实施广交会绿色发展计划的成效列为组展工作考核和奖励的重要参考指标。对积极开展绿色布展的先进企业,在一般性展位分配和展位位置等方面予以优先安排。修订广交会品牌展位参展企业评分标准,对参展企业参与绿色布展表现单独计分。

在参展企业通过市场化方式自主参与绿色布展的同时,外贸中心、各交易团、各商协会应积极提供信息服务,多渠道、多方式协助参展企业采购绿色环保展材,完善展位搭建方案,降低绿色布展成本。

(2)鼓励绿色参展

鼓励参展企业采用可循环或可降解材质的包装物,降低对环境的影响。鼓励参展商、采购商和大会工作人员乘坐公共交通工具与会,减少交通拥堵,实现低碳环保出行。控制展览现场的纸质宣传单散发数量。控制广交会期间的灯光、噪声等污染,营造舒适的洽谈环境。

(3)实施绿色撤展

规范参展企业、特装施工企业和外包服务单位的作业规程,控制噪声,减少扬尘,严格按照有关规定和合同要求妥善处置搭建材料废弃物,防止二次污染,逐步减少直至杜绝搭建材料废弃物。

(4)倡导绿色会议

广交会期间召开的各类会议,采用电子化手段发放会议通知等相关文件,控制会议室空调温度,减少温室气体排放,使用投影仪替代会议室背景板或横幅。

(5)打造绿色展馆

继续推进广交会展馆节能改造,将广交会展馆打造成全球领先的绿色环保展馆。

(6)关注健康安全

系统研究环境、健康、安全管理体系(EHS),并将相关管理标准运用到广交会绿色发展工作中,逐步建立环境管理、职业健康安全管理体系。

(7)加强宣传培训

通过广交会网站、专题会议、培训、研讨等方式和渠道大力宣传广交会绿色发展计划。加大对先进企业、先进经验的宣传推广。设立广交会绿色发展展示区。

5.评析

为贯彻落实党的十八大和十八届三中全会精神,加快广交会生态文明建设步伐,着力解决目前广交会存在的能源资源使用量大,废弃物、污染物和有害气体排放多等问题,切实承担社会责任,促进广交会的转型升级和可持续发展,广交会实施绿色发展计划。

广交会绿色发展计划之所以推广迅速,效果良好,关键是结合了参展商和搭建商的利益。对于获得"广交会绿色展位奖"的企业给予大力宣传,并给予优先参加广交会的便利。对于获奖特装施工企业给予广交会特装评估分奖励,并将之列入交易团和商协会下一年度广交会特装资质优先推荐施工企业名单,这些都激发了参展企业对绿色环保的高度重视。

(五)广交会展馆企业合作计划(CPP)

1.简介

广交会展馆企业合作计划,旨在帮助企业通过广交会及日常展览的平台,提升企业及其产品认知度,深度整合媒体、广告、公关等多种行销手段,建立品牌形象;也使企业通过企业合作计划,为广交会及其他日常展览的成功举办和未来发展提供资金、技术、产品、人力和服务等支持,实现双赢。

2.合作意义

企业成为广交会展馆的合作伙伴,能展示企业形象,提高产品知名度和美誉度,推介企业产品、技术和服务,彰显企业在同行中的领先地位。

3.合作权益

(1)广交会展馆冠名使用权

①尊享"广交会展馆××合作伙伴""广交会展馆指定产品供应商"等冠名授权。

②获得在市场营销活动中使用广交会标识的授权。

(2)展馆资源使用权

①获得广交会展馆展示场地资源。

②获得使用展馆墙面广告、LED广告、刀旗广告等优质线下广告资源的机会。

(3)媒体宣传

①获得在广交会官方网站、广交会展馆官方网站、广交会展馆官方公众号等线上媒体资源宣传推广企业的机会。

②在广交会会刊、消费指南等刊物上获得广告版面。

(4)礼宾活动

获得展馆沙龙、行业研讨会等大型活动邀约。

4.现有合作企业(表1-3)

表1-3　现有合作企业一览表

序号	合作类型	合作企业
1	战略合作伙伴	中国南方航空股份有限公司
2	高级合作伙伴	广汽本田汽车有限公司
3		新秀集团有限公司
4		深圳市科伦特电子有限公司
5		广州市科叶环保有限公司
6		广东语联天下信息科技有限公司
7		广州程豪香氛网络科技有限公司
8	供应商	广州市雨中情伞业有限公司
9		科大讯飞股份有限公司
10		浙江艾克电器有限公司
11		广州基尔广告有限公司
12		山东安特专用车制造有限公司

5. 评析

广交会展馆企业合作计划(CPP)与企业赞助有相似之处。企业参展目标众多,一些目标单靠企业自身是无法达到的,比如,参展企业希望实现品牌宣传与推广,借势快速成就自己的品牌并形成优势。参展企业要实现这一目标,往往需要借助展会组织方或者展馆方的力量,借助组织方和展馆方的展览资源、客户资源、媒体资源、广告资源、海外资源、行政资源、信用资源等优势,立体式、多层面宣传和推广,不仅有利于提升企业的品牌知名度和美誉度,更有利于企业社会口碑的快速树立。

(六)广交会媒体互惠合作计划

1. 媒体互惠合作计划简介

从第115届(2014年)开始,广交会启动媒体互惠合作计划(Media Resource Exchange Program, MREP),与全球商会、媒体、酒店和商旅机构开展合作,通过优质资源共享,互助宣传,实现双方品牌影响力的有效提升。目前已有来自29个国家和地区的41家机构成为广交会的合作伙伴。

2. 媒体互惠合作的内容

媒体互惠合作伙伴可为广交会免费提供如官方网站、社交媒体、电子邮件、报纸期刊、广播电视、研讨会等方式的宣传。

广交会可为媒体互惠合作伙伴免费提供:在《参展商名录》及《中国进出口商品交易会会刊》上以鸣谢形式刊登机构信息;在广交会官方平台页面为其宣传;如合作机构组团参加广交会,则可享受快速团体办证服务(线下)或VIP账号注册观展服务(线上)。

3. 参与广交会媒体互惠合作计划的机构及媒体(表1-4)

媒体互惠合作计划,得到全球工商机构、媒体大力支持。

表1-4　参与广交会媒体互惠合作计划的机构及媒体(排名不分先后)

序号	机构及媒体
1	Guia Canton Fair
2	巴中工商会 Brazil-China Chamber(CCIBC)
3	墨西哥中国商业科技商会
4	墨西哥哈利斯科州青年企业家协调委员会
5	意大利中国商会
6	Trade wheel. com

表 1-4(续 1)

序号	机构及媒体
7	加中企业促进会 Canada China Entrepreneurs Alliance Association(CCEAA)
8	中加商业周刊 China Canada Business Times
9	中国信息文化交流肯尼亚有限公司 China Information&Culture Communication(K) Ltd
10	中国(巴西)投资开发贸易中心 China-Brazil Investment Development&Trade Center
11	哥伦比亚中国商会 Colombian-Chinese Chamber of Commerce
12	德国媒体出版社有限公司 Deutscher Medien Verlag GmbH
13	Giant Center(a project promoted by Floret Group)
14	HELEXPO
15	香港总商会 Hong Kong General Chanber of Commerce
16	智利亚洲文化研究所
17	澳大利亚进口俱乐部 Australian Importing Club
18	印中商务理事会 INDONESIA CHINA BUSINESS COUNCIL
19	伊朗-中国商工会 Iran-China Chamber of Commerce and Industries
20	九龙总商会 Kowloon Chamber of Commerce
21	印尼金峰集团 MASPION GROUP
22	中东国际展览集团 Middle East International Exhibition
23	荷兰 GIA 展览中心 GIA Trade&Exhibition Center
24	欧洲时报文化传媒集团
25	香港铁路有限公司
26	波兰普达克会展中心 PTAK WARSAW EXPO
27	TIBRO Tours Pvt Ltd
28	秘中商会 PERUCIAN CHINESE CHAMBER OF COMMERCE(CAPECHI)
29	PMF Bancorp
30	葡中工商会 PORTUGUESE-CHINESECHAMBER OF COMMERCE&INDUSTRY
31	新加坡中国医药保健品商会 Singapore Chinese Mesdicines and Health Products Merchant Association

表1-4(续2)

序号	机构及媒体
32	德中经济文化促进协会 Sino-German Economical&Cultural Promotion Association
33	台湾区电机电子工业同业公会 Taiwan Electrical and Electronic Manufacturers' Association(TEEMA)
34	泰晤士出版社有限公司 Times Publications Group Limited
35	香港中华出入口商会
36	俄罗斯美国商会 Russian Amercian Chamber of Commerce in the USA
37	广交会威斯汀酒店
38	Turkish Houseware Association(ZUCDER)
39	匈牙利新导报
40	加中经济发展合作委员会 Canada-China Business Engagement Association
41	第一普银资本有限公司

4. 评析

展会宣传是会展活动的"神经系统",大量信息通过宣传渠道送达出去,广交会的媒体互惠合作计划对在合作的过程中提升广交会的声誉和知名度具有重大的意义,合作传播也有利于合作各方积极宣传广交会,从而使传播主体多元化,减少了广交会组委会的工作负担。另外,合作各方均是免费宣传,降低了运营成本,减少了宣传的障碍,合作更简单、方便。

(七)参展商 VIP 专项服务

中国对外贸易中心作为广交会承办单位,多年来一直高度重视客户服务,不断探索科学的办展模式,构建优质的服务体系,努力把广交会办成集专业化、市场化、国际化、品牌化于一体的世界一流展会。对于忠实、优质的参展商,广交会推行 VIP 服务,每年对 VIP 参展商资格进行甄选,一年两次。

1. 如何成为广交会 VIP 参展商

如果参展商符合以下条件之一,即可成为广交会的 VIP 参展商:

①品牌多展企业,在本行业内具有较高知名度,当届广交会在单个展区内品牌展位数达到以下标准(表1-5):

表 1-5　广交会 VIP 参展商评定标准

展期类别	品牌展位数
电子及家电、车辆及配件等	大于或等于 10 个标准展位
家居装饰品等	大于或等于 12 个标准展位
纺织服装、休闲用品等	大于或等于 10 个标准展位
食品、医药及医疗保健	大于或等于 8 个标准展位

②细分行业龙头参展企业。

③获广交会 CF 奖五周年创新企业奖的参展企业。

同时,企业应遵守行业规范,与同行良性竞争,起到行业模范带头作用;支持和配合广交会的各项工作,过去三年内没有违反广交会有关管理规定的记录。

2. 广交会 VIP 参展商数量(表 1-6)

表 1-6　广交会 VIP 参展商数量

届数	数量/家
第 121 届	155
第 124 届	285
第 125 届	289
第 126 届	285

3. VIP 参展商专享服务

(1)额外证件及优先安检待遇

①配发 5 个当届广交会 VIP 特殊标识,可于广交会展馆安检口优先安检进馆;

②优先乘坐往返电瓶车;

③额外提供免费的、当届广交会有效的 5 个筹展证及 5 个撤展证;

④额外提供 5 个免费的、当届广交会有效的接待证;

⑤提供 1 个广交会展馆室内停车场的付费停车位。

(2)宣传展示专享优惠服务

①广交会中平台企业及品牌展示活动价格优惠;

②导向手册广告页、名录广告页等宣传展示价格优惠。

(3)邮政 EMS 优惠服务

企业邮寄 EMS 国际邮件可享受专属折扣(18 个路向国际暑期促销价,其余路向标准资费 5 折)。

（4）凭券专项服务

赠送服务券 50 张,此券可抵作人民币 40 元消费,使用范围见表 1-7。

表 1-7　服务券使用范围

序号	使用地点	使用说明
1	商务管家	可用服务券抵扣,也可采用服务券抵扣+人民币支付的合并方式消费
2	展馆内各咖啡点和餐饮点	包括 B 区 A 层快餐点、麦当劳、星巴克等
3	A 区 A 层宝相荟自助餐厅	三张券换购一份自助餐
4	B 区二层广交会境外贵宾俱乐部餐厅	两张券换购一份午餐
5	A 区 A 层新大地餐厅	两张券换购一份午餐
6	广交会威斯汀酒店	酒店 1 层:大堂吧 酒店 1 层:知味西餐厅 酒店 2 层:中国元素中餐厅 酒店 42 层:舞日本餐厅
7	A 区珠江散步道 PDC 设计廊	享受 9 折优惠
8	部分展览现场服务项目	现场服务柜台受理点: A 区:珠江散步道 2 号馆柜台;B 区:珠江散步道 10 号馆柜台;C 区:16.2 号馆北边柜台

（5）VIP 参展商组织宣传推介活动增值服务

①免费使用展馆内有关场地举办新品发布会,安排会议场次,并提供部分协助。包括免费提供场地、协助向大会新闻中心发送新品发布会邀请函、协助 VIP 参展商为参加活动的馆外嘉宾审核办理临时进馆证件等。

②免费利用广交会媒体资源,发布 VIP 参展商宣传推介活动信息。相关活动包括企业组织的新品发布、产品推介或企业及品牌宣传等,将通过官网等媒体进行宣传。

（6）免费参加 VIP 供采互动活动

与 VIP 采购商自由交流。

（7）商务管家服务

①参展团组商旅服务。包括商务交通、优惠订房、商务订餐、周边商旅等。

②展览现场代办服务。包括协助：证件办理、展位搭建、特装报审、展品运输、撤展车证办理、领取放行条、展位清理、宣传推广办理、会议室预定、保险购买、参展商就医或者药品代买、礼品代买、餐饮代购、打印代办、复印和印制名片等。

③展览现场个性化服务。包括协助：组织策划展位内小型产品发布会、重要采购商接待、与采购商约定的外贸洽谈等活动，现场接待、迎宾、茶歇、宣传推广、摄影、场景布置等会务工作，协助人员招募和展馆内导引服务等。

(8)邀请推荐采购商享受全面升级服务

①参加 i-win 活动，与广交会联名邀请、联合宣传。

②推荐优质采购商，经广交会审核后享受当届 VIP 采购商礼遇。

(9)信息发布、交流、商业合作机会

①在广交会官方网站公布当届广交会 VIP 参展商名单。

②及时提供广交会期间有关商贸交流活动最新资讯及业内相关经济信息。

(10)参加广交会论坛、研讨会及有关重大活动

①优先邀请参与广交会主办的相关经济论坛、重要研讨会。

②优先邀请企业高层出席广交会期间有关重大活动。

(11)申请展馆内的会议服务

在不影响广交会正常使用的前提下，提供优先预订广交会展馆内会议室的服务。

(12)广交会威斯汀酒店尊享礼遇(表 1-8)

表 1-8 广交会威斯汀酒店尊享礼遇

服务项目	礼遇
会议场地预订	预订广交会期间会议场地，享 8 折优惠
行政酒廊专属空间	1. 体验行政酒廊欢乐时光(17：30—19：30) 2. 行政酒廊全天候行政待遇(包括行政酒廊欧式早餐，行政酒廊欢乐时光、全天候各式饮品和小吃供应、免费私人会议室 2 小时使用) (以上价格需另加收 10%服务费及 6%增值税)
机场往返专车接送	预订广交会威斯汀酒店豪华专车及专属司机往返机场至酒店接送，享八五折优惠
餐饮折扣	1. 中国元素中餐厅：午、晚餐 9 折优惠； 2. 知味西餐厅：午餐自助餐 8 折优惠，晚餐自助餐 9 折优惠，菜单单点 9 折优惠； 3. 舞日本餐厅：午、晚餐 9 折优惠
客房预订	提供优惠房价

4.评析

不是每个客户对企业的贡献都是一样的,也就是说客户价值是不同的,企业必须把客户按照对企业的贡献进行分类,贡献大的为 VIP 客户,其他为一般客户。不同级别的客户,企业提供的服务也是不一样的。通常依据二八定律,即抓住主要的20%,也就是大客户(VIP),企业对 VIP 客户进行针对性管理,提供特殊的、个性化的服务,以提高 VIP 客户满意度及忠诚度,巩固与 VIP 客户长期的合作关系。

广交会对 VIP 参展商提供专项服务,是企业 VIP 客户关系管理实践在会展活动中的运用,与企业客户关系管理目的和效果相同。实现了广交会和 VIP 参展商之间的双赢。展会采取了企业经营的理念和方式,按照市场规则形成与 VIP 参展商的商务关系,这是公平的体现,也使得服务更具体、更有目标、更有针对性、更有实效。

(八)广交会"跨国公司采购服务"和"境外贵宾俱乐部"

1.简介

从第 93 届(2003 年)起,广交会设立了"跨国公司采购服务"平台,为全球零售250 强、知名连锁企业、重点行业企业等高端采购商提供专属对接平台和个性化贸易配对服务,积极利用两个市场和两种资源帮助企业开拓市场,提升供采双方对接精准度,有效提升对接效率。

为答谢采购商多年来对广交会的支持,广交会创立了"境外贵宾俱乐部"(图 1-1),为忠诚及高端客户提供系列高端定制贵宾服务,包括休闲及餐饮、VIP沙龙活动、信息发布、客户联谊、商旅考察、供采对接等多种服务形式,加强与重要采购商的互动与交流,努力实现以培育忠诚采购商为目标的全过程客户关系管理,持续提升采购商与会体验。广交会将为参会的 VIP 采购商提供 VIP 标识和线上平台使用指引与培训服务,并给予参会激励和礼遇。

图 1-1 广交会境外贵宾俱乐部

2. 评析

"跨国公司采购服务"和"境外贵宾俱乐部"是广交会为针对优质高端客户提供个性化优质服务而采取的有效举措,这大大提高了广交会的服务质量,增强了广交会与重要客户之间的黏性,给重要客商以尊荣和礼遇,维护了广交会的重要客户关系。保证了广交会高端客户的稳定发展,促进了广交会的业绩稳步上升。此法值得同行学习借鉴。

第二节　中国义乌国际小商品博览会

一、展会介绍

(一) 义乌国际小商品博览会产生与发展

改革开放前,义乌还是浙江中部一个贫困的农业小县,人多地少,资源贫乏。这里的人自古就有经商的习惯,"鸡毛换糖"是义乌货郎们传统的谋生手段。农闲时,义乌货郎们便摇起拨浪鼓,挑着装满敲糖的箩筐,行走在浙江及其周边省份的城乡换取鸡毛和牙膏皮等废品,回家后再把换来的鸡毛当作农田的肥料,或制成掸子卖给供销社,牙膏皮等则卖给废品回收站。改革开放后,商品经济在我国一些地方逐步解冻,手工制品、农产品摆上了集市,然而长途贩卖、摆地摊做小生意仍被当作投机倒把行为加以打击。此时,一些义乌人开始不满足仅仅靠"鸡毛换糖"解决生计问题,提心吊胆地做起了贩卖日用小商品的生意。1982 年 8 月,义乌县委、县政府在经过调查研究和反复讨论后,毅然做出一个大胆决策:允许农民经商,允许从事长途贩运,允许开放城乡市场,允许多渠道竞争。随即,简陋的义乌第一代小商品市场诞生了。

义乌小商品市场创建于 1982 年,是我国早期创办的几个专业市场之一。经过几十年的发展,目前市场由义乌国际商贸城、篁园市场、宾王市场三个市场簇群组成,市场经营面积 260 万平方米,经营商铺 5.8 万个,经营人员 16 万人,市场内汇集了 43 个行业 1 900 个大类 40 万种商品(注:联合国公布全球共有 50 万种商品),几乎囊括了工艺品、饰品、小五金、日用百货、电子电器、玩具、文体、袜业等所有日用工业品。其中,饰品、玩具、袜业产销量占全国总销量的三分之一强,市场上的商品物美价廉,应有尽有,商品选择余地大,且多达 34 万种的商品都进行了周密的划行归市,享有很高的信誉度和美誉度。身在其中的大多数商家的贸易模式就像欧美等西方国家一样,所报出的商品价格就是一口价,如产品质量不合格,可以包换,在运输途中若遗失买家可以获得赔偿。再加上这几年商品的质量上升很快,中高档商品已基本满足国外一般公民的消费需求。国外商人从义乌采购一元人民币的商品,到欧洲可以卖一欧元,到美洲可以卖一美元,中间的利润空间十分巨大。因此吸引了很多外商来此批发。

最初义乌的小商品档次较低,采购者大都是小商贩而已。如何把义乌的小商品市场做大做强,成为吸引全球采购商眼球的世界超市,是当时的义乌市场亟待解决的问题,于是义乌萌发了搞"会展"的念头。

义乌从1995年开始举办每年一届的中国小商品博览会,多年来依托独特的市场优势、扎实的产业基础、发达的现代服务业,不仅拓展了国内市场,优化了市场结构,提升了参展商层次,还形成了"以贸兴展、以展促贸、展贸互动"的发展特色,也使义乌成为在国内外具有一定影响力的新兴会展城市。

可以认为,会展业增强了义乌市场竞争力,成为保持市场持续繁荣的重要抓手。在义乌,会展与市场密不可分。一方面,经过多年的培育和发展,义乌市场已经成为全球最大的商品批发市场,成为国内外中小企业、采购商和商品信息最集中的场所,为发展会展业提供了得天独厚的优势。义乌也依托市场,举办了一系列专业性展会,并一跃成为国内新兴的会展城市。另一方面,通过举办一系列专业性展会,充分发挥展会的带动效应及产品展示、代理推介、投资洽谈、信息交流等功能,又有力地促进了义乌市场商品在升级换代、交易方式、经营手段等方面的创新,提升了市场档次,增强了市场的竞争力。特别是通过搭建展会平台,每年可以为义乌市场引进一批新的采购商,每年的义博会都可以吸引1万多名外商参会,许多新的参会客商后来都成为义乌市场稳定的采购商,对扩大市场外贸出口、开拓国际市场、促进市场繁荣起到了很好的作用。

同时,会展业转变了义乌经济发展方式,举办展会成为推进现代服务业发展的重要途径。发展现代服务业,是培育新的经济增长点、提升城市竞争力的重大战略,也是应对金融危机、加快转变发展方式、推进可持续发展的重要举措,会展业是现代服务业的核心产业之一,有着"绿色产业""朝阳产业""无烟产业"之美誉,产业链长、带动性强,对一个城市经济的带动可以说是全方位的,据有关专家测算,会展业产生的溢出效应高达1∶9,即办展会的收入如果为1,那么会展外的宾馆、交通、旅游、商务和中介服务等产业的收入就是9。近年来,义乌会展经济的快速发展,极大地促进了酒店业、餐饮业、物流业、旅游业、金融业、广告业等第三产业的发展,提升了城市的综合服务功能。同时,展会期间的产品展示、信息发布等活动,为本地企业提供了最新的产品信息,还引进了大批先进的新技术、新工艺,促进了义乌小商品制造业的转型升级,增强了义乌城市的综合经济实力。

此外,会展业为义乌扩大了国内外交流合作领域,展会成为提升城市美誉度的重要平台。会展活动是城市宣传的最佳载体,被誉为"城市的金名片"。举办高规格高水准的会展活动,能够汇集强大的信息流、商品流、资金流和客商流,不仅有利于义乌第三产业的发展,而且可为招商引资、人才引进、文化交流、技术合作等多种形式的国内外开放合作创造条件。义博会已经成为全面宣传义乌、展示义乌形象的重要平台。每年义博会期间,义乌都能吸引多国使领馆官员、境外经济团体、外商以及国内各省市政府考察团前来参会,加上全省山海协作会议和其他高层次论坛等活动的举办,有力地促进了义乌与浙江省内、长三角区域、中西部和国外各城市的广泛合作。义乌市场、义博会已经成为义乌最响亮的名片。同时,举办大型会展活动,也可集中反映义乌城市的独特魅力和勃勃生机,以及义乌的综合实力和承载力,对提升义乌城市形象、提高城市知名度及美誉度发挥了重要作用。

(二)义博会成功的原因

"义博会"的成功,使浙江中部的义乌迅速崛起,成为商贾云集之地,一大批国内外知名小商品汇集到这里,通过"义博会"这把打开市场的"金钥匙"抢滩入驻。正是由于会展和市场的良性互动,带动了当地产业的良性发展,诠释了会展和市场服务的新概念,义乌才能创造中国区域会展城市快速发展的神话,"义博会"才能扎根于义乌而辐射世界。

一个小小的县级市的博览会,为什么会有如此大的影响力? 究其原因主要有以下几点:

1. 能小中见大

小商品市场是义乌小商品城的特色。一粒纽扣、一条领带、一双袜子、一个打火机,剥去各种成本,经营者所能获得的利润也只有微乎其微的几厘、几分钱。但独具慧眼的义乌人却能从这些小商品中发现大商机,不嫌利润低微、不怕竞争激烈,经过持久不懈的努力,把纽扣、标牌、编织袋、饰品、拉链、玩具、工艺品,以及其他各种七零八碎毫不起眼的小商品,发展成在国内外市场具有很强辐射力的大产业。

2. 性价比优势

义乌的中国小商品城有一个明显的优势就是小商品价廉物美。如一个精美陶制小挂件 0.9 元,一面小巧别致的镜子 1.5 元,一只仿白金戒指 0.1 元,等等。在义乌参加"义博会"的企业,99%都是制造商。因此,义博会的采购都是源头采购,成本低廉,差价很大,获利极高,这对买家具有极大的吸引力,对境外客商也具有极强的诱惑力。

3. 商品门类齐全且专业性强

义乌中国小商品城的另一个优势便是商品的种类繁多、款式新颖,可以满足不

同消费者的需求。在义乌小商品货摊上，很容易发现欧美流行的各种款式的玩具、手提包、钥匙串。这里的工艺品、玩具、雨具、文体用品、毛毯、衬衫、化妆品、眼镜等行业已占全国30%～50%的市场份额。这些行业的外销量占整个中国小商品城外销量的80%左右，同时，义乌也成为全国两大毛纺织品基地之一。

4."无竞争"

这是义乌人在激烈的商品竞争中所积累起来的经验，"无竞争艺术"不是与竞争对手进行"肉搏战"，而是发掘自己的优势，做一些"人无我有，人有我优"的事情，在所有环节上千方百计降低成本，并且靠良好的信誉吸引"回头客"，在竞争激烈的商战中让"薄利"与"多销"良性互动。

5.市场自觉"打假护真"

"谁砸市场的牌子，我们就砸谁的饭碗。"市场工商管理处早在几年前就提出了这样的口号，经过多年的市场磨炼，义乌人已经意识到对假冒伪劣产品的打击决不能心慈手软，否则只会败坏市场声誉，损害经济发展。为此，市场专门给每个名牌产品总经销、总代理制作了标志性的铜牌，挂在最显眼的位置，让进入市场的人很容易就能看见，直奔真品而去。同时市场内还组织经营户成立了商品质量义乌监督队。经过这样一系列专项整治，义乌小商品城呈现出健康繁荣发展的好势头。

6.具有胜过网上交易的优势

小商品的花样、质地翻新非常快，同时价格也处于不断变化之中，这就需要客商进行现场体验，才能对商品是否适应本地市场有所感觉。并且，通过集中比价，更容易获得"物美价廉"的商品，批发市场不同于零售市场，客商采购规模非常大，相应的市场销售风险也就非常高，这种价格、花样、质地等特性时刻发生改变的非标准化商品，客商大多不会简单通过网上订购，而是需要到商品的集散地进行亲眼观察和亲身体验。现在的网络技术还不能达到使客商完全有身临其境的感觉，因此网上交易商城无法取代小商品城的地位，这也是小商品城有如此大影响力的一个原因。

7.信守低成本竞争战略

在义乌，不但小商品的价格低廉，市场的摊位租金也很低廉，这让全国乃至全球的商人源源不断地涌向义乌，不知不觉中积累了很多市场腾飞的要素。

综上所述，义乌这个世界上最大的小商品采购展示中心，虽然卖的都是些"针头线脑"的小商品，但是它们却依托着巨大的产业群，通过涓涓细流，汇流成海，并在小中见大，融贯中西。其市场上的很多商品价格的涨落就像具有蝴蝶效应一般，影响着全球的日用百货商品价格的走势。

8.启示与评析

义乌作为一个县级市，能举办出中国第三大的国际级展览会是个奇迹，但也有其必然性。

（1）有产业支撑。义乌小商品产业集中度高、体量大、品类全。

（2）有市场支持。义乌在全国 20 多个省市建立了 30 多个分市场，在南非、乌克兰等国家设立了 5 个分市场。12 万义乌经商大军广泛分布在国内外市场，商业信息传播快，商品供应流通快，产品开发速度快。

（3）有大量的参展主体支撑。义乌企业 99% 为非公有制企业。民营经济活跃，中小企业数量众多，对会展业有着强烈的市场需求。义乌会展业反过来又强有力地促进了产业的大发展。

（4）展会对产业生产要素的集聚发挥着重要作用。义乌通过义博会把很多外埠的小商品生产者吸引到义乌来，随着大量小商品生产者云集义乌，义乌小商品生产的品类、数量、质量迅速增加，很快就形成了小商品生产中心，进而形成小商品交易中心。

（5）展会是产业提档升级的重要手段。义博会举办前，义乌小商品还是以小商贩经营为主。义博会后，小商品生产、交易转向品牌化、质量化和国际化。2002年开始，义博会升格为由国家商务部参与主办的国际性展会。时任义乌市委书记的楼国华说：“义博会将遵循‘面向世界、服务全国’的办展宗旨，坚持国际化标准、市场化运作、专业化组织，朝国际化、经贸性、实效性、优质性方向发展。”2020 年第25 届义博会正式更名为中国义乌国际小商品（标准）博览会，新增国家标准化管理委员会为主办单位，新增国际电工委员会（IEC）作为支持单位，成为全国首个以标准为主题的国际性展会。展会设 1 个标准创新展区、1 个“品字标”展区、9 个“亮标”行业展区。义博会已成为带动小商品产业壮大和转型升级，推动义乌小商品市场外贸出口的重要平台。义乌坚持“质量兴市，经营兴市”，会展和市场的良性互动，诠释了全新的治市思路，创造了中国区域会展城市快速发展的神话。

二、义博会的运作方式

（一）展商的组织方法

1. 简介

符合下列条件之一的企业，可获得义博会保证性展位：

（1）列入“商务部重点培育和发展的出口名牌”、拥有国家驰名商标、中国名牌产品或获得“国家免检产品”资格；

（2）列入“省重点培育和发展的出口名牌”，拥有省级驰名商标或省名牌产品；

（3）拥有地（市）级知名商标或地（市）级名牌产品；

（4）国家、省级行业协会理事以上单位；

（5）境外生产企业或拥有境外自主注册商标；

(6)至今连续参加义博会4届(包括4届)以上;

(7)申请展位4个以上(含4个),并要求特装。

符合下列条件之一的企业可申请分配性展位,按企业资质条件从高到低顺序录取:

(1)注册资金100万以上企业;

(2)拥有自营进出口权的生产企业;

(3)参展产品有注册商标两年以上;

(4)参展产品有专利证书或优新产品证书;

(5)至今累计参加义博会3届(包括3届)以上。

2. 评析

义乌小商品博览会为了向品牌化和品质化转型,对参展商的质量提出标准和要求,以保证展会的品质,品牌企业参展也更受欢迎。

(二)专业观众邀请办法

1. VIP 买家俱乐部

"VIP 买家俱乐部"是由义乌中国小商品城展览有限公司发起并成立的面向参加商城展览展会的境外采购商的综合性服务组织,是为广大客商提供一个集展会信息、业内资讯、超值礼品、尊贵服务、商贸交流为一体的多元化互动平台。

加入 VIP 买家俱乐部后,VIP 俱乐部会员将享受专属于俱乐部会员的相关权利及礼遇,有助于会员更好地参观展会,了解行业资讯与最新产品信息,实现与参展企业的完美互动。VIP 俱乐部会员享受的服务有:四大展会快速入馆服务;VIP 电子月刊订阅服务;展会会刊相关服务;享用 VIP 洽谈区服务;定制现场贸易配对服务;展会—市场一站式采购服务。

2. 激励参展商邀请采购商

义博会对邀请观众的参展企业给予两项福利:一是展位费抵扣券2 000元。可用企业专属邀请函邀约观众,若人数不少于20人,且排名前25,将被评为"中国义乌国际小商品博览会'以商招商'TOP25",并获得下届义博会展位费抵扣券2 000元,并可参与现场颁奖典礼,由大会执委会颁发获奖证书。二是提供食宿或交通补贴。参展商可向大会执委会申请举办新品发布会、采购订货会或邀请企业授权经销商、采购商参会,经义博会项目组确认并审批,可给予组织者相应的食宿或交通补助。

3. 展会与采购会同时举办

浙江省省外浙商市场采购浙货对接会搭台义乌,精准对接义博会(图1-2)。

活动现场设置省外浙商市场采购区,展示省内和义乌市场优质商户的品质商品,供对接会嘉宾和采购商参观采购,进一步促进境内外企业的经贸合作与投资,提高义乌小商品及其加工品的市场知名度和竞争力。

图1-2　第25届中国义乌国际小商品(标准)博览会开幕式

4.评析

义博会在专业观众邀请方面,也花费了一番功夫,在激励参展商邀请的同时,组委会积极与优质专业买家建立合作,给予VIP待遇,以稳固买卖关系。另外,广泛动员社会资源,举办专场采购对接会,以扩大展会的交易规模。

第三节　FIBO CHINA 上海国际健身与健康生活方式展览会

一、展会介绍

全球领航健身展FIBO是德国在中国及亚洲地区的专业展会(FIBO CHINA),是国内外一流健身器材、运动康复设备、智能穿戴、健身俱乐部设施、运动营养产品、健身课程、运动服饰配饰等综合产品的专业、国际化贸易与交流平台,是健身产业最新趋势、最新技术、最新理念、最新模式的未来趋势展示平台,是中国健身产业与国际发展趋势对接的优质商贸平台,展会旨在促进健身休闲产业健康发展,传播时尚健康的生活方式,提高全民健康水平。

FIBO CHINA 集贸易、教育、体验为一体,是吸引健身中心经营者、健身教练、运动医学专家、理疗师、酒店、地产、投资者、经销代理商及多功能健康中心经营者和广大健身爱好者广泛参与的健身盛会。

(一)展商范围

1.健身健康展区

健身健康展区包括商用健身器材、家用健身器材、功能性训练设备、运动康复设备、EMS 肌电设备、体质检测设备、体态矫正设备、水中健身设备、团体课程、青少年体能、瑜伽/普拉提、搏击训练设备及配套、按摩振动设备、家用健康设备。

2.设施服务展区

设施服务展区包括管理系统、健身场馆设施、健身场馆设计、泳池相关设施、教育培训/咨询、安全与清洁。

3.营养食品展区

营养食品展区包括运动营养品/补剂、轻食、运动饮料、摇杯及冲调机、运动营养及食品原料、健康食品、保健食品。

4.时尚潮流展区

时尚潮流展区包括运动训练装备、运动潮服、运动 APP 智能穿戴、运动时尚配饰、水中训练装备。

(二)观众范围

1.运动及健身场馆的投资人或老板、决策者或管理者、私人教练或团操教练或运动教练。

2.新渠道买家,如大型企业、康复与养老机构、健康中心、医疗机构、政府及企业供应商、酒店与酒店集团、地产开发商、国际学校或体育院校、美容美体机构等。

3.经销商或代理商,如商用器材经销商或代理商、家用器材经销商或代理商、运动营养经销商或代理商、运动服饰经销商或代理商、电商平台或零售商、大型商超或连锁超市、进出口公司、体育用品及体育设施商店等。

4.健身爱好者及体育爱好者。

二、展会的运作方式

(一)TAP 目标买家计划

1.计划介绍

目标买家计划(Target Attendee Program)简称"TAP 计划",是通过识别、建立、保持以及加强有潜力的细分市场企业中,具有采购权和推荐权的买家,来确保他们能够深入地参与到我们的展会中进行采购洽谈的计划。TAP 团队在展前确认展商最希望见到的买家群体在未来 12~18 个月内的详细采购计划,为展商和买家创造供需匹配的合作平台,促成他们在展会现场的商务配对会议,从而提高展商和买家的满意度,将展会与客户的关系转化为其商业上的成功。同时,结合 TAP 买家的反馈意见,不断提升展会服务、增强展会的整体竞争力。

2.价值体现

TAP 旨在创造价值,以改变展会与客户之间的关系。TAP 将吸引最具影响力或购买力的观众参加展览会。通过组建专门 TAP 团队,在展前、展中及展后的整个展会周期里对展会参与者的关系进行识别、建立和维护。这是在整个展会行业中的一个独特销售主张。

3.计划本质

TAP 能锁定核心采购决策者、需求制定者和具有影响力的行业人士。此外,TAP 还将核实他们在未来 12~18 个月明确的采购计划,并在展前和展中为展商和买家提供牵线搭桥的服务。通过特别 TAP 胸卡,参展商可在现场轻松识别 TAP 观众。TAP 计划是提升参展商投资回报率的一个关键助推器。

4.评析

通过对展会的买家进行市场细分并制定详细的采购计划,实现供需匹配。专门的团队在整个展会周期为展商与买家构建了交易合作的桥梁。TAP 实现了为参展商与采购商创造更有价值的服务,将这个计划作为会展产品销售给参展商与采购商,既促成了展商与买家的交易,也提升了展会的整体竞争力,创造了多方利益共赢的需求点,这一点值得学习和借鉴。

(二)FIBO CHINA 展商商务配对服务

FIBO CHINA 商务配对服务旨在为参展商提供新的商机。FIBO CHINA 建立了一个高效的贸易平台,通过吸引来自世界各地且不同行业的买家,包括进出口企业、各级代理经销商、大型线上/线下商超、健身俱乐部、酒店业主及酒店集团、地产物业、国际学校、医院、康复机构、产后康复会所等具有采购决策权的董事长、总经理/副总经理、采购总监等,通过精准的商务配对服务增加参展商的商业机遇。

FIBO CHINA 从 2016 年开始推出商务配对服务,并于 2018 年实现线上线下贸易配对平台整合。该服务在展前、展中和展后都能为所有参展商和专业观众提供交流平台。4 年间,FIBO CHINA 现场累计服务 200 余家参展企业,达成 1 000 余场商贸配对,实现近亿元的采购订单。

1. 商务配对服务

该服务能确保展会将对口的、身份确认的买家引导至参展商的展位或推荐参展商的业务给对口的新客户。

商务配对通过推荐电邮里的展商列表和链接、微信注册登记页面的推荐展商列表,使得买家可以十分容易地了解参展商、联系参展商、和参展商预约展中的会见。

2. 参展商商务配对实现多赢

商务配对服务指引买家去到对口的展商展位上,以缔结更多的业务,更有效地利用展会时间。商务配对不会增加展商或观众的成本,会让展会的客户更加满意。

具体而言,展会帮助展商与观众拓展商务人脉,创造了全系列展前、展中及展后的免费、非赞助商业配对(展商推荐)服务。观众在完成参观预登记或者现场参观登记后,系统会自动为其通过电邮或微信推荐与其在参观登记表里勾选的感兴趣产品及参观目的相匹配的展商名单,观众可点击展商链接查看其公司及产品详情,并参考制定参观或会谈计划,最大化利用展会提供的服务如:

(1)查看个性化推荐以轻松发现相关展商及产品;

(2)发现以前可能没见过的展商或产品;

(3)节约名录搜索时间,有效进行参观规划;

(4)展会上的结构化活动帮助客户拓展商业交际网络;

(5)为 TAP 买家提供的个性化展商推荐及商务配对会议服务。

3. 商务配对实施过程

商务配对是提供给已签约展商的免费服务。参展商只要完整、准确地提供公司的参展信息就能被包含在给对口买家的推荐沟通里,参展商可使用相关 APP 扫描展位上观众的参观证,以获取他们的资料作为销售线索。

(1)展前筹备配对流程

①TAP 专员在邀约过程中锁定有详细采购需求及预算的买家;

②取得 TAP 买家与展商共享彼此供求信息的许可,以促进配对;

③为 TAP 买家定制展会上的商务配对时间表。

(2)展会上 TAP 1 对 1 商业配对流程

①TAP 买家抵达场馆时由专员亲自接待;

②TAP 买家在 TAP 专员的带领下参观配对展商的展位,查看感兴趣产品,并

与展商进行商务洽谈；

③TAP 买家时间有限时，会安排其在 TAP 休息室轮流与配对的展商洽谈，展商携带产品及资料参加；

④TAP 专员对配对会议进行记录。

(3)现场 TAP 社交活动

TAP 专员也会邀请 TAP 买家参加展会上的社交活动，例如商务午餐会、酒会、欢迎晚宴等，以便将 TAP 买家引荐给更多对口展商，促成他们建立联系。

(4)展后配对报告

TAP 专员展后回访 TAP 买家，以了解他们和展商是否或准备达成合作与交易、是否还需要任何产品或展商信息，以便持续服务，并为展商缔结新的销售线索。

根据会议及回访记录，TAP 专员为每位参与配对的展商和 TAP 买家制作专属的配对报告，以便他们跟进和评估。

4.评析

精准的商务配对可以为参展商和采购商带来巨大的商业机会，然而现在的许多展会在展客商的商务对接手段方面做得不精准、没成效，励展集团开发的商务配对服务从 2016 年开始至今取得了优异的成绩。在帮助展客商拓展商务人脉的同时，从不同层次的参展商出发，提供全系列展会期间的免费服务，以及非赞助商业配对服务，为 TAP 目标买家提供个性化的服务模式，对大企业的参展商来说是锦上添花，这更是为中小企业的展客商提供了发展的机遇。

第四节　国际名家具(东莞)展览会

一、展会介绍

国际名家具(东莞)展览会(简称名家具展)于 1999 年 3 月创办，迄今为止已成功举办 40 届，已成为令东莞全球闻名的名片，亦成为东莞会展经济发展的火车头。

(一)基地办展

国际名家具(东莞)展览会是在中国家具行业蓬勃发展的初期，以促进本地家具产业发展为初衷创办的。正因为如此，名家具展形成了"前展后厂"的独有特色，为参展企业与专业观众之间的深入沟通并迅速建立合作关系提供了天然的基础。

伴随着以广东家具业为代表的中国家具业迅猛发展，名家具展与整个家具行业之间形成良性互动,相互促进,展会的影响力以奇迹般的速度上升。如今,因为依托粤港澳大湾区的家具产业集群办展,周边聚集了数万家不同规模的家具制造企业,以及丰富的泛家居产业链上下游资源,东莞市厚街镇已成为中国制造业聚集的家具制造腹地。名家具展不仅造就了广东省内及港台地区的家具名企,也造就了浙江、上海、北京、江苏、四川、江西等省市的名企,成为行业名副其实的造星平台。亦成为中国最重要的家具生产基地的核心平台。

(二)协会办展

名家具展在厚街镇委镇政府的直接指导、操盘下创办起来,其目的非常明确,就是促进本地家具产业的长期健康发展,而不是盈利。紧接着该镇成立了"东莞名家具俱乐部"这一协会组织作为名家具展的承办单位,在展会走上正轨后,实现了完全市场化运作。同时,展会引入了国内最具实力的行业组织——"香港家私协会"作为承办单位,中国家居品牌联盟、中国家具销售商联合会、江苏省家具行业协会、广东省定制家居行业协会、广东省陈设艺术协会、苏州市蠡口家具行业协会、东阳市红木家具行业协会、东莞市定制家居行业协会作为展会协办单位,协会办展决定了名家具展以发展行业为核心目标。

(三)展贸一体平台,世界家居中心

2014年,以名家具展为依托,首期超40万平方米的9号馆名家居世博园落成开园,形成融全球品牌展览、加盟、采购、直销于一体的全球最大展贸一体化平台。2017年进一步整合资源,首创3万平方米的8号馆全屋定制馆。2018年全面开放拥有9家独立大店的国际名品街。至此,以9号馆为中心辐射粤港澳大湾区的家具展贸集群初具雏形。

2019年,随着《粤港澳大湾区发展规划纲要》正式发布,展览中心二期10号馆奠基仪式于2019年3月16日正式启动。二期10号馆项目占地6.4万平方米,规划建筑面积38万平方米,与一期9号馆连接,一、二期规模达到建筑面积78万平方米,形成了一个世界家居中心。

(四)全球独有的"展览+"可延展性

1.构建产业链闭环生态圈,倾力打造"家居全业态国际核心体"

2018年,无疑是家居业具有特殊意义的一年——国际名家具(东莞)展览会创办20周年。名家具展,中国家居行业久负盛名的国际性品牌大展,全球150多个国家和地区专业观众20年不变的定期商旅目的地,经历了从"前店后厂""展贸联动"再到如今"展览+"的"3.0模式",名家具展一直走在"主动进化"的道路上。伴

随着以打造"家居全业态国际核心体"作为未来发展目标,名家具展下一步的"主动进化"方向浮出水面,这一阶段,名家具展将构建"会展+贸易+家具总部+创意中心+酒店"五位一体的"核心体",打造全球独一无二的闭环式家居产业核心生态圈。

2. 家居业"核心"逐渐显现

家居行业是历史非常悠久的行业,它伴随着人们的衣食住行基本需要,并随着人们生活水平的提高而不断发展。

据统计,1978年,中国家具行业产值仅为13亿元。但发展到今天,2016年家居行业总产值已突破4万亿。国内家具企业超过5万家,从业人员超过500万人。

尽管产业发展迅速,体量巨大,但至今还没有一家家具生产制造企业的产值过百亿。产业集中度不高,一直是困扰国内家居业的问题。不少业内人士认为,中国家居业需要一个强大的"核心"。

判断是否为家居产业核心的标准只有一个,那就是是否能够持续为产业发展提供动力。而纵览国内家居产业,名家具展正是一个持续20年,不断为家居行业提供动力的"引擎"。名家具展是国内最早成为知识产权保护示范单位的家具展;最早通过全球展览业协会(UFI)国际化认证的专业家具展;最早设立专区引入国际先进设计、先进材料设备;最早举办大型经销商评选活动;最早组织行业各方开展论坛,应对国际经济危机冲击……

从1999年的展会"1.0时代"开创"前展后厂"模式,到2014年的展会"2.0时代"启用40万平方米的名家居世博园一期,开创"展贸一体化"模式,再到2017年的展会"3.0时代",开创"展览+"模式,展会不断丰富展览的功能模块,全面升级展览内容,呈现出强优势、重内容的创新和融合爆发力。"设计LOGO""品牌独立大店""全屋定制"以及"新中式品牌""童趣生活"等主题馆纷纷出现,"金羿奖"应运而生,"中国家居制造大会""中国家居产业绿色供应链论坛""亚洲家具设计论坛""定制中国论坛"等家居行业高端活动在名家具展平台举办。同时,在秋季展会上打造国际定制家居展,与名家具展形成联动,引领行业向大家融合的方向稳步前进。一个家居业"核心"逐渐显现。

3. "五位一体"打造家居全业态国际核心体

要成为家居产业核心,需要本身具有极强的"造血能力"。为此,名家具展组委会提出"展会+贸易+家具总部+创意中心+服务"五位一体的发展模式,打造全球独一无二的闭环式家居产业核心生态圈。未来,名家具展将进入"4.0"时代,也就是"核心+无限"的时代,它将是通过全业态聚拢而构建的拥有无限可能的时代。

"家居全业态国际核心体"将是规模超大的、全球家居业唯一的引擎级枢纽体。这在全球任何一个地区、任何一个城市从来未有、未来也不太可能被复制产生的综合规模效益的集成体。它的"引擎"由三方面组成。

（1）地缘"引擎"。名家具展的区位优势决定了其"引擎"的作用。具体体现在三个方面：首先，项目地处国家战略层面的粤港澳大湾区的中心点。粤港澳大湾区是国家建设世界级城市群和参与全球竞争的重要空间载体。其次，中国是全球家具产业转移的终点站，而不是一个中途站，这是中国自身产业规模以及巨大的消费市场空间决定的，是全球任何国家都无法超越和代替的，而东莞厚街，正是中国家居产业20年发展历史的书写者和着墨点。最后，厚街是珠三角超级城市群的交汇点。泛珠三角拥有庞大的高收入城市群体，1亿多富裕人口聚集在此。

（2）规模"引擎"。核心体项目总占地50万平方米，750亩（1亩≈667平方米）土地，总建筑面积达到202万平方米，并且整体物业完全由华源集团自持。如此体量庞大为家居行业量身打造的项目，全球独一无二，也不可能再产生。其中，展贸综合体，是由一年两季的40万平方米动态展览和70余万平方米的常态展贸组合形成，总展览面积达到116万平方米，是全球最大的展贸综合体，全面超越目前全球排名第一的米兰展览中心（展览面积65万平方米），几乎是我们可预见的其他展览面积的2倍。同时，以112层国际家具总部大厦为主体的总部集群核心体达到57万平方米，是全球家居业规模最大，也是品牌最集中的永久性大本营。

（3）内容"引擎"。首先，展会是以"新名家具展"为引领的国际展览群。除一年两届名家具展外，还有智博会、印刷包装展览会、海博会和其他的交易平台，未来的展会将成为每年超过20场连续不断的国际展览群。其次，展会是以"创新驱动"为引领的家居新产业集群。未来的超高层总部大厦中，一定会有很多跨界型、创新型的公司入驻。核心体的目标是"卖全球，买全球"，是出口与进口、线上及线下，国内贸易和国际贸易同步进行的经济共同体。最后，展会是以"打造行业家园"为目标的服务居住集群。项目中将打造包含五星、六星、七星三种业态的酒店集群，包括五星级嘉华酒店，六星级新嘉华酒店和538米超高层的世界家具总部大厦七星级酒店，同时还将建设大规模的高端住宅。

未来，名家具展的核心体不再是传统意义上的会展中心或商业综合体，而是构建一个全新思维的立体式"赋能磁力场"。过去传统的展览模式基本是扁平化的，能够提供服务内容的只有展览、会议、交易、洽谈、订货、发布等。而名家具展将重构一个全新的"核心+"模式，具有更高的目标，由底层、中层和顶层三个维度立体构建而成：底层是平台赋能，是展览平台、信息平台、服务平台、交易平台、技术平台、融资平台和教育平台所合力构建的基层平台；中层是智慧赋能，包含系统创新中心、模式创新中心和设计创新中心所构成的中部支撑；顶层是真正为企业构建的具有全球市场竞争力和未来产业生命力的超级赋能，这是能够给企业带来强劲力量的"永动机"，是未来高速冲浪的"路由器"，是行业下一个20年发展过程中巨大能量的提供者。

未来我们将面临全新经济转型、全新交易方式转变、全新科技发展变革所带来

的挑战,"家居全业态核心体"的构建,将为行业带来源源不断的前进动力。

二、展会的运作方式(以第45届为例)

(一)一个生态平台+五大超级引擎

第45届(2021年)名家具展以品牌为引领,为行业提升品牌势能,开拓多元渠道,整合生产供应链,打造全新生态平台。同时,推出五大超级引擎助推平台发展,形成全业态闭环。五大超级引擎包括"势能引擎""颜值引擎""创新引擎""制造引擎""裂变引擎"。

1."势能引擎"

经过20多年的发展,名家具展已经建立起囊括全球优秀家居品牌的品牌矩阵。基于此,名家具展联合东莞名家具俱乐部和东莞质检中心共同打造被称为"中国家具业的米其林"的国际名家具星级评价。

2."颜值引擎"

颜值引擎是希望充分发挥家居产品的颜值优势,同时强化设计引领,打造东方文化和设计文化。展会在部分展区打造了东方家居文化特色展,聚焦东方文化与当代表达。同时,还推出了DGS(Dongguan show)东莞秀展区,打造全球设计灵感新领地,并通过举行金羿奖评选和各类设计论坛,全面提升整个展会的颜值。

3."创新引擎"

名家具展依托东莞厚街的强势产业资源,不断孵化出越来越多的优秀品牌,打造或吸引了包括全案设计中心、全屋设计馆等创新业态的加入,例如部分展区的全案设计品牌华辉全案设计中心、德驰全案设计中心、迪信全案设计中心、图森整装定制、好荟装全案设计中心等。所以,展会既是家居展贸一体的综合体,又是家居业的开放式商学院,新商业模式不仅可以落地,又可以复制到全国市场。

4."制造引擎"

第45届名家具展,从成品家具各个品类,到大家居供应链,再到名家具机械材料展,融合全产业链资源,推动家居行业的先进制造。

5."裂变引擎"

名家具展一直是家居行业成交效率最高、渠道最有效的展览会。第45届展会中,名家具展整合了专业卖场、经销商、设计师、专业采购商等60多万条渠道资源。据统计,在启动邀约不足一个月的时间里,有4万多经销商、3万多设计师以及2万多的房地产机构、酒店工程、装修公司、餐饮空间、跨境电商等专业采购商明确要参加第45届展会。

(二)名家具展+中国家居品牌联盟

在第45届名家具展发布会上,国际名家具展和中国家居品牌联盟战略合作签约仪式重磅启动。广东现代会展管理有限公司副董事长林集永和中国家居品牌联盟主席郭山辉的签约,为家居行业发展按下一个恰逢其时的按钮。

名家具展主办单位代表及中国家居品牌联盟成员单位代表共同见证了签约仪式。中国家居品牌联盟主席、台升集团董事长郭山辉先生表示,双方将共同打造有声有色的国际名家具展。同时品牌联盟也将不忘初心,继续组织更优秀的企业参加国际名家具展。

一个是最具成交价值的国际性家居品牌展览,大家居圈必看的展会;一个是汇聚了众多家居品牌的家居行业龙头组织,双方深度合作、资源共享、强强联合,为行业带来了一场极致完美的中国家居品牌盛宴。

(三)国际名家具启动星级评价

在第45届名家具展发布会上,东莞市质量监督检测中心主任谷历文表示:"目前的家具行业,正处于转型升级的关键期和阵痛期,普遍存在研发创新能力不足、品牌影响力弱、质量基础不扎实、管理体系不完善等问题。在供给过剩时代,家具企业如何突围,这是一道'绕不过的槛'。"

结合家具行业的实际和行业可持续发展的需求,"国际名家具星级评价"应势而生、应时而生、应需而生!该评价从第三方角度出发,以"企业规模、研发创新、知识产权、质量品牌、制造能力、质量基础与质量保证、售后服务和社会责任"8个一级指标、25个二级指标、72个三级指标为核心,对家具企业的综合能力和质量进行评价,有效帮助企业系统分析制造水平和现状,找出制约企业发展的瓶颈和短板,发现成就品牌的方法和路径。

在国家构建国内、国际双循环新格局、加强消费侧管理以及质量变革的背景下,"国际名家具星级评价"的发布,有利于强化家具企业核心竞争力、赋能企业塑造质量品牌,有利于全面提高国内外市场对"中国家具"的质量认同感和消费信心,是打造国内、国际家具品质消费风向标的有力举措,是引领家具行业高质量发展的关键"支点"和重要"引擎"。

2. 评析

名家具展的发展历程告诉我们:展会与产业是一对孪生兄弟,相互支撑、相伴成长。展会为产业凝聚生产要素、提供交易机会和品牌打造,产业为展会提供主体支持。二者有机结合是办展的宗旨和目的,也是展会取得成功的基础。

名家具展的成功,主要原因有:

(1)依托生产基地办展。名家具展形成了"前展后厂"的独有特色。

（2）协会运作。协会办展决定了名家具展以发展行业为核心目标。

（3）构建"会展+贸易+家具总部+创意中心+酒店"五位一体的"核心体"运作模式，打造全球独一无二的闭环式家居产业核心生态圈。名家具展的核心体不再是传统意义上的会展中心或商业综合体，而是建构一个全新思维的立体式"赋能磁力场"，这是能够给企业带来强劲力量的"永动机"，是未来高速冲浪的"路由器"，是行业下一个 20 年发展过程中能量的提供者。

（4）展会发展战略是"以品牌为引领，为行业提升品牌势能、开拓多元渠道、整合生产供应链，打造全新生态平台"，起到了引领行业发展的作用。

（5）资源共享、强强联合。名家具展和中国家居品牌联盟战略合作，为行业带来一场极致完美的中国家居品牌盛宴。

（6）制定行业标准。国际名家具展启用星级评价，"东莞标准"将努力成为中国家具准则。

第五节　第86届中国国际医药
原料药/中间体/包装/设备交易会

一、展会及主办方介绍

第86届中国国际医药原料药/中间体/包装/设备交易会（简称 API China）涵盖 24 大类 5 万余种原料药，包含了医药和保健品生产所需的所有辅料、功能性配料、内外包装材料、生产及检测设备。本展会分为医药原料药展、辅料配料展、医药包装展和制药设备展四个专项展。

API China 国药励展展览有限责任公司（以下简称国药励展）是专注于中国医药健康领域的展览和会议组织者，是中国医药集团总公司和励展博览集团的成员公司。

国药励展的业务范围涉及主办、承办全国药品、原料药、医疗器械、化学试剂、分析仪器、玻璃仪器、实验室装备、制药设备、包装材料、中药材、保健品、化妆品原料及医药行业相关技术和服务的各种博览会、交流会、交易会、国内外学术研讨会及相关的会议服务（图 1-3）；出国（境）举办经济贸易展览及境内举办对外经济技术展览会。

国药励展秉承"服务全行业，共同谋发展"的企业理念，致力于打造商务和学术相结合的有效平台，以其专业的展览队伍、翔实庞大的信息资源和完善的服务体系吸引了业内几乎所有的龙头企业、商家、科研单位和专业人士来参加每年举办的十几个专业性展览和会议。国药励展致力于不断创新,开发新的项目,以满足市场需要,促进行业繁荣发展。公司旗下的各个品牌已经成为中国医药、医疗器械工商企业和科研单位、医药服务领域展示企业形象、交流信息和开拓国内外市场、促进贸易和产业进步的最有效的商务平台,并有效地促进了国内医药界与海外医药界的交流。

图1-3 医药原料展展会现场

二、展会的运作方式

(一)医药原料药展:原梦初心,料创未来

API China专注于提高中国医药原料药、中间体、药用辅料生产、研发的整体水平,代表中国制药工业新产品和技术,已成为汇集行业内领军人物,展示先进的产品技术,为企业解读政策法规,提高行业生产水平并反映行业发展趋势的品牌盛会。展会得到97%以上中国制药工业百强企业的支持,为制药企业决策、采购、技术、研发人员提供与目标客户建立信息交流、进行商业合作的机会。

(二)辅料配料展:匠心品质做好药

怀揣匠心、极致追梦,提供优质高效、性能稳定且价格合理的药用辅料,为中国制药立足全球保驾护航,一直是中国药用辅料企业坚守的信念。API China自2016年首次举办中国国际药用辅料/功能性食品配料展(PHARMEX辅料配料展),该展会代表了中国乃至全球药用辅料行业最高水平。PHARMEX辅料配料展以"匠心品质做好药"为主题,吸引了国内外200多家辅料企业,千余种优质产品集中亮相,为中国制药企业高效、快速通过一致性评价提供解决方案,为中国制药产品布局全球保驾护航。

(三)医药包装馆:智能包装,创新驱动

曾有专家预测,中国医药包装市场规模将突破 1 000 亿人民币,随着我国物联网时代的到来,中国医药包装智能化、信息化也是大势所趋。作为亚洲医药包装第一展,中国国际医药包装展(PHARMPACK 医药包装材料展)历时 30 余年的发展,已成为亚洲乃至全球医药企业采购首选的医药包装品牌盛会。医药包装展以"智能包装,创新驱动"为主题,推出"医药包装及给药系统创新产品展示区"等系列主题活动,吸引近 300 家国内外优秀医药包装生产企业,从人工智能、印刷及标签、医药物流包装、包装设计、包装材料等方面着手,为制药企业提供专业、全面、便捷的一站式包装采购平台和完整的包装解决方案,展示智能加工与包装生产线。

(四)API 盛会

1.简介

API 盛会("API Conference")作为 API China 重要活动之一,围绕"科技、安全、精进、可持续"的主题,通过主场论坛、专场论坛等 30 余场论坛,邀请 300 多位行业专家,为 API China 参展企业以及 API China 平台专业观众解读制药行业的新政策、新趋势、新理念、新模式,深度挖掘商业创新。

2.评析

API China 办得好,主要有以下几方面原因:

一是主办方具有极高的行业地位。国药励展是中国医药集团总公司和励展博览集团的成员公司,是专注于中国医药健康领域的展览和会议组织者。

二是展会专业性强且层次高。本展会分为医药原料药展、辅料配料展、医药包装展和制药设备展四个专项展。其中辅料配料展代表了中国乃至全球药用辅料行业最高水平,医药包装展则是亚洲医药包装第一展。

三是展会已成为海内外数万家药品与保健品生产企业"一站式"的高效行业平台,为海内外制药同仁全面了解中国制药及保健品行业发展趋势、结识业内朋友、发现新商机提供了绝佳机会。正是这些特有的魅力,使得 API China 能够吸引 700 余家原料药领军生产企业、300 余家辅料配料企业、300 余家精品医药包装企业、200 余家知名制药设备企业以及超过 30 000 名海内外专业观众汇聚一堂。

(五)API China 立春在线预约配对系统

1.简介

为更好地搭建买卖双方交流的平台,从第 80 届 API China 开通的立春在线预约配对系统沿用至今,通过此系统,买家不仅可以找到数千家有资质及有高标准建

造实体工厂的供应商,卖家也可以主动寻找自己所感兴趣的买家。截至 2020 年 7 月 1 日,共有 400 名展商、782 名买家登录立春在线配对系统,共发起 1 782 条预约邀请,展会现场实现配对 264 场。

2. 评析

目前,通过在线配对系统为展客商提前提供对接服务的会展项目不多,API China 的该项服务具有很强的平台性和专业性。此举提升了展会的服务水平和展会的商业效果。

第六节　中国制造网 SMART EXPO 云展会

一、展会介绍

SMART EXPO 云展会是中国制造网用数字化的手段,通过"新商机引流""智能匹配""多元化服务"等方法,将线下展会线上化的同时,对线上展会进行数字化升级,旨在激活全球买卖端和全球会展业的全链路,让双方足不出户,借助云展会实现精准供需对接,获取更多交易机会的新型解决方案。

二、展会运作方式

(一)云展会系统特点

1. 数字化运营

通过精细数字运营,沉淀优质买家。根据参展数据统计,复盘商机淘金。

2. 智能化匹配

提供智能匹配搜索,精准对接需求。深度聚焦行业,推荐"千人千面"。

3. 便捷化参展

视频语音会客,足不出户参展。交易产品打标,助力订单立现。访客提醒询盘留存,不误商机。

4. 多元化服务

360°全景、视频、动图展示。并提供预热邀约、站内导流、站外扩流。一站式全链路贸易综合服务。

5. 专业化支持

多年 SMART EXPO 云展会经验支持。使用参展秘籍培育优质商家,运用服务台参展指引更高效。

(二) 中国制造网 SMART EXPO 云展会的先进方法

中国制造网 SMART EXPO 云展会涵盖了完整的展前、展中和展后相关服务。从展前买卖双方的邀约和预热，到展中帮助参展商营造氛围，把访问平台的买家引入垂直的行业展内，到展后提供数据复盘、买家跟踪、买家回访等服务，与线下展会的逻辑一样，打造了一个完整的参展流程。

在供采双方参展过程中，云展会的"黑科技"服务如采用"3D 展馆""在线音视频直播""多语即时翻译""共屏演示""360 全景看厂"等一体化的平台展示方式，为供采双方提供了真实、高效的沉浸式参展体验。

1. 3D 展馆

很多人以为线上参展就像逛网上商城一样，是一种平面化的参展方式。中国制造网云展会为了给参展方打造一种真切的参展体验，通过"3D 展馆"技术，将传统平面展区升级为立体式展馆，实现了展会从线下到线上的完美复刻，为采购商及供应商带来 360° 全景、视频、动图体验，让买家身临其境欣赏"中国制造"之美。

2. 在线会客厅

虽然实体展会在形式上转变为 SMART EXPO 云展会，但是沟通是无障碍的。SMART EXPO 云展会的"线上会客厅"功能，让买卖双方可以根据自己的需要进行一对多或者多对多的音视频沟通，进一步提升双方信任感。

如果供应商在与多个买家的沟通中发现了优质采购商，也可以发送私聊邀请，引导买家进入新的会客厅进行单独私聊，确保能够在不被打扰的情况下与买家进行更高效的沟通。在线会客厅功能把线下会展的供采双方洽谈的场所搬到了线上，每位参展商都可以在自己的会客厅内和采购商进行"零距离"音视频沟通。在线会客厅支持供应商同时接待多位买家，也支持供应商和采购商在私密会客厅进行一对一交谈，保护双方的商业机密。

3. 多语即时翻译

想要拿下世界各地的订单，光会一门英语是远远不够的。中国制造网 SMART EXPO 云展会的多语即时翻译功能，能够智能识别多个语种，并精准翻译成目标语言，为中小企业降低语言门槛，帮助其拓宽多语言国家市场。

4. 共屏演示

供采双方从"面对面"变为"屏对屏"，共屏演示通过 AR 增强现实技术，让采购商和供应商一键共屏演示，在云展会的"在线会客厅"中实现共享手机摄像头、实时圈物互动讲解，让跨时空产品演示更加高效，解决了无法确切地展示产品细节的问题。

5. 360° 全景看厂

360° 全景看厂功能，通过线下实景拍摄和数字处理，将企业工厂直观地展现在买家面前,让买家远隔万里依旧可以通过网络进行"验厂",省去了买家跨国出行、住宿等不必要的麻烦。中国制造网在全国各地都有为外贸企业提供全景拍摄的服务商。

6. 评析

中国制造网是一个中国产品信息荟萃的网上世界,面向国内外采购商提供丰富产品的电子商务服务,旨在利用互联网将中国供应商的产品介绍给国内外采购商。SMART EXPO 云展会从 2016 年就开始运行,经验丰富,其系统也在不断地完善,通过数字化运营、智能化匹配、便捷化参展、多元化服务等为供采双方提供周到的平台服务,实践性非常强,可以为各类展会所借鉴。

第七节　艺高高万人艺术展

一、展会介绍

艺高高是由著名文化人、资深媒体人曹启泰先生创办的艺术传播机构,旨在传播对公众有益的艺术,支持当代原创艺术家的发展,打造创新模式的艺术商业新业态。

万人艺术展是由艺高高策划举办的,10 000 位艺术家的 10 000 件艺术品在 50 万平方米的开放空间里免费观赏展演 100 天,聚集了中国的当代艺术资源,邀集甄选了多元化的艺术作品,用更亲民的方式展示在大众面前。展会概念是让 300 万爱画画的人找到 300 万想买画的人,满足中产阶级人群的生活品质需求,同时服务于有艺术需求的商业用户。

二、展会的宏观运作方式

(一)组织运行

1. 平台支撑

艺高高致力于推广当代艺术画作,建设新型艺术家资料库,全方位提供服务,是集综合美术馆、跨界空间、销售/拍卖/交易功能于一体,且充满娱乐精神的当代艺术品电商新平台。艺高高打造"艺术品交易数据中心",让数据为艺术品说话。例如:评价一幅作品时,可以让成千上万的用户和爱好者进行评价、打分;当介绍一幅作品时,它的作者资料将实时呈现在眼前等。

2. 与艺术家的"合作"

艺高高"不签约"是指与艺术家没有经纪合约,"不签死"艺术家也不捆绑自已,和艺术家成为朋友,而不是只有生意。

在2017年艺高高的万人展艺术驻留计划项目期间,入选的艺术家入住张江博雅酒店,并在为期两周的驻留期内获得主办方提供的工作室、住宿、交通、创作材料等多项支持,有机会参与一系列当地文化的交流活动,驻留期间所创作的艺术品在上海张江博雅酒店以展览的形式呈现。

3.艺术品的收集

艺高高力求为入门级收藏家与艺术爱好者推荐最适合自己的当代艺术品。并且可以免费查找到中国最新最全的原创油画、版画、艺术衍生品等信息,艺术家可以免费发布推广自己的作品,建立中国最大的艺术品库,把艺术带到人们的生活中。

目前,艺高高主要专注于当代画作领域,拍卖的画作主要是定价为1 000元~10万元的艺术家原创的非复制非工艺作品。20~50岁或月收入5 000元~5万元的任何人都可以投资。

艺高高除了拥有运用平价、亲民等特性来推动"平民艺术品投资"的愿景之外,它还具备其他诸多艺术品网站所不具备的"快速、平等、自由、娱乐"等互联网精神,倒逼传统艺术品交易市场的发展。

4.组织观众

当万人艺术展确定在日均客流量8万~10万人、双休日客流达20万人的上海环球港举办时,主办方就开始联络申报吉尼斯纪录相关事宜,100天、数万件展品的展览加上人流密集的商业新地标,使之成为一场全民参与艺术活动的盛会。而吉尼斯世界纪录大中华区给出这样的答复:"由于从未有过这项纪录,所以无法打破"。

"无围墙免门票"是最重要的精神,把当代原创的艺术能量、多元的艺术作品,以更亲民的方式展现在大众面前,初亮相的"万人展"直接"大干了一场100天的艺术"。

(二)艺术展选址

首届万人艺术展选择了在全球中心城区最大的商业中心城市综合体,也是国内唯一欧式风格的购物中心——环球港举办,开放式的公共展馆突破了艺术展览的传统形式,让看展览不再需要买门票,让艺术出现在人们的生活场景中。

上海环球港集文化、旅游、商业三大功能于一体,文化特色和文化气息是上海环球港的一张"名片"。艺高高万人展选址上海环球港,也正是看中上海环球港在这方面的人群号召力和影响力。月星集团董事局主席丁佐宏在展览开幕当天代表上海环球港预祝展览圆满成功,他同时表示,艺术和商业密不可分,如何让艺术和商业走入公共空间,引发更多的交流共鸣,是月星集团在筹建环球港之初就在思考的问题。月星集团将文化特色作为月星大商业发展的精髓,随之也形成了环球港"商旅文"结合的创新模式。上海环球港开业近两年,各种艺术演出、展览不断,各种类型的文化艺术项目让消费者在购物的同时接受轻松的、潜移默化的人文艺术熏陶,并在文化体验中促进消费。同时,消费也更好地反哺文化艺术。丁佐宏说,文化项目的持续开展让环球港积累了丰富的运作经验,也收获了超高的人气。环球港一定全力支持万人艺术展,让艺术爱好者享受到完美的艺术盛宴。

(三) 盈利模式

采用"C2B2C"的服务介入新模式,有艺高高所提供的服务介入的当代原创艺术品直购平台"买得到,也卖得掉"。"O2O"的线下体验及线上展示模式,打通了艺术通道,提供了接触艺术的丰富形式。

艺高高网站上的艺术品成交后,艺高高将收取售价的15%作为系统服务费,所以艺术家在制定售价时需要酌情调整一口价。系统服务费包括标准包装、防伪标签以及艺高高交付给买家的运费等费用。

艺术品的价格是先让艺术家自己定价,再乘以 2.5 出售,最后艺高高和艺术家对半分成,而艺高高的所得将再次流入场地和运营成本中,保证良好的现金流。

三、展会的微观运作方式

(一) 名人助阵

上海环球港素来有着"明星聚集地"的美誉,黄晓明、谢霆锋、霍思燕、韩红、姚明等文体名人时常光顾,常引得粉丝们尖叫连连。万人艺术展开幕当天,自然少不了各路明星的莅临。陈辰、朱丹、司雯嘉、高山峰、百克力、张杨果而、东东、刘阳等人共同现身艺高高 2015 万人艺术展开幕式现场,艺高高创始人兼 CEO 曹启泰先生风趣的万人展概念演讲、"跑男跑女跑艺术"、挑选最爱的画作等环节依次进行。除此之外,面积达 48 万平方米的上海环球港每一层都有万人艺术展的展品,需要到场明星带着队友一起参观展览,且用跑的方式才看得过来,展会也因此达到了预期效果。

(二) 活动形式

1. 换墙运动

"换墙运动"(style up your walls)是首届万人艺术展推出的一个新生活理念,鼓励年轻、爱家、懂生活、讲究品位的人将家中墙上的海报或装饰画换下来,将真正的艺术品挂上墙。该理念认为，无论是购买青年艺术家的原作或是艺术名家的限量版画，买一件真正的艺术品都是对艺术创作的尊重，而对于青年艺术家来说，这更是他们坚持艺术梦想的最佳鼓舞。

同时，万人展还提出艺术家把自己的生活、自己的想法用艺术的表达方式呈现在他们的作品中，而每个人对这个世界上的人、事、物的理解都有所不同，所以他们对每一幅画作的理解也就不同。添一幅画作，就会让家变得不一样，就会让心境变得不一样。这是用艺术的生命"唤醒"千家万户的墙！

2. 竞争上岗

配合度高的艺术家，将获得在海报上以大字体展示名字的机会。在整个万人艺术展上也将获得最大的支持！此外，如果消费者看中了艺术品，只要完成指定任务，获取专属积分，就能换取最高的优惠；只要积极参与任务，就能享受折扣。

部分能获得积分的任务如下：

(1) 找到艺高高的官方公仔"art 哥 go 妹"，将合影发送至微信朋友圈或微博，告诉朋友们"我在艺高高的万人艺术展"。

(2) 拍下你家的空墙，将照片分享到微信朋友圈或微博，许愿说"我要艺术品"。

(3) 秀出你与艺术及品牌的照片，分享到微信朋友圈或微博，奔走相告"××品牌为我买单"。

(4) 找到艺高高的 CEO 曹启泰，获得合影。

3. 可参与的全互动艺术体验

艺术相关的论坛、沙龙、体验活动也让所有人置身一个全方位的艺术氛围中。每一件作品都会有专人解说，也有机会遇见艺术家本人，面对面交流画作背后的故事。万人艺术展不只是一个看了就走的静态展，每月、每周甚至每一天的作品都会不一样，值得多次前往。

4. 数字化的展览，移动连接艺术

与"360 好搜"的全方位合作带来更清晰的展览入口及相关报道：轻松进入展览，更新展览资讯。

全程直播：未到现场也能观看精彩的行为艺术表演、艺术讲座等活动。

新科技的全面应用让大众与品牌深度互动，创造更多价值。

(三) 跨界合作

1. 与兄弟(中国)商业有限公司合作

兄弟(中国)商业有限公司又名兄弟(中国)。该公司以全程智能打印服务商和个性化创意缝纫小伙伴的双重身份参与支持为期 100 天的万人艺术展以及"换墙运动""艺术消费"等，这种跨界合作也彰显了美好生活理念。

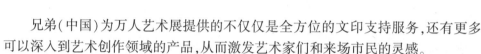

兄弟(中国)为万人艺术展提供的不仅仅是全方位的文印支持服务,还有更多可以深入到艺术创作领域的产品,从而激发艺术家们和来场市民的灵感。

展览期间,兄弟(中国)在相应的时间和场地进行主题互动活动。通过兄弟(中国)"绣""印"产品的优势,设置了相应的活动主题。活动内容新颖、独特,引起来场者的兴趣。参观者融入互动活动中,品味艺术、生活和商业融合后带来的不一般的乐趣。

万人艺术展有买得起的艺术品,而兄弟(中国)作为世界领先的办公设备服务商,为 2 015 万人艺术展提供全方位的文印服务支持。在万人展的服务中心,除了提供常规的办公打印服务,兄弟(中国)特别提供喷墨一体机 MFC-J2720、MFC-J3520 和 DCP-7180D 等产品,用于现场的艺术打印。如打印 A3 尺寸的人物像、A3 展报、A4 艺术品和 A6 签名牌等。不论是参观者还是购买艺术品的消费者,都在服务中心和兄弟(中国)的产品亲密接触!

同时,兄弟(中国)为万人艺术展提供全展期的艺术品进出库运营系统。通过对出入库的艺术品上进行标识应用,提高艺术品进销存管理的效率。特别提供的热敏标签机 TD-2130N 在运营中大展身手。

2. 与原本区块链合作

2019 年 10 月 14 日,在第十二届金投赏国际创意节的艺高高主场上,原本区块链与艺高高宣布正式达成战略合作,强强联合,倡议发起艺术区块链联盟,号召所有艺术家及艺术机构共同参与,为解决艺术市场存在的真伪难辨、交易成本高、流通环节手续繁杂等痛点难题携手努力,通过引入区块链新技术为艺术品生态赋能。原本区块链是上海七印信息科技旗下的分布式数据智能服务平台,主要为媒体、企业、机构等提供一站式数字内容版权保护解决方案。通过使用区块链、大数据和人工智能等技术,为行业提供版权存证、监测、侵权证据固化、自助交易等全产业链服务。此次双方联合发起艺术区块链联盟,致力于推动区块链技术在艺术领域深度应用,未来将会把所有当代原创艺术品的信息上链,包括艺术家资质、创作团队介绍、创作背景、展出记录、交易记录等,便于更好地保护原创艺术作品,促进市场流转。原本区块链将从技术层面发挥能量,助力艺高高共同打造一条垂直于艺术品的可信联盟链作为底层技术支撑,并将之不断发展成艺术品行业的下一代公共基础设施。它主要涉及三方:创作者、联盟机构、个人和收藏家。

将艺术品相关信息上传到区块链上有三大好处:一是易触达,艺术品创作、参展、交易、演绎等数据上链后不可修改,能真实记录和永久保存艺术品全生命周期的数据,并可被随时验证;二是低成本,跨机构和个人的艺术品流转信息记录在区块链上,能大幅降低艺术品鉴定的成本;三是高可信度,由于链上的数据真实、无法篡改,能够进一步构建艺术品行业的信用体系,重塑行业生态。

据巴塞尔艺术展和瑞士银行联合发布的 2018 年全球艺术品市场的研究报告

显示,全球艺术品市场在 2018 年的交易额达 674 亿美元,其中,2018 年中国艺术品市场的交易额为 128 亿美元,占全球艺术品市场份额的 19%。面对这个蓝海市场,艺高高与原本区块链呼吁更多画廊、美术馆、展览馆、原创作者等加入其中,携手促进行业进一步发展壮大。希望在不久的将来,全球艺术品都能获得区块链的加持,从而让这个市场更加透明、有序发展。

第二章 会议活动的经典案例分析

第一节 达沃斯论坛

一、基本情况

(一)论坛简介

达沃斯论坛,又称为世界经济论坛(World Economic Forum,WEF),首次会议在瑞士达沃斯举办,是以研究和探讨世界经济领域存在的问题、促进国际经济合作与交流为宗旨的非官方国际性机构,素有"经济联合国"和"世界经济风向标"之称。每年年初在瑞士小镇达沃斯举行,为期一周。与会者是来自各个领域的领袖人物,通常包括杰出的商业精英、政府要人、著名学者(包括诺贝尔奖获得者)和媒体领袖。达沃斯论坛被视为"非官方的国际经济最高级论坛",所发表的年度全球竞争力报告,被各国视为最具权威性的报告。目前,论坛拥有1 000多个会员,全部是世界各地的知名的,且年营业额合计超过4万亿美元的企业。达沃斯论坛为各个领域的决策人营造了一个融洽的氛围,使与会者能平等地讨论问题、愉快地交流和分享各领域中成功的经验,实现一种全球范围内、不同领域间的相互促进。而正是这种相互促进,使其意义超越了论坛举办本身,成为一种"达沃斯精神"。

(二)论坛机构

达沃斯论坛拥有700多名员工,总部设在瑞士日内瓦,并在纽约、旧金山、北京和东京设有办事处。基金董事会是论坛的最高领导机构,通常由25人组成,负责制定发展方向和目标。执行董事会是常设机构,一般由6~8人组成,主要负责落实基金董事会的相关战略安排以及维护论坛的日常运营。

二、论坛的经典做法

(一)主要活动

1. 论坛年会

每年 1 月末在瑞士达沃斯举行"世界经济论坛年会",即"冬季达沃斯论坛"。而从 2007 年开始,每年在中国由大连市和天津市轮流举办"新领导人年会",即"夏季达沃斯论坛"。除此之外,论坛还每年举办数次地区峰会,全球有来自网络、纸媒、广播和电视媒体的 500 余名记者到会场进行报道,媒体可以进入所有列入正式议程的会议场次,其中一些场次可通过网络视频观看。

2. 区域会议

达沃斯论坛每年举办 10 次以上的会议,使企业领导人与举办地政府和非政府组织密切沟通。会议在非洲、东亚、拉丁美洲、中东等地举行,每年的主办国都不同,但在过去 10 年中,中国与印度已成为论坛的长期主办国家。

3. 论坛倡议活动

(1)"全球健康倡议"活动

"全球健康倡议"(GHI)是科菲·安南在 2002 年的年会上提出的,其目标是让私营企业参与到公共健康项目中来,以应对艾滋病、结核病、疟疾等疾病,建立更好的健康系统。

(2)"全球教育倡议"活动

"全球教育倡议"(GEI)是在 2003 年开始的达沃斯论坛年会上发起的,全世界的 IT 企业和政府相关人士在约旦、埃及、印度的会议上达成协议,将新的个人电脑硬件应用到更多的学校教室里,引进更多的数字纯学习(e-learning)。这个提案切实地影响了孩子们的生活。GEI 模式已被纳入包括卢旺达在内的多个国家教育计划,并不断扩大和发展。

(3)"环境倡议"活动

"环境倡议"关注气候变化和水资源问题。是在 2005 年于苏格兰格伦伊格尔斯举行的 G8 峰会气候变化对话会议上提出的,英国政府邀请达沃斯论坛在第 31 届 G8 峰会上协助商业社区成员参与气候变化对话,提供有利于减少温室气体排放的建议。由全球多位 CEO 首肯的一系列环保建议方案在 2008 年 7 月日本洞爷湖举行的 G8 峰会前承交给各国领导人。

(4)"水资源倡议"活动

"水资源倡议"得到了各利益相关方的支持,其中包括:加铝公司、瑞士发展与合作署、美国国际开发总署/印度、联合国发展计划署/印度、印度工业联盟、拉贾斯坦邦政府和非洲发展新伙伴计划商业基金会,它们在南非和印度就水资源管理开展了公私合作。

(5)"反腐伙伴倡议"活动

为加强反腐败力量,在 2004 年 1 月的达沃斯年会上,来自工程、建筑、能源、金属和矿产行业的企业 CEO 共同启动了"反贪腐伙伴倡议"(PACI)。此倡议提供了一个为同业者相互交流反腐实际经验和面临困境的平台。已有 140 家企业签署了此倡议。

(二)论坛成员构成

达沃斯论坛的成员共有 4 种形式,分别是基金会员、行业合作伙伴、战略合作伙伴和全球成长型企业会员。基金会员包括全球约 1 000 家顶尖企业,其中每年有 100 多家基金会员企业还可以根据其参与论坛活动的程度和对论坛的贡献,成为论坛的行业合作伙伴或战略合作伙伴。而全球成长型公司,即"新领军者",是达沃斯论坛推出的一种新型会员形式,主要是指正在快速成长的新型跨国公司。达沃斯论坛评选委员会要对会员企业的实力进行评定,这些企业需是其所属行业或国家中的顶尖企业(主要基于其营业收入,金融机构以资产计算),并可对其行业或区域的未来发展起重要作用。行业合作伙伴来自广泛的行业部门,涵盖建筑、航空、科技、旅游、食品、工程和金融服务等行业,这些企业对于影响其行业部门的全球问题具有很高的敏感度。

1. 战略合作伙伴

达沃斯论坛战略合作伙伴社区由 100 家全球领先的企业组成,他们代表了不同的地区和行业,与论坛共同致力于改善世界状况。这些合作伙伴提供的必要支持,是达沃斯论坛各项活动及其社区工作背后的主要推动力,同时,他们相信多方利益相关者互动能够推动积极的变革,并与达沃斯论坛密切合作,以协助制定行业、地区和全球议程。

2. 准战略合作伙伴

准战略合作伙伴是达沃斯论坛精心挑选的会员企业,他们积极参与论坛的活动并在行业、地区和全球范围内塑造议程。合作伙伴可以通过访问论坛多元利益相关者网络和专家,为论坛在重要行业或跨行业相关议题上提供战略性建议。准战略合作伙伴通过在上述议题中引导积极的变革,致力于塑造行业、地区和全球议程,最终促进全球公民权的实现。

3. 行业合作伙伴

行业合作伙伴同样是达沃斯论坛精心挑选的会员企业,他们从行业层面积极参与推动论坛的使命。行业合作伙伴通过与论坛的多方利益相关者网络以及专家深入开展互动,为解决行业以及跨行业重大问题的有关战略决策提供洞察力。由此,行业合作伙伴就可以在诸多问题上引领积极变革,并从行动上弘扬全球企业公民精神。

(三)论坛的组织形式

1.官方非官方相结合的组织

每届达沃斯论坛都有一定比例的官方席位,但其性质为非官方、非政府,属于施瓦布教授创立的民间学术团体。

2.营利创新的组织

(1)非营利部分

论坛创办目的不是营利,而是通过邀请掌握话语权的嘉宾,影响全世界,解决全球问题。

(2)营利部分

论坛盈利来源包括会费、会员年费、论坛战略伙伴合作费、地区性会议的会费等。论坛的持续经营需要流动资金,扣除所需成本外,也需要进行投资和新项目的开发,通过"以会养会",成为"有盈利的非营利组织",提供了独特的会议运营典范——"达沃斯"模式。

3.有形无形相结合的组织

自由、平等、宽松的风格,使得论坛具有非官方、非正式和人人享有话语权的特色。

(1)"看得见"的达沃斯

指会议日程上的既定安排。

(2)真正的达沃斯

论坛现场可以进行"咖啡交流"、随机交流,参会者辗转到这里,几乎都是为了参加这种"隐形"的、效率更高、非正式的私下会晤,因为它更有实效。达沃斯的核心影响力之一便是以有形带动无形。

4.国际化与高端化的组织

达沃斯论坛制定了与会者地位和影响的高标准,聚集了全球最尖端人力资源:50名世界首脑、300名部长、年营业额超过20亿美元的公司总裁、200位不同领域的专家、500名媒体记者、100多位艺术家。论坛不仅掌握着全球的话语权,还掌管着全球85%以上的财富。与会者除了要交纳很高的会费外,年费通常也高达5万~8万美金,而且会费也根据资产的变化而变化,非一般平民性的团体所能承受,因此,也称其为"最国际化的高端组织"。

三、案例评析

(一) 明确的定位与独特的理念

达沃斯论坛的竞争力之一来自明确的客户目标定位。他们的客户只在高品质、高端、精英层面上推广。论坛的宗旨是探讨世界经济等领域存在的问题,促进国际经济合作和交流,只有各国的最高层政治和经济领导人、企业首脑、著名专家才有高端的话语权。在一年一次的达沃斯论坛年会上,世界最高端精英们可以与一年中想见的、有世界话语权的人交流洽谈。

(二) 高效的组织机构

论坛基金会理事会全面负责制定论坛长期发展目标和方向,成员由位居全球前1 000名、引领世界经济潮流的跨国公司领导人组成;国际商业理事会由基金会理事会确立,负责处理全球事务和解决实际问题,由约100个著名跨国公司CEO作为顾问,为论坛提供智力支持;管理委员会是论坛内部管理团队,负责管理论坛的活动和资源,并对执行过程中产生的问题负责。日内瓦、纽约、北京和东京四个代表处负责与驻官员政府机构和利益相关方进行有效的沟通和合作。

(三) 高级别的论坛成员

论坛的影响力在于其高级别的论坛成员。各个成员组的人员代表着各自领域内最有影响力的决策者和潮流领导者。成员组内的人员互相交流,不同成员组之间也进行密切讨论,这使得论坛基金会举办的每一项活动都得到了积极响应,而这正是达沃斯论坛有别于其他论坛的重要标志。

(四) 前瞻性与敏感性的议题

前瞻性的议题对论坛竞争力具有强烈的影响,"紧抓热点、注重前瞻"是达沃斯会议议题的设置原则。当世界经济趋势将发生变化时,达沃斯论坛总能先洞察到并随之应对。也正因为其对趋势性变化的前瞻感知和议题讨论,才引起世界级企业的关注。达沃斯论坛的发展得益于其把握政治、经济、技术领域敏感议题,并能从中选择社会影响力大的议题的能力。其成功的经验亦在于两点:第一,设立"全球议程中心",通过理事会、基金会和委员会搜集全球关注的热点难点问题,形成年会和高峰会的主题;第二,设立外部专家团体,包括全球未来领导人、技术先驱团体和论坛研究员,为议题选择提供智力支持。

(五)重视培养品牌形象

达沃斯论坛的竞争力之一来自其成熟的会议品牌形象及高端的品牌价值。在论坛建立初期,论坛主讲者、参会者的影响力、参会人数往往影响论坛的初始品牌形象。论坛创始人施瓦布最初抓住欧洲企业正面临日益严峻的国际市场挑战的历史机遇,邀请了 450 位企业代表。同时,论坛深知政治和商业的关系,每次均邀请大量的政界要人和著名学者以及文化名人免费参加。此外,论坛建立了一个智力支持体系,通过 1 000 多家会员网络在全球范围内找到合适的主讲人。

达沃斯论坛的品牌竞争力还源于其强大的研究能力,它不仅是国际性的会议组织,而且拥有自己的刊物和研究能力。达沃斯论坛发布的全球年度竞争报告,已成为各国政府衡量工作业绩的标准,成为体现国家竞争力的重要指标。

(六)强大的论坛盈利能力

近年,达沃斯论坛的总收入一直处于上升状态,这得益于其强大的商业盈利能力。论坛实行会员制,资金主要来源于三个方面:会员费(1 000 个"基金会员"企业,每家年费是 1.5 万美元,共计 1 500 万美元)、战略伙伴入股费、年会及区域会议或高峰会的参会费。论坛的基本资金来源是会费和战略伙伴的年度资金支持,这些费用除用于支付成本外,其他的由理事会所管辖的资源管理中心进行资金运作,以维持论坛的正常运转和发展。而年会和区域高峰会的资金则完全来自会议收入本身,包括会议费和合作伙伴赞助费。年会和高峰会的大部分支出在于包括宴会、会间茶点、交通和通信设施、会场使用的电脑、投影和同传设备等方面,甚至部分会场费都是由不同战略伙伴赞助的。因此,每一次会议都是一次成功的商业运作。

第二节 《财富》全球论坛

一、基本情况

(一)发展简介

《财富》全球论坛(Fortune Global Forum)由美国时代华纳集团所属的《财富》杂志在 1995 年创办,每 16~18 个月为一个举办周期,在世界上选一个具有吸引力的"热门"地点举行,通过内部邀请全球跨国公司的主席、总裁、首席执行官以及世界知名的政治家、政府官员和经济学者参加此论坛,共同探讨全球经济所面临的问题。由于总能敏锐地察觉到世界经济的脉搏,《财富》全球论坛被视为"把握世界经济走向最清晰和最直接的窗口",与"《财富》全球500强排行榜"并称为《财富》杂志的两张超级"名片"。

(二) 历届论坛及议题

第一届《财富》全球论坛于1995年3月8—10日在新加坡举行,主题为"商界大同",议题有"未来的市场""21世纪的资本市场"等。

第二届《财富》全球论坛于1996年3月5—7日在西班牙巴塞罗那举行,主题为"全球竞争新秩序",议题有"全球的增长与公司的新定义""欧洲货币系统概览"等。

第三届《财富》全球论坛于1997年3月24—26日在泰国曼谷举行,主题为"维持奇迹",议题有"维持全球持续增长""建立全球网络"等。

第四届《财富》全球论坛于1998年9月23—25日在匈牙利布达佩斯举行,主题为"在全球新经济创造财富",议题有"全球资本市场风险与回报""新的全球领导艺术"等。

第五届《财富》全球论坛于1999年9月27—29日在中国上海举行,主题为"中国未来的50年",议题有"从亚洲金融危机取得的教训""探索新的中国消费市场""确定你公司的中国市场战略""中国的中央银行:职能和发展方向""向中国出口:今天和明天"等。

第六届《财富》全球论坛于2000年6月14—16日在法国巴黎举行,主题为"电子——欧洲",议题有"欧洲电子经济""无线革命"等。

第七届《财富》全球论坛于2001年5月8—10日在中国香港举行,主题为"亚洲新貌",主要探讨亚洲逐渐形成的新的商业格局。

第八届《财富》全球论坛于2002年于11月11—13日在美国首都华盛顿举行,主题为"领袖的力量:应对新的形势",议题为"公司最高领导人所面临的严重挑战""全球企业的转型""企业的社会责任以及全球经济增长的最新动力"等。

第九届《财富》全球论坛于2005年5月16—18日在中国北京举行,主题为"中国和新的亚洲世纪"。

第十届《财富》全球论坛于2007年10月29—31日在印度新德里举行,主题为"操控全球经济"。

第十一届《财富》全球论坛于2010年6月26—28日在南非开普敦举行,主题为"新的全球机遇"。

第十二届《财富》全球论坛于2013年6月6—8日在中国成都举行,主题为"中国的新未来"。

第十三届《财富》全球论坛于 2015 年 11 月 2—4 日在美国旧金山举行,主题为"赢在颠覆性世纪"。

第十四届《财富》全球论坛于 2017 年 12 月 6—8 日在中国广州举行,主题为"开放与创新:构建经济新格局"。

第十五届《财富》全球论坛于 2018 年 10 月 15—17 日在加拿大多伦多举行,主题为"经济必要性:创造普惠性增长"。

第十六届《财富》全球论坛于 2019 年 9 月 4—6 日在中国云南举行,主题为"绿色发展共享未来"。

二、论坛的经典做法

(一)论坛的运作模式

论坛凭借《财富》杂志的多元影响力,通过邀请方式组织举行,出席者仅限于各大跨国企业的董事长、总裁、首席执行官、高级管理人士。形成一个超豪华的阵容。以国际重大焦点问题为核心展开讨论不仅能吸引企业家的目光,而且能得到举办地政府高层的关注,虽然财经杂志本身没有权利决定经理们往哪里投资,但它们能够通过重点报道给工商界设置热门话题,通过论坛提示富豪去关注什么地方发生了什么变化,有什么投资机会。论坛选择在某地举办,就是把全球大亨的目光集中在这个地方,重视这个地方的经济环境及其变化,关注这里的投资动向,讨论与此地经济、政治相关的话题。因此,世界上许多政府争相在本国、本市举办全球论坛,把论坛作为了解国际趋势、展示本国经济环境、捕捉投资商机的重要机会。

(二)论坛的盈利模式

《财富》全球论坛的收入来源主要有会议赞助费、参会费。《财富》全球论坛引入商业化运作,由于每年在不同的地区举办,目前并没有实现会员制。以 2005 年北京年会为例,就赞助费而言,分为白金赞助商(汇丰银行和甲骨文等各出 50 万美元)、黄金赞助商(深圳观澜湖高尔夫球会、中石化、雅虎等各出 10 万美元)、白银赞助商、知识伙伴、供货商和经济发展赞助商六个等级,作为回报,主要的赞助商可以在会议现场展示按照指定格式制作的公司标识,论坛还会给这些企业几个参会名额,更高的赞助商甚至可以搞小范围的早餐会。至于参会费,外方每人 5 000 美元,中方每人 1 500 美元,此次年会有外宾 481 人参加,中方企业界人士 171 人参加,会费加在一起起过 200 万美元。因此,仅参会费和赞助费两项收入,当届论坛就有至少 350 万美元的收入。

三、案例评析

(一)思想碰撞、合作交流的高端论坛

《财富》全球论坛是观察世界经济走向的窗口,在"逆全球化"暗流涌动的大背景下,通过邀请全球跨国公司的主席、总裁、首席执行官以及世界知名的政治家和经济学者参加,共同探讨国际商业领域不断变化的前沿话题和全球经济所面临的问题。各国企业家之间通过论坛,相互交流沟通,创造更多的合作机遇。这场世界"头脑风暴"在世界格局与经济走势中形成自己独特的洞察力,不断推动经济全球化朝着更加开放、包容、普惠、平衡、共赢的方向发展,对促进世界经济增长具有积极意义。

(二)选择最富经济活力的举办地

《财富》全球论坛的举办地历来选择最富经济活力、不断创新的地方,是世界经济巨头思想交流和激发新思维与商业灵感的场所。论坛带动投资,包括了从衣食住行、人文文化、各行各业到国家发展等各个方面。此外,论坛举办城市也将迎来新规划,城市配套将会迅速升级,这其中包括交通的提速、路网的升级、金融教育等配套的增加等。众多因素共同实现了论坛举办城市配套设施的新增长。

(三)设置全球商界关注的议题

回顾历届《财富》全球论坛议题,均是全球商界所关心的问题。针对不同地区不同问题进行探讨,让大家都参与进来,吸取经验。《财富》全球论坛抓住了人们对发展的需求,经济化快速发展下的机遇,通过《财富》杂志平台来举办论坛,形成强有力的后盾。

第三节 博鳌亚洲论坛

一、基本情况

(一)简介

博鳌亚洲论坛(Boao Forum for Asia,BFA)是一个总部设在中国的国际组织,每

年定期在海南省博鳌镇举行年会。博鳌亚洲论坛成立的初衷,是促进亚洲经济一体化,当今的使命是为亚洲和世界发展凝聚正能量。

2001年2月26—27日,来自中国、澳大利亚、印度、印度尼西亚、日本、韩国、新加坡和越南等26个国家的代表在中国海南博鳌召开大会,正式宣布成立博鳌亚洲论坛,并通过《博鳌亚洲论坛宣言》《博鳌亚洲论坛章程指导原则》等纲领性文件。

博鳌亚洲论坛在凝聚亚洲共识、促进各方合作、推进经济全球化、推动构建人类命运共同体等方面建言献策,提出许多富有价值的"博鳌方案",做出积极贡献。博鳌亚洲论坛自成立以来,聚焦亚洲、放眼世界,围绕各方关注的经济社会发展重大课题,提出很多有价值的意见和建议,已成为在亚洲乃至世界有影响的高层次对话平台。

(二)博鳌亚洲论坛宗旨

博鳌亚洲论坛类似但又有别于达沃斯论坛。它是一个非官方、非营利、定期、定址的开放性的国际组织,根据《博鳌亚洲论坛宣言》和《博鳌亚洲论坛章程指导原则》确立的精神,其宗旨是:

(1)立足亚洲,深化亚洲各国间的交流、协调与合作;同时又面向世界,增强亚洲与世界其他地区的对话与经济联系。

(2)为政府、企业及专家学者等提供一个共商经济与社会等诸多方面问题的高层对话平台。

(3)通过论坛与政界、商界及学术界建立的工作网络为会员与会员之间、会员与非会员之间日益扩大的经济合作提供服务。

(三)博鳌亚洲论坛历届主题

博鳌亚洲论坛历届主题如表2-1所示。

表2-1　博鳌亚洲论坛历届主题

年份	届次	主题
2002年	第一届	新世纪、新挑战、新亚洲:亚洲经济合作与发展
2003年	第二届	亚洲寻求共赢:合作促进发展
2004年	第三届	亚洲寻求共赢:一个向世界开放的亚洲
2005年	第四届	亚洲寻求共赢:亚洲的新角色
2006年	第五届	亚洲寻求共赢:亚洲的新机会
2007年	第六届	亚洲寻求共赢:亚洲制胜全球经济——创新和可持续发展

表 2-1(续)

年份	届次	主题
2008 年	第七届	绿色亚洲:在变革中实现共赢
2009 年	第八届	经济危机与亚洲:挑战与展望
2010 年	第九届	绿色复苏:亚洲可持续发展的现实选择
2011 年	第十届	包容性发展:共同议程与全新挑战
2012 年	第十一届	变革世界中的亚洲:迈向健康与可持续发展
2013 年	第十二届	革新、责任、合作:亚洲寻求共同发展
2014 年	第十三届	亚洲的新未来:寻找和释放新的发展动力
2015 年	第十四届	亚洲新未来:迈向命运共同体
2016 年	第十五届	亚洲新未来:新活力与新愿景
2017 年	第十六届	直面全球化与自由贸易的未来
2018 年	第十七届	开放创新的亚洲,繁荣发展的世界
2019 年	第十八届	共同命运、共同行动、共同发展
2020 年	第十九届	应对世界变局,携手共创未来

(四) 博鳌亚洲论坛影响

博鳌亚洲论坛致力于推进亚洲经济一体化,目前已经成为亚洲以及其他大洲有关国家政府、工商界和学术界领袖就亚洲及全球重要事务进行对话的高层次平台。

1. 经济影响

博鳌亚洲论坛这几年的变化也是中国影响力增强的缩影。当今,中国已成为全球第二大经济体、第一大贸易国,中国在世界经济体的舞台上正从受益者变为区域引领者,从经验借鉴者变为模式提供者,从危机避风港转变为机遇创造地。博鳌亚洲论坛的初衷,是在中国与亚洲和太平洋地区之间架设理解与合作之桥,这一阶段性目标已经实现。随着中国加速向全球性大国迈进,论坛开始把目光投向世界,话题从区域经济合作向全球战略问题拓展。亚洲经济体正不遗余力地推动自由贸易发展,在过去的 10 年里,亚洲区域内贸易规模不断扩大,占区域内各国贸易总量的比例持续上升,但与欧盟相比还有很大差距。博鳌亚洲论坛给中国提供了一个良好的经济环境,以及一个借鉴他国经验和与他国合作的难得机会。

2. 政治影响

中国改革开放制度和简政放权制度在博鳌亚洲论坛上得到充分阐释。从某种意义上讲,中国"入世"就是以开放促进改革的形式推动了中国经济贸易制度的创新。中国"入世"以后取消了对于外贸的审批制度,实现了中国过去十几年来的国际贸易的大幅度增长,使中国对外贸易迎来了大繁荣时期,总之,中国加入世界贸易组织的进程就是开放促进改革、建立新的经济贸易体制的进程。另外,在2014年博鳌亚洲论坛的"放松管制与民企机遇"分论坛上,中华民营企业联合会会长对简政放权给予了高度评价。李克强总理多次召开国务院常务会议,要求转变政府职能,减少和下放审批权限,要激发市场的内生动力,建立权力清单制度。中国民营经济的发展已经从过去主要依靠政策进入了靠制度保证、平等竞争的新时代,这是一个巨大的进步。

3. 文化影响

如今,博鳌亚洲论坛已经成为亚洲乃至世界的重要政治、经济、文化的交流场所,成为落户中国的、具有世界影响力的国际性组织,为促进亚洲一体化的发展做出了重要的贡献。经过深入的分析可以看出,博鳌亚洲论坛这一会展项目的酝酿、筹备、运作和发展过程中都有中国文化、中国智慧在发挥作用。同时,博鳌亚洲论坛又为中外文化的交流和中国文化的宣传提供了重要的舞台。中国经济成为全球一部分之后,如何保留自己文化特殊性,对全球文化进行包容,如何在自主创新基础上对全球的技术进行吸收,如何在保留自己的主流观念的同时,接纳全球的主流观念,这些态度对于中国的社会营造及整个民族素质的提高都非常重要。这方面,博鳌亚洲论坛承担着历史上和文化上的使命。事实上,在历届博鳌亚洲论坛的大会、分论坛和以博鳌亚洲论坛名义在其他各地举办的其他论坛上,"文化"总是和"政治""经济""发展"等一起成为使用频率最高的词汇。作为地区政府间合作组织的有益补充,博鳌亚洲论坛将为建设一个更加繁荣、稳定、和谐的且与世界其他地区和平共处的新亚洲做出重要的贡献。

二、博鳌亚洲论坛的经典做法及评析

(一)博鳌亚洲论坛的运作方式

1. 简介

博鳌亚洲论坛每年召开一次年会,且经常举办各种会议,如论坛大会、研讨会、座谈会和讲座,独立或合作开展有助于实现论坛宗旨的各类研究活动。博鳌亚洲论坛每年也发布论坛年会报告、亚洲经济一体化年度报告、新兴经济体发展年度报告、亚洲竞争力年度报告以及其他专题研究报告。博鳌亚洲论坛内设机构包括会员大会、理事会、咨询委员会、秘书处及研究院,分工明确,职责分明,其特色是配设有研究院,对论坛进行智力支持,保证议题科学性与时效性。

2.评析

博鳌亚洲论坛以"大论坛+小论坛"为主要形式,定期与不定期召开相结合,既保证了论坛的延续性,又使论坛具有灵活性。论坛通过多种方式探讨与其宗旨有关的一系列议题,并在论坛结束后形成年度报告、研究报告等以供参考,有利于知识溢出与传播。

(二)博鳌亚洲论坛的会员特点

1.简介

博鳌亚洲论坛采取会员制形式,分为发起会员、荣誉会员、钻石会员、白金会员、普通会员和临时会员等不同类别。截至2021年1月7日,论坛共有41名发起会员、10名荣誉会员、45名钻石会员、33名白金会员和53名普通会员。41名发起会员由23个国家派出;荣誉会员是为论坛创建和发展做出重要和实质性贡献的个人、企业和组织,目前10名荣誉会员中中国(包括港澳台地区)会员6名,日本、菲律宾、哈萨克斯坦和瑞典各1名;钻石会员和白金会员是参加论坛所有活动(包括决策过程)且其申请已经被批准的个人、企业和组织,目前45名钻石会员中,中国内地企业有23家,加上港澳台地区6家,则有29家,占到了钻石会员总数的64.4%;33名白金会员中,共有26家中国(包括港澳台地区)企业,占总数的78.8%;普通会员是以出席、观摩论坛年会以及其他活动为目的且其申请已经被批准的个人、企业和组织,53名普通会员中,中国内地企业41家,港澳台企业4家,占总数的84.9%。

2.评析

博鳌亚洲论坛的参与者主要是政府要员、商业领袖和知名学者。博鳌亚洲论坛的会员制形式既保证了组织的稳定性,又使会员利益和论坛利益紧密联结在一起,让会员为论坛积极发声,促进亚洲合作和共赢。从近几年的发展情况来看,博鳌亚洲论坛正日益发展成全球政府高官、工商界代表和学术界精英就亚洲以及其他地区重要事务进行平等对话的高层次平台。上述各界人士为了亚洲走到一起,这本身就是亚洲合作的象征,而通过论坛产生思想、达成共识、催生政策和行动,则是对亚洲经济一体化实实在在的贡献。

(三)博鳌亚洲论坛的品牌形象

1.简介

博鳌亚洲论坛是一个发展中的品牌。博鳌亚洲论坛与作为一个成熟品牌的达沃斯论坛相比还有一定差距。博鳌亚洲论坛一直坚持"三高"目标打造论坛品牌,即代表高层次、内容高水平、成果高质量。代表高层次:论坛每年会邀请世界范围具有极大影响力的演讲者。内容高水平:论坛议题的设置总是围绕着对亚洲乃至世界有着重大影响的话题展开,涉及经济、社会、环境及其他相关问题。成果高质量:作为论坛成果之一的《亚洲经济一体化报告》,如今已经成为亚洲经济一体化的风向标。

2.评析

博鳌亚洲论坛是亚洲的论坛,关注的是亚洲和新兴经济体,研究的是发展中国家的问题,这与达沃斯论坛存在一定的互补性。并且,"三高"目标为博鳌亚洲论坛的知识传播和品牌塑造打下了坚实基础。

(四)博鳌亚洲论坛的服务保障

1.简介

中国政府对博鳌亚洲论坛的支持力度非常大,历届论坛年会开幕式均有国家领导人出席。博鳌亚洲论坛年会的服务保障工作由海南省人民政府全部承担,其责任包括:接待中外政要、安全保卫、安全生产、公共卫生、环境整治、宣传推介、后勤保障等,这与论坛的发展背景有关,也与论坛发展初期需要海南的全力支持有关。

2.评析

博鳌亚洲论坛将自身定位为非官方组织,但是实际上却是一个受到政府大力支持的区域性论坛,在论坛的实际运作中政府的扶持和政策的倾向都非常明显。论坛的服务保障由海南省人民政府承担,以政府力量保障服务水平,可以看出政府对于博鳌亚洲论坛的大力支持和高度重视。

(五)博鳌亚洲论坛的资金来源

1.简介

博鳌亚洲论坛也实行会员制,其资金来源主要包括会员费、参会费、各界捐款和政府资助,以及在论坛业务范围内开展活动或提供服务获得的收入与论坛资金的利息和其他合法收入。2020年博鳌亚洲论坛会员(以捐助会员、钻石会员、白金会员、普通会员为主)会费标准如表2-2所示。

表 2-2　博鳌亚洲论坛会员会费标准

会员类型		会员费
捐助会员	A 类	一次性捐助入会费 1 000 万元人民币,会员期限为 10 年
	B 类	一次性捐助入会费 500 万元人民币,会员期限为 5 年
	C 类	一次性捐助入会费 300 万元人民币,会员期限为 3 年

表 2-2(续)

会员类型		会员费
钻石会员	A 类	一次性交纳入会费 300 万元人民币,会员期限为 10 年
	B 类	一次性交纳入会费 200 万元人民币,会员期限为 5 年
	C 类	一次性交纳入会费 150 万元人民币,会员期限为 3 年
白金会员	A 类	一次性交纳入会费 180 万元人民币,会员期限为 10 年
	B 类	一次性交纳入会费 120 万元人民币,会员期限为 5 年
	C 类	一次性交纳入会费 90 万元人民币,会员期限为 3 年
普通会员		一次性交纳入会费 30 万元人民币,会员期限为 3 年

2. 评析

会员参会费是博鳌亚洲论坛的一大经费来源,其稳定的会员费收入已经超过 1 000 万美元,而且各家赞助商提供实物赞助的行为也非常普遍。会员也可以获取其应得的回报。

(六)博鳌亚洲论坛的特色与增值服务

1. 经济性质的论坛

博鳌亚洲论坛作为一个非官方、非政治性的组织,围绕大家都关心的经济问题和与经济相关的一些社会问题进行多层次、多方面的对话,促进亚洲及世界的经济交流和经济合作。博鳌亚洲论坛的某些观点已慢慢成为经济发展的风向标。

2. 广泛的信息交流

博鳌亚洲论坛正努力构筑一个平台,以使来自亚洲和世界其他地区的政界、商界、学术界的信息和观点能够得到充分的、开放的、全面的、不带有任何政治色彩和个人偏见的沟通与交流。

3. 经济竞争力评估

通过博鳌亚洲论坛研究院的工作,论坛将努力成为一个在国际上享有盛誉的经济竞争力评估和预测中心。

4. 展览和展示

博鳌亚洲论坛准备通过"展览"这种被国际上普遍采用的有效形式,来加深会员与会员之间、会员与非会员之间日益扩大的经济合作,并向世界展示亚洲的整体实力。

5. 教育和培训

博鳌亚洲论坛向亚洲各国各地区的商业团队提供符合时代特点的教育和培

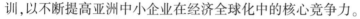

训,以不断提高亚洲中小企业在经济全球化中的核心竞争力。

6. 网络和电子服务

博鳌亚洲论坛通过建立和完善自己的网站,积极迎接信息技术发展带来的挑战,为会员和亚洲众多的中小企业提供包括电子信息、电子政务和电子商务在内的有效服务。

7. 评析

博鳌亚洲论坛是经济性质论坛,但不仅局限于经济,通过展览、展示、提供培训等方式使得论坛的服务与功能更加丰富饱满。

三、博鳌亚洲论坛给举办地带来的积极影响

(一)加强基础设施建设并提高服务水平

博鳌亚洲论坛不仅给博鳌带来了巨大的变化,也给海南社会经济发展带来了巨大影响,既提升了海南的知名度,推动了旅游业发展,又促进了海南基础设施建设的发展。环岛高铁的开通和博鳌机场的投入使用让交通更便捷了,多家星级酒店、高尔夫球场、国际会议中心、各色餐馆、商店的建成促进了博鳌服务业的发展。博鳌通过开展"美丽乡村"建设,结合博鳌国家农业公园建设,打造乡村振兴战略样板,展现博鳌田园风光特色。按照打造国家全域旅游示范区的相关要求,提升博鳌旅游软、硬件设施服务水平,推进公共信息导向系统完善。博鳌利用论坛提升知名度,不断探索特色服务。"农家乐""民宿"等新型服务设施成为吸引游客的新亮点。

(二)调整优化产业结构

多年前,博鳌还是一个默默无闻的小渔村,产业结构以种植业、近海渔业为主,居民的收入水平不高。随着博鳌亚洲论坛的举办,世界的目光聚焦博鳌、聚焦海南,博鳌开始声名鹊起,以此为契机,博鳌镇委镇政府按照中央、省、市整体部署,结合实际情况,将全镇产业结构优化升级,重点发展国际会议会展服务业、高端医疗健康产业、滨海休闲及"美丽乡村"旅游业、现代热带高效农业四大产业。其中,会议、会展、旅游服务业是博鳌发展的重中之重,自博鳌亚洲论坛举办以来,已经有300多个国内国际会议在博鳌举行。在文明生态村建设,"美丽乡村"建设过程中,着重发展乡村旅游业态,支持和鼓励村民通过合股方式发展乡村旅游业,村民从原本单一的种植业转向"农业+旅游业"生产的新模式,收入来源更加多样化,收入水平进一步提高。据海南省旅游部门统计,"十二五"期间,全省累计接待游客 20 118.96 万人次,年均增长 11.7%,实现旅游总收入 2210.74 亿元,年均增长 16.1%。

(三)发挥"论坛+"的平台效应

从博鳌亚洲论坛创办伊始,海南就一直在思考着如何更好地服务博鳌亚洲论坛,如何深度融入博鳌亚洲论坛,如何更好地借力博鳌亚洲论坛大平台"扯大旗、播远名、谋大业",充分发挥"博鳌+"效应,挖掘海南发展的新潜力、新机遇。

近年来,海南在博鳌亚洲论坛年会中的安保、服务接待等各方面的优秀表现,以及博鳌机场等基础设施建设中的务实高效有目共睹,在服务中央总体外交中履行了海南担当,展示了海南特色,贡献了海南智慧,博得了各方的点赞。近年来,海南也通过借助博鳌亚洲论坛举办海南主题活动等方式展示美好形象,借助论坛资源拓展合作渠道,抢抓发展机遇,有力促进了海南旅游、会展、交通、地产等行业的发展,有力助推了海南扩大开放以及国际旅游岛建设。"博鳌+世界""博鳌+亚洲""博鳌+中国""博鳌+海南"体现出"博鳌+"的平台效应。

对海南而言,知名度越高、影响力越大,发展的机遇就会越多。如今,"博鳌+"效应的彰显,使得博鳌亚洲论坛年会上的人脉"朋友圈"可以为"我"所有,论坛上信息、智慧也可以为"我"所用,有利于吸引国内外更多的产业项目落地海南,"博鳌+旅游""博鳌+交通""博鳌+医疗""博鳌+海洋""博鳌+农业"等,就是"博鳌+"对海南各产业发展产生影响、为海南经济发展提供机遇的例证。不仅如此,为服务论坛发展的生态环境治理、基础设施建设、人才培养、文化宣传以及对周边市县的辐射拉动作用,也为"博鳌+生态""博鳌+文化""博鳌+教育""博鳌+市县"等提供了无限可能,这对海南的长远发展也大有裨益。

(四)通过融入论坛提升城市形象

伴随着博鳌亚洲论坛的成长,海南硬件和软件都得到极大改善,如何才能更好地借助论坛平台,积极参与区域合作,不断提升海南对外开放的层次和影响力,就显得较为迫切。正是在这种背景下,从 2005 年开始,随着论坛年会服务保障工作水平的不断提升,海南利用论坛年会的机会,开始尝试邀请部分与会嘉宾出席参与推介海南的活动,让他们了解海南,从而提升海南形象。从最开始在代表下榻的酒店举办海南图片展、发放画册等纪念品,到通过举办欢迎晚宴、酒会等形式推介海南,在论坛上发出海南的声音,再到开始尝试融入一些与海南相关的主题和议题……如今,这些措施已经逐渐机制化,成为每届论坛年会的一部分。以 2016 年为例,海南省组织了包括论坛年会正式分论坛、与论坛年会衔接举办的大型会展活动、海南宣传展示主题活动、海南产业推介交流以及参与论坛年会议题讨论活动五大板块 18 项海南主题活动,不但活动场次创历年新高,而且内容上更为系统和深入,形式更加多样,成效更加卓著,更加符合和贴近海南省经济社会发展的实际需要。

第四节　亚布力中国企业家论坛

一、亚布力中国企业家论坛基本情况

(一)论坛简介

亚布力中国企业家论坛(Yabuli China Entrepreneurs Forum),又称"亚布力论坛""中国企业家论坛",是一个中国企业家的思想交流平台。被企业家誉为"东方达沃斯论坛"。论坛每年2—3月份举行年会,一般是在元宵节前后,7—8月份举行夏季高峰会。

亚布力中国企业家论坛2001年成立于黑龙江省亚布力镇,是中国大陆最前卫、最新锐的顶级企业家论坛。论坛最大的特色是思想的碰撞,各种商业思想在这里诞生。2017年,中国企业家论坛决定在亚布力建造永久会址,打造一座弘扬企业家精神的文化地标。永久会址选在了隐匿于山林的位置,表现企业家们不畏艰险、勇于挑战的精神,亦使亚布力成为一个原始的生命力与创造力勃发的地方。其建设性、思想性、活跃性既唤醒了中国企业家的社会责任意识,更为促进中国经济社会发展发挥了独特作用、做出了积极贡献。

20年中,许多企业家在论坛上迸发出思想火花,留下了闪光瞬间,这些瞬间或温情,或理性,或激烈,或豪迈,或幽默,展现出波澜壮阔的时代背景下一代企业家的成长、力量、价值与精神所在。

1. 论坛宗旨

亚布力中国企业家论坛是企业家思想交流的平台,始终坚持正能量、创造性、建设性,始终秉持自由、平等独立、客观的精神,并将"帮助和关心更多新兴企业和企业家的成长、促进企业家成为社会和国家重要的建设力量"作为一贯宗旨。

2. 亚布力中国企业家论坛年会

亚布力中国企业家论坛年会固定于每年元宵节在黑龙江省亚布力镇举行。届时,数百名中外知名企业家、政府官员、经济学家都会齐聚滑雪胜地亚布力,共商年度最热门的中国经济议题。历届亚布力中国企业家论坛年会主题如表2-3所示。

表2-3 历届亚布力中国企业家论坛年会主题

年份	会议主题
2001	新千年新经济
2002	CEO与中国企业发展
2003	变革时代的领导力
2004	中国企业成长新动力
2005	探求企业基业长青之道
2006	创新发展和谐
2007	企业与社会
2008	改革开放30年——中国企业家的展望与思考
2009	大变局时代下的中国企业家
2010	亚布力10年——企业家思想力
2011	新十年新思维新力量
2012	市场的力量
2013	改革开新局——企业家精神与中国未来
2014	市场的决定作用——理念与行动
2015	市场、法治与企业创新
2016	企业家：信心与动力
2017	经济转型与企业家创新
2018	中国经济：初心与再出发
2019	坚定信心迎接挑战——改革开放新征程
2020	开放中创新，改革中转型

3. 亚布力中国企业家论坛夏季高峰会

首届夏季高峰会于2004年8月在深圳举办，之后依次在贵阳、大理、廊坊、武汉、合肥、郑州、重庆、西安等城市举办。历届亚布力中国企业家论坛夏季高峰会主题如表2-4所示。

表2-4　历届亚布力中国企业家论坛夏季高峰会主题

年份	地点	主题
2004	广东·深圳	全球大变局时代——中国企业的生存之道
2005	广东·深圳	面向全球竞争的大中华区域和谐经济
2006	广东·深圳	什么改变中国？
2007	广东·深圳	什么支撑中国经济的未来？
2008	贵州·贵阳	改革开放30年中国企业家的责任
2010	云南·大理	企业家思想力与现代商业文明
2011	河北·廊坊	新机遇新商机新产业——寻找发展的共识
2012	湖北·武汉	中国大市场——从珠三角、长三角到中三角
2013	安徽·合肥	行动力与中国改革——从"大包干"到新型城镇化
2014	河南·郑州	可持续增长的动力
2015	重庆	世界大市场——"一带一路"与长江经济带
2016	陕西·西安	大历史中的中国经济
2017	宁夏·银川	稳中求进的中国经济——"一带一路"新动力
2018	江西·南昌	中国经济：初心与再出发
2019	天津	协同·融合·共赢

4.亚布力中国企业家论坛相关成果

(1)研究中心

论坛发挥其在企业家群体中的影响力、凝聚力和号召力,成立了亚布力中国企业家论坛研究中心。通过研究企业与政府、企业与社会、企业与媒体的关系以及企业家个人经历及思考等多个领域,关心和帮助新兴企业和企业家的成长。

研究中心成立后,形成了以杂志、书籍、课题研究为核心的系统研究机制,先后开展了如"中国企业家发展信心指数调查"(原名"中国企业家生存环境调查")、"九二派""全要素生产率""混合所有制""共享经济"等课题研究,出版近20种亚布力中国企业家论坛主题图书,创办了《亚布力观点》官方杂志,其中"中国企业家发展信心指数调查"已经成为研究中心常规研究项目。

(2)《亚布力观点》

研究中心每月推出一期亚布力中国企业家论坛官方杂志《亚布力观点》,传递企业家与经济学家就当下经济发展和经济现象的思考和建议。

(3)指数调查

《中国企业家信心指数调查报告》以民营企业家群体为主要研究对象(兼顾部

分国有企业家),以期通过中国企业家对自身生存环境的主观评价,对企业未来发展环境进行预测,梳理出当前影响企业家群体信心的核心要素,引起社会对这些可能影响中国经济的因素的关注。中国企业家发展信心指数研究始于2010年,由清华大学、北京大学、首都经济贸易大学等高校的团队具体执行。2010—2014年,每年发布一次。2015年开始每年发布两次,分上下半年。

(4)出版书籍

《亚布力的光芒》:由亚布力论坛经过8年的时间沉淀和积累编写而成。

《亚布力中国企业家论坛2010》:凝聚了亚布力10年的思想沉淀,以亚布力年会期间众企业家的演讲为素材,梳理出每年中国企业家群体的所思所想,体现中国商业思想的发展轨迹。

"亚布力·企业思想家"系列丛书:以自述形式撰写,用最真实的语言详细记录了企业家的思维轨迹,来追寻中国本土企业家和学者们最丰富的思想世界。通过与中国企业家们的对话与交流,全面展现中国企业家群体的思想状态,以期为中国企业领导者群体提供参考和启发。

《企业思想家》上下册:通过对"十大最具思想力企业家"思想的梳理与总结,呈现他们在企业经营与管理、企业文化建设、企业战略制定等企业层面及中国宏观形势、社会变革、人文关怀等社会层面的成功经验与独特见解,为中国式管理理论的形成奠定基础。

《中国企业家生存环境调查》:中国企业家诞生于改革开放的中国,得益于改革开放的大好形势,但同时他们也从某一个角度承担着改革的风险与成本。《中国企业家生存环境调查》通过探测中国企业家对自身生存环境的主观评价,深入分析中国企业家目前所处的政策、市场、舆论及个人环境状况,探索当前改善中国企业家生存环境的可能路径,并呼吁社会关注和理解中国企业家群体的生存现状。

(二)论坛特点

1. 出身——草根、民间、独立

2001年2月7日,一群来自民间的草根企业家相聚亚布力,组建起了一个属于他们自己的舞台——中国企业家论坛。20余年来,作为独立机构,它始终坚持发出企业家们来自民间的、最真实的声音,没有包装,没有修饰。这吸引了一大批企业家、学者的到来,而这种吸引将会一直持续下去。

2. 形式——开放、休闲、非正式

在这里,企业家们不必西装革履,不必谨言慎行。相反,既可以唇枪舌剑,也可以雪上争锋;既可以在各分会场自由出入,甚至参与讨论,也可以与三五好友,静坐一隅,在咖啡的浓香中探讨企业经营之道。

3.精神——平等、自由、客观

这里没有权威,没有"大佬"。在毫无限制的环境下,他们畅所欲言。任何人都可以对他人的观点持有异议,也可以在他人异议下据理力争。

4.价值——交流、学习、思想力

从经营理念到人生价值观,从现实考量到历史总结,从个人目标到社会使命,中国企业家关注并思考着企业发展的每一个细节,分享自己的种种思考,也在交流中总结他人可资借鉴的成功之道,寻找自身企业经营的短板,进而在年复一年的交流与辩论中成长为最有思想的企业家。

5.评析

亚布力中国企业家论坛自成立之初,便把记录、整理、传播企业家思想作为使命和责任。始终坚持正能量、建设性、创造性,致力于打造自由、平等、互助的企业家思想交流的平台。它始终坚持发出企业家们来自民间的、最真实的声音,没有包装,没有修饰。论坛不仅聚焦在管理、人才、体制和技术等问题上,还聚焦在企业家极为关心的长远性问题上。这种具有远见卓识的群体性意识代表了全球化过程中的中国利益和中国声音,成为推动和促进政府进行国家战略调整的重要力量。论坛给企业家们创造了一个畅所欲言的沟通空间,正是这种宽松的氛围,让企业家讲真话、实话,愿意分享自己的问题、困难、经验。亚布力企业家论坛的真实性、自由性和关注企业家的特点正是它区别于其他论坛的所在,因此也吸引了大批企业家和相关人士的关注。

(三)论坛活动

1.亚布力年会

亚布力中国企业家论坛自2001年创立至今,每年年会集聚了各界精英,促进了思想交流和真诚合作,已经成为中国企业家思想交流的重要平台,为企业家的成长、进步、发展和国家及黑龙江的经济发展贡献了重要力量。

2.夏季高峰会

亚布力中国企业家论坛夏季高峰会主要聚焦于与政府衔接,参与地方经济建设,进行合作投资洽谈。已成为中国企业界和各省政府共商中国经济议题、中国地域经济的最重要盛会之一。

3.武汉特别峰会

2020年8月12日,亚布力中国企业家论坛·武汉特别峰会在武汉东湖高新区举行。论坛走过20年历程,首次举办"特别峰会",峰会以"凝聚力量,助力经济发展"为主题,与会企业家、经济学家围绕"中国经济的近忧和远虑""如何提振消费""'后疫情时代'的企业经营"等议题各抒己见,并进行现场签约,在湖北武汉投资兴业。峰会上现场签约了18个重点项目,其中,仅落户光谷的就有迈胜医疗武汉研究院项目等8个项目,总投资65亿元。此外,一批企业家表达了将在光谷投资的意愿。武汉特别峰会是亚布力论坛企业家抗疫行动的延续,是中国企业家发挥企业家力量的展现。

4. 中美商业领袖圆桌会议

每年定期召开的中美商业领袖圆桌会议,汇集了来自中美两国的知名企业家。泰康保险集团股份有限公司、复星国际有限公司、联想集团有限公司、中国工商银行股份有限公司、神州数码股份有限公司、赛富投资基金管理有限公司、金沙江创业投资有限公司、中泽嘉盟投资有限公司、当代集团股份有限公司、奥康集团、福耀集团股份有限公司、远大集团有限责任公司等中国知名企业,以及高盛集团、JP摩根、花旗银行、纽约联邦储备银行、梅西公司、黑石集团等美国知名企业,均曾参加过该盛会。在会议中,中美双方企业家就金融、房地产、制造业与消费经济、信息技术与新能源等问题分组对话,探讨中美合作的机会。

5. 青年论坛

亚布力论坛的青年论坛延续了亚布力论坛开放、自由、分享的特点,提供给来自各个领域、不同工作、不同方向的优秀青年人来分享的机会,无论参会者从事什么行业,青年论坛都为其提供更多的交流机会和展示舞台,让创新思维之花在青年一代中盛开。

6. CEO研讨会

亚布力论坛CEO研讨会每次邀请2位知名企业家或经济学家主讲,会议规模控制在30人以内,与会人员全部为国内知名企业家或经济学家。每年发布一次研究报告。联想控股有限公司董事长兼总裁柳传志,TCL集团董事长李东生,原中国铝业公司总经理肖亚庆,国际货币基金组织总裁特别顾问朱民,华远集团总裁任志强,中国证监会研究中心主任祁斌,著名经济学家、国统计局原总经济师姚景源,万通投资控股股份有限公司董事长冯仑先后做过主题报告。

7. 外滩国际金融峰会

外滩国际金融峰会由亚布力中国企业家论坛和上海市浙江商会主办,复星集团承办。自2013年举办首届峰会以来,外滩国际金融峰会已连续成功举办四届。迄今为止,峰会已邀请到前世界银行行长罗伯特·佐利克、美国前财政部长蒂姆·盖特纳、前美国联邦存款保险公司主席希拉·拜尔、刘明康、马云、王健林、郭广昌、田源、牛锡明、洪崎、王石、陈东升、董明珠、罗康瑞、李东生、郭为、阎炎、王梓木、汪潮涌、俞胜法、王均金、瞿秋平、周成建、郑永刚等全球金融界、经济界知名人士,在推动中国金融改革与创新、加快推进上海国际金融中心建设、助力外滩金融集聚带建设等方面积极建言献策,成功构筑了政府、金融界和企业界的思想沟通平台,推动了全球金融领域的对话与合作。

8.常青计划

亚布力中国企业家论坛不定期举办高尔夫、赛艇、滑雪等活动。中国加入世贸组织后经济快速发展,企业家成为中国经济发展的一支重要推动力量。企业家之间有沟通交流、互相学习、互助互长的需要,因而诞生了亚布力中国企业家论坛。论坛从最初的企业家交流发展出多种形式的活动内容,坚持了市场化的道路,坚持了专业化的道路,坚持了创新、与国际接轨的道路。本地资源与外地资本如何有机结合,并形成良性反应,亚布力中国企业家论坛做出了很好的示范。如今,亚布力建立了中国企业家论坛的永久会址,使企业家论坛由一种活动发展成中国企业家的精神地标。20多年来,亚布力论坛企业家不断用核心价值观来凝聚、包容、发展,才形成亚布力论坛如今的格局。"中国的达沃斯,世界的亚布力",是论坛所有理事和中国企业家共同的期许。

二、亚布力中国企业家论坛经典做法(会员合作伙伴制)及评析

1.简介

亚布力中国企业家论坛的合作伙伴均是来自全球金融、制造、IT、文化等各个领域的知名企业。论坛实行会员制,包括合作伙伴—菁英会员、合作伙伴—企业会员、合作伙伴—常青会员、合作伙伴—会员。企业如果成为中国企业家论坛合作伙伴成员需企业家提交本人及其公司的简介、资历等资料至秘书处审核,上年营业额在1亿人民币以上的可申请加入亚布力中国企业家论坛合作伙伴会员,成为会员后,可免费出席亚布力年会、夏季高峰会、中美商业领袖圆桌会议、哈佛中国论坛,以及小型的CEO研讨会、互访活动。

申请会员条件:

(1)申请者本人为所在企业的法人或股东;

(2)申请者参与的企业年营业总收入在1亿人民币以上且申请者本人和企业为遵守中华人民共和国法律的合法公民;

(3)申请者本人具有强烈的社会责任感;

(4)公众形象良好;

(5)缴纳会费100 000人民币/年。

2.评析

亚布力中国企业家论坛的会员体系对论坛参与者身份进行了限定,保证了参会嘉宾可以在同一层面上进行互动交流。论坛会员缴纳的会费也保证了论坛的运营,促进论坛的持续发展。

三、亚布力中国企业家论坛年会给举办地带来的影响

亚布力中国企业家论坛根植于亚布力,每年论坛年会期间许多企业家集结于亚布力,带来人才和思想的聚集,也给黑龙江带来许多积极的影响。

(一)搭建了黑龙江企业家与各地知名企业家沟通交流的平台

亚布力中国企业家论坛是中国企业家思想交流的重要平台,在中国企业界有着重要影响力。论坛集聚了中国产业界的领军人物,在交流中迸发了一系列促进中国企业发展和经济发展的重要思想火花,已成为在中国企业界有着重要影响力的活动品牌。亚布力企业家论坛根植龙江20余年,通过"龙江之夜"活动搭建论坛嘉宾与黑龙江企业家沟通交流的平台。同时,亚布力中国企业家论坛也将始终致力于帮助和关心更多新兴企业和企业家的成长,促进企业家成为社会和国家重要的建设力量,为黑龙江企业家搭建起更多交流沟通的平台。

(二)促进了黑龙江政府部门和企业家思想观念的转变

亚布力中国企业家论坛召开期间,中国企业家在感受黑龙江发展变化,为黑龙江发展提出宝贵建议的同时,通过"龙江讲坛"和"龙江企业家发展讲坛"等一系列活动与黑龙江企业家的交流,为黑龙江企业家带来市场经济的理念、思想和新商业模式,影响和带动黑龙江政府部门和企业界转变思想观念,从而推动黑龙江市场化改革,共创黑龙江美好未来。

(三)推动了论坛嘉宾对接合作黑龙江项目

2018年2月28日,在亚布力中国企业家论坛年会召开之际,黑龙江省举办"黑龙江省与亚布力中国企业家论坛项目对接会",希望通过与亚布力中国企业家论坛嘉宾的沟通交流,在国企改革、新业态、新产业等领域寻找新的合作机会。此次对接会的项目引起众多企业家的关注,达成多项合作协议。

第五节　FBIF 食品饮料创新论坛

一、基本情况

(一)论坛简介

食品饮料创新论坛(Food & Beverage Innovation Forum,FBIF)是亚太地区极具行业影响力的食品行业盛会之一,FBIF 致力于通过分享全球范围内成功的商业案例及具有创新价值的理念与技术,帮助行业决策者洞察未来趋势并推动整个食品饮料行业的发展。FBIF 始于 2014 年,目前已举办 7 届,历届会议吸引了来自全球百强食品饮料企业的参与。FBIF 2020 参会人数超过 6 800 人,参会级别多为企业中高层,平均每年以超过 60%的速度在增长。该论坛获得雀巢、联合利华、可口可乐、百事可乐、农夫山泉、伊利、统一、金宝汤、达能、嘉吉、杜邦、利乐、芬美意等全球百强品牌中高管的高度认可和积极支持。

(二)主办方

上海辛巴商务咨询有限公司(Simba Events),是一家专注服务食品行业的市场调研、咨询、会议和新媒体的公司,成立于 2013 年,位于上海,公司的发展始于会议,目前覆盖会议、赛事、媒体、咨询和培训等多个版块。目前旗下项目包括:

被誉为食品行业达沃斯的"FBIF 食品饮料创新论坛"(2020 年超过 6 800 位业内人士参加);

全球食品饮料包装设计大赛 Marking Awards(MA);

全球食品饮料创新评鉴大赛 Wow Food Awards;

针对食品饮料行业,业务覆盖培训、定性测评、咨询报告、品牌专案四大领域的贝氏咨询;

专注于食品饮料行业并有近 25 万粉丝的新媒体 FBIF 食品饮料创新订阅号(FoodInnovation)及社群等业务。

二、FBIF 的经典做法

(一)论坛结构

以 FBIF2021 为例,论坛结构包括 FBIF 论坛、同期赛事及食品创新展三大板块。

(二)论坛板块

1. 论坛简介(以 FBIF 2020 及 FBIF 2021 为例)

FBIF 2020 共 3 天,首日为全体大会及赛事颁奖礼,后续 2 天中,营销创新、创新包装、投融资、产品创新 A、产品创新 B 五个分会场同时进行活动,200 多位深耕食品行业的演讲嘉宾在植物肉、零食、NFC 果汁、营销及包装等领域分享专业见解,给参会嘉宾带来创意与技术的碰撞。FBIF 2021 分为首日全体大会和后续 2 天中的包括乳品及蛋白质创新、饮料及零食创新、酒零后论坛、营销创新、创新包装及食品投融资六个分会场。

2. 参会品牌商

FBIF 过往有许多知名品牌商参会,例如乳品行业包括雀巢、惠氏、美赞臣、蒙牛、伊利、飞鹤、光明乳业等;饮料行业包括可口可乐、百事、立顿、娃哈哈、农夫山泉、统一企业、今麦郎、康师傅、健力宝等;零食行业包括亿滋、好丽友、旺旺、达利食品、好想你等;其他食品行业包括安利、百胜、双汇、江小白等。

(三)展览板块

1. 食品创新展简介(以 2021 Food Show 为例)

2021 Food Show 食品创新展于 6 月 30 日在杭州国际博览中心与 FBIF 食品饮料创新论坛同期启程,展馆占地 20 000 平方米,展会为期 3 天。Food Show 食品创新展致力于为食品饮料行业的从业人士带来最具创新和深度的行业盛会。2021年 Food Show 现场聚集 370 多家展商,其中包括 260 多家配料、代工和品牌方企业,40 多家包装商,30 多家营销设计机构,还有多家设备、供应链公司等。

2. 展品范围

(1)包装关联:食品饮料加工及包装机械、包装材料、包装容器及包装制成品、包装材料生产及加工机械、包装印刷和标签、加工与包装配件、智能/自动化包装、电商、物流包装、包装设计等。

(2)配料原料:甜味剂、抗氧化剂、增稠剂、稳定和凝固剂、营养强化剂等添加剂,淀粉、低聚糖、酵母制品、大豆制品、食品油脂等配料,植物提取物、功能性食品配料、益生菌及益生原、胶原蛋白等健康与天然原料,以及饮料类香精、糖果香精、烘焙香精、乳化香料、复合风味料、香辛料等香精香料。

(3)营销咨询:广告营销、品牌策划、人工智能、云和大数据、投资金融、软件研发及服务、分析咨询、文化娱乐等。

(4)部分品牌:饮料、咖啡、婴幼儿食品、糕点等。

(四)同期赛事

1.创新食品评鉴大赛

(1)赛事简介

创新食品评鉴大赛(Wow Food Awards)(图2-1),由 FBIF 于 2017 年在上海正式启动。赛事评委由食品饮料相关的 KOL、KOC 以及食品饮料行业内产品研发和市场调研的专家组成,从全方位的视角,综合地对产品进行品鉴和点评,深度挖掘每个产品的创新之处。Wow Food Awards 的目的在于召集食品行业的创新者,共同发现、展示、宣传、评选出最具市场竞争力的创新食品,鼓励优质新品的诞生,表彰食品饮料行业各个类

图 2-1　Wow Food Awards

别的卓越创新。Wow Food Awards 2021 共收到来自百余家企业的 376 组产品,参赛作品在口味、包装、产品理念上各有千秋,难分伯仲。经过评委现场的品鉴以及对产品理念的深入了解,共评选出 54 款综合表现优异的产品,颁发最佳品类奖。此外由消费者投票评选出了 10 个最受消费者欢迎奖。Wow Food Awards 赛事聚集了食品饮料行业内最具创新精神的专业人士,提供了与业内同仁建立联系、交流沟通、共同突破与进步的平台,在这里可以让团队的努力得到行业专家的认可。

(2)赛事亮点

①《Wow Food 新品报告》

《Wow Food 新品报告》为一年刊,在 FBIF 食品饮料创新论坛期间发布,主要收录全年的全球新品,以及国内外的亮眼产品案例,报告内容从研发、包装、营销三大板块出发,展示和解读优秀产品案例。赛事的获奖作品同时也会被收录进报告。报告的主要读者是来自食品饮料行业 B 端的从业人员,尤其是线上及线下渠道方、渠道选品官、产品经理、包装设计师、投资人。

②评分报告

所有参赛团队可于比赛结束后免费获得 Wow Food 纸质报告。所有参赛产品均可获得该产品的评分报告,初赛产品与晋级决赛的产品评分报告会有所不同,但

均会通过雷达图清晰地展现出各评分维度的得分。

（3）参赛者权益

创新食品评鉴大赛参赛者权益如表2-5所示。

表 2-5 参赛者权益

	权益	未获奖	获奖
媒体露出机会	参赛产品有机会在 FBIF 微信公众号（32万业内专业粉丝）及相关官方媒体（微博、Instagram 等）多次报道，所有获奖作品可以在 FBIF 微信公众号头条进行展示	优秀产品有可能获得免费媒体宣传的机会	√
展区展示机会	新品收藏夹（展区人流量高达 1.2 万）	9 折优惠	免费展示
FBIF 论坛两日票	共 1 张，包含参加论坛会议与参观展区的权益	—	√
颁奖典礼门票	共 2 张，包含参加 WFA 颁奖典礼及参观展区的权益	√	√
iFood Show 观众票	共 2 张，iFood Show 展区直接毗邻 FBIF 论坛，包含 MA 全球食品设计美术馆、WFA 品鉴区、配料大挑战、食物的艺术等十大活动区	√	√
颁奖典礼展示机会	获奖产品可以得到在颁奖礼现场展示与被品鉴的机会	—	√
Wow Food 报告	详情见"赛事亮点"	√	√
评分报告	详情见"赛事亮点"	√	√
奖杯 & 证书	奖杯＊1，荣誉证书＊1	—	√
商务合作机会	通过 FBIF 平台的报道，促成品牌方与供应商及各平台之间的合作创新，自赛事举办以来，已成功为参赛品牌牵线 100 多次	√	√
权威赛事背书与认可	获奖产品可以在食品饮料行业得到大范围的报道，产生极大的影响力	—	√

（4）参赛费用

2022 创新食品评鉴大赛的参赛费用如表2-6所示。

表 2-6　2022 创新食品评鉴大赛的参赛费用

时间	费用(包含 Wow Food 报告)
2021.11.1—2021.12.14	2 500 元/组
2021.12.15—2022.1.31	2 800 元/组
2022.2.1—2022.3.15	3 000 元/组

2.食品饮料行业的包装设计大赛

(1)赛事简介

MA 是一项专注在食品饮料行业的包装设计大赛,由 FBIF 于 2016 年在上海发起,面向全球。在汇集国际力量的平台上,MA 以挖掘和表彰优秀的食品包装设计为目的,鼓励本土与国际设计力量的切磋,致力于推动食品品牌的包装创新速度、实现功能优化及提高审美认知,助力创新型良性包装设计生态圈的形成。

(2)赛事亮点

①原有亮点

MA 参赛作品页直连机构联系方式,面向上万家食品饮料品牌方,对接更精准。联合 Dieline、EPDA、Packaging Strategies 等环球知名媒体,提供业界高频曝光机会。与主刀雀巢、玛氏、农夫山泉、百事、明治等品牌包装创意的上百位全球设计英才,共赴集商业、美感、科技、创新于一体的交流盛事!

②2021 新增亮点

第一,增设入围提名,享有更多宣传机会;

第二,FoodTalks"食装"栏目专访报道;

第三,公开评分机制,细化评选维度。

③2021 参赛者福利

第一,每件参赛作品将获得国际评审团出具的评审报告,内容包括:展示细分维度评价的计分卡;直观展示作品在所有参赛作品中的竞争力排名;单个维度的优秀作品展示集锦——将与获奖作品共同收录入《Marking Awards 2021 食品包装设计年鉴》。

第二,参加颁奖礼并赠送 FoodShow 展区参观票。每报名一组作品参赛,将获得 2 张 MA 2021 颁奖礼门票,与业界人士共同庆祝大奖结果揭晓的盛大时刻。同时,可获得 3 张 FoodShow 展区门票,直接毗邻 FBIF 论坛(包含 MA 全球食品设计美术馆、WFA 品鉴区、配料大挑战、食物的艺术等十大活动区以及多家参与论坛的包材供应商),在游玩欣赏的同时促成商务合作。

第三,MA 官网作品画廊展示。报名参赛的作品将在 MA 官网的作品画廊中展示,每件作品拥有专属详情页。同时,参赛作品将进入 FBIF 的包装设计库,在论坛接受客户设计需求时优先展示给客户。

（4）2021 获奖权益

①荣誉激励

精美定制的高端水晶奖杯和玻璃裱框证书,在千人瞩目的颁奖礼舞台,由 MA 国际评审团授予获奖团队。

②《MA 设计年鉴》

获奖作品和机构信息将被收录进《Marking Awards 2021 食品包装设计年鉴》,分发给世界各地的合作媒体,提升机构的全球知名度。

③行业内深度宣传

通过 FBIF 拥有 22 万食品行业粉丝的微信公众号,面向食品行业专业客户进行多次宣传推广。

④FBIF 论坛通行证

获得 FBIF 三日通行证,进入亚洲极具影响力的食品饮料创新论坛,深入洞察行业趋势,与潜在客户面对面谈合作。

⑤入驻 MA 美术馆

获奖作品可在 MA 美术馆进行实物陈列展示,用作品实物直观呈现设计的视觉效果,与 Food Show 参展商积极互动。

⑥机构独家采访

食品客户经常访问的供需平台网站 FoodTalks"食装"栏目的机构独家采访,全方位宣传设计风格和案例作品。

⑦社交媒体多元展示

在海内外官方社交媒体平台(如微博、Instagram 等)展示作品图片和简介,进一步扩大影响力。

⑧增添产品价值

优秀的包装设计,给品牌带来更高的附加值。

⑨优先推荐客户

面向来自食品行业客户的设计相关需求,FBIF 将优先推荐 MA 获奖机构直接提供生意机会。

（5）2021 参赛费用

2021 Marking Awards 参赛费用如表 2-7 所示。

表 2-7　2021 Marking Awards 参赛费用

时间	费用
2020. 11. 16—2020. 12. 14	预售价 2 000 元/组
2020. 12. 15—2021. 12. 31	早鸟票 2 200 元/组

表 2-7（续）

时间	费用
2021. 1. 1—2021. 2. 11	常规票 2 600 元/组
2021. 2. 12—2021. 4. 1	延长票 3 000 元/组

(五) FBIF 论坛产品组合

1. Foodtalks 沙龙活动

Foodtalks 是由 FBIF 孵化的沙龙活动，包含线上沙龙和线下沙龙两种。Foodtalks 线下沙龙始于 2018 年 10 月，相较于 FBIF 食品饮料创新论坛更加"短、平、快"，主题覆盖产品创新、营销、包装设计等多个方面。沙龙因形式的多样性和自由交流的属性受到食品饮料行业专业人士的一致好评。Foodtalks 线上沙龙是线上商务服务活动。相较于传统线下活动，Foodtalks 线上直播活动传播效率更高，可触达客户数量约为单次线下沙龙数量的 100 倍，直播形式的趣味性和便捷性深得观众的喜爱。

2. 创投服务板块

Vfood 是 FBIF 于 2019 年 7 月发起的创投服务板块。Vfood 旨在依托 FBIF 平台，服务食品初创企业。通过打造食品创业生态，助力食品创业。Vfood 关注种子轮、天使轮、Pre-A 轮的食品饮料初创项目，服务内容包括创业活动、孵化服务和融资顾问。目前，Vfood 已举办多场创业主题沙龙，为多家初创企业提供孵化服务并帮助其融资。Vfood 将始终与初创企业、投资机构、产业资源保持紧密联系，积极探索各种形式的合作机会。

3. 论坛咨询业务

Best Consultant 咨询业务范围覆盖 FBIF（食品饮料创新论坛）旗下培训、定性测评、咨询报告以及品牌专案四大领域。立足食品与饮料行业，Best Consultant 咨询提供全系列课程，覆盖产品创新、包装创新、营销与品牌、供应链、食品安全、生产、法规、综合管理等各个方向的培训课程，以主题培训、企业内训、工业旅游的形式呈现。依托于 FBIF 食品论坛、社群、新媒体平台，Best Consultant 咨询拥有丰富的来自全球的资深行业顾问，或是 FBIF 论坛上的演讲嘉宾，或是全球百强食品企业的高层，或是在某一领域里权威的专家。FBIF 食品饮料创新论坛给行业提供前沿的创新理念，Best Consultant 推动理念的落地。

4. 相关媒体网站

Foodtalks 网站（www.foodtalks.cn）于 2019 年 12 月正式上线运营，致力于通过媒体报道、资源整合为食品人提供有价值的信息服务。Foodtalks 密切关注食品饮料行业内的新动态，目前网站内容涵盖创新资讯、深度专题、时效性新闻、供需信息、咨询报告以及 FBIF 主办的各类活动等。

5. FBIF 食品饮料创新订阅号

FBIF 订阅号(FoodInnovation)是专注于食品饮料行业的新媒体,定位"深度,创新,前瞻",致力于通过洞察与分享全球的创新案例推动中国食品行业的进步。FBIF 订阅号 2017 年 2 月正式开始运营,借助于高端会议的影响力,FBIF 订阅号自运营起就得到雀巢、百事、可口可乐、亿滋、伊利、蒙牛、农夫山泉、康师傅、统一等国内外食品饮料品牌高管的关注。截至 2020 年 8 月,FBIF 订阅号的粉丝量增长至250 000,影响力正逐渐扩大。FBIF 订阅号正式运营以来共发布了超过 1 000 篇原创文章,单篇阅读量最高达到了 6.5 万次。除了微信公众号平台,FBIF 入驻了一点资讯、网易号、百家号、今日头条、微博、领英、界面、雪球、知乎等自媒体平台,总阅读量超过 1 500 万。

FBIF 社群聚集了来自全球的大量专业人士,为业内人士提供一个便捷的信息交流、社交平台。

6. FBIF 社群

FBIF 社群聚集了来自全球的大量专业人士,为业内人士提供了一个便捷的信息交流及社交平台。截至 2020 年 8 月,FBIF 系列微信群包括 167 个行业微信群,90 个线上直播群,20 个高校微信群,27 个食品创业投融资群,覆盖的总人数超过80 000。微信群秉持"传播有价值内容,服务客户,拒绝无意义闲聊"的理念建群,设立完善群规及入群机制。高质量的群诞生了大量优质的群聊内容,凭借口碑与媒体平台的影响力,FBIF 微信群发展迅速。

(六)赞助商及合作伙伴

以 FBIF 2021 为例,FBIF 2021 的联合主办方为中国轻工企业投资发展协会,赞助商及合作伙伴类型包括钻石赞助、铂金赞助、银牌赞助、首席战略技术合作伙伴、创新洞察合作伙伴、战略视觉合作伙伴、服装设计合作伙伴、演讲赞助、专项赞助、赛事颁奖礼合作伙伴、志愿者零食赞助、Food Show 展区合作伙伴等多种形式。

(七)合作媒体

以 FBIF 2020 为例,主办方与上百家来自全球的主流及行业媒体建立合作,全方位多角度呈现嘉宾精彩观点,向世界传播全球食品饮料行业趋势洞察。FBIF 2020 得到了 36 氪集团的大力支持,同时海外的知名食品商业媒体 Food Navigator 也积极报道了论坛。论坛举办期间组织了近 40 场嘉宾采访,通过与论坛嘉宾深度交流,挖掘行业的创新信息及成功经验。FBIF 2020 希望将论坛的声音更广泛地传播出去,帮助业内人士发现利基市场,激发创新灵感,推动行业积极发展。

三、案例评析

(一)富有激情与创造力的年青团队

论坛主办方上海辛巴商务咨询有限公司(Simba Events)创始人兼 CEO Isabella Hsu 有着极强的资源整合能力,在国际论坛和赛事策划方面有超过 30 000 小时的工作经验。在其发起和领导下,FBIF 在 5 年内迅速成为大中华区规模及影响最大的商业论坛。Isabella Hsu 视角开阔,对食品饮料行业有着极大的热情,对产品有着天生敏锐的直觉和洞察力,最擅长从消费者角度来判断产品的市场潜力。辛巴团队致力于挖掘全球最前瞻、最优秀的商业案例来启发所有行业参与者的思维,开阔他们的眼界,帮助行业健康可持续地发展。辛巴团队具有较强创造力。例如,FBIF 2021 其中一个分会场为"酒零后论坛",具有一语双关的效果,一方面论坛聚焦酒类领域,另一方面也喻指辛巴团队主要为 90 后富有激情的年轻人。

(二)准确的定位与创新的理念

FBIF 定位为:致力于通过分享全球范围内最成功的商业案例及最具创新价值的理念与技术,帮助行业决策者洞察未来趋势并推动整个食品饮料行业的发展。FBIF 通过准确定位,聚焦食品领域,发展成亚太地区极具影响力的食品行业盛会之一。其创新的理念是:会议的价值在于通过分享与互动,让想法产生更多想法,创新激发更多创新,会议应承担起推动行业进步的使命。创新的办会理念使得FBIF 具有强大的生命力。

(三)深度打造食品行业的商务生态系统

除策划主办行业盛会之外,FBIF 丰富的产品组合全面助力食品饮料行业的发展,具体包括全球食品包装设计大赛、创新食品评鉴大赛、食品行业内容服务与资源对接平台、服务食品初创企业的创投服务、FBIF 食品饮料创新订阅号、FBIF 系列微信群、激发食品人无限想象与创意的线上与线下沙龙以及 Best Consultant 咨询业务。会展是一个商务平台,Simba Events 通过深度打造产品组合,构建出一个以FBIF 为主的食品行业商务生态系统。因此,FBIF 能够为客户提供全方面、全产业链的优质服务,这是其获得成功的重要保障。

(四)论坛主题原创性、差异化、特色化

主题是一个论坛的灵魂。辛巴团队在论坛主题策划方面,坚持"原创性、差异化、特色化"的原则,刻意避开食品行业的传统热门话题(例如食品安全等),在经

过长时间的调查与研究整个食品行业后,选择了产品创新、食品营销和食品包装等主题。每一个主题内容,几乎都是由团队策划组撰写,从而保证了论坛主题的独特性、深刻性与吸引力。

(五)重量级、跨领域的演讲嘉宾

辛巴团队在邀请演讲嘉宾方面,坚持"使命必达"的原则。只要对方是有价值的嘉宾,辛巴团队就会一直跟踪,寻求各种途径,甚至花上五六年时间去邀请。因此,辛巴团队得以邀请到了国内外食品行业、管理咨询、投融资、技术及知识等领域重量级人物担任全体大会及不同分论坛的演讲嘉宾。以 FBIF 2021 为例:食品行业的演讲嘉宾包括荷兰农业食品支柱产业联盟主席、荷兰瓦赫宁根大学及研究中心前校长、百事有限公司高管、联合利华有限公司高管、雀巢有限公司高管、杜邦有限公司营养与生物科技高管、亿滋国际有限公司高管、玛氏箭牌中国有限公司高管、可口可乐饮料(上海)有限公司高管、农夫山泉股份有限公司高管、内蒙古伊利实业集团股份有限公司高管、阿里巴巴网络技术天猫大快消高管等;管理咨询领域的演讲嘉宾包括贝恩公司高管;投融资领域的演讲嘉宾包括红杉资本有限公司高管;技术及知识领域的演讲嘉宾包括谷歌信息技术有限公司中国品牌行业总经理、IBM 有限公司大中华区副总裁智慧供应链、华为云计算技术有限公司副总裁兼首席数字化转型官、北京智者天下科技有限公司高管等。

(六)高级别的评委与公平的赛事机制

许多的赛事评奖活动含金量不高的原因在于:"谁给赞助,就给谁颁奖"。但 FBIF 两项赛事的做法不一样。辛巴团队看重评委老师的水平与资质,他们会去全球邀请最好的设计师、食品行业大品牌负责人来担任评委。赛事常驻评委包括雀巢全球视觉识别与设计主管、可口可乐亚太区包装研发总监、百事佳得乐创新设计高级总监、玛氏箭牌糖果全球战略计划总监、杜邦营养与生物科技亚太区商务总监、旺旺集团高管、农夫山泉高管、阿里集团天猫快速消费品事业部高管等国内外知名企业高管。此外 FBIF 所有的奖项都不接受赞助,打分制过程公开、透明、淘汰率也较高,从而保证了奖项的含金量。

(七)多样化的盈利模式

FBIF 的盈利模式具有多样化特点,盈利来源包括 FBIF 参会费、食品展的参展费、全球食品包装设计大赛与创新食品评鉴大赛的参赛费、各种级别的赞助费与合作伙伴费、FBIF 系列产品的收入等。多样化的盈利模式是 FBIF 营收的重要保证,其营收从 2014 年的 174 万增长到 2018 年的 1 082 万(仅会议部分,不包含媒体)。

第三章 节事活动的经典案例分析

第一节 悉尼农历新年庆典

一、基本情况

(一)悉尼农历新年庆典简介

悉尼农历新年庆典是由悉尼市政府主办的中国农历新年庆典,是亚洲以外规模最大的中国农历新年庆祝活动。每年春节,悉尼大街小巷以及周边各个区域都将因农历巷道街头派对而交织融合,免费为大众提供精彩表演并举办年味庙会、玲珑游乐等活动。从1996年举办第一届以来,悉尼农历新年庆典从最初规模不大的唐人街社区活动逐渐发展壮大,吸引了中、韩、日、越、泰、印尼、马来西亚及本土多民族不同人群的参与,发展成全球规模最大的农历盛事之一,并于2019年更名为悉尼农历节。

(二)悉尼农历新年庆典的影响

1. 经济影响

自1996年以来,悉尼市政府为中国农历新年庆典主办活动120场,协办838场。2018年的悉尼中国农历新年庆典吸引了130多万观光客,节庆期间的观光消费总额高达7 000万澳元。2019年,悉尼农历节庆典吸引参与者近150万人,对本土经济、旅游、零售、餐饮业、交通等相关产业的发展产生了巨大的推动力。

2. 社会影响

悉尼农历新年庆典的一系列春节活动可以将人们吸引至悉尼市区,共同庆祝新年的到来,体现出了节庆活动的仪式感。设立生肖雕像象征着一个迎接富足和希望的年份,希望为所有人带来健康,并为悉尼市企业和市民带来活力。新年庆典设立几十年来得到多方认可,在团结悉尼人民、促进多元文化发展、支持本地商业发展等方面起到了不可估量的作用,尤其在新冠疫情期间,支撑受疫情影响的本地商铺维持经营。庆典也为悉尼的艺术家、表演家以及文化团体提供了宝贵的展示机会。2021年悉尼市政府提供了近18万澳元的额外补助金和赞助直接支持了创意文化产业。同时也举办了80余场新春庆祝活动,包含免费音乐会、舞狮工作坊、各色展览、流动性户外演出、新春美食节等,带来一场全民夏日盛宴。

3. 文化影响

海外春节活动的繁荣对于提高中国文化的影响力,实现中国文化走出去的伟大战略具有十分重要的意义。悉尼所在的新南威尔士州聚居了超过51万华侨华人,对于许多久居海外的同胞,农历新年也是加深中澳人民间友谊的契机。旅居澳大利亚近30年的华人金融博士曾毅表示:"新年的活动为悉尼的人民,包括当地人和华人华侨都带来了节日的喜庆氛围,通过这个平台也加深了中澳人民的友谊。节日把两国人民的情谊连接在一起,让大家来共同分享中国春节的氛围和文化。"庆典发展至今,多个国家都会在庆典期间相聚于此,以庆典为平台,相互交流各个国家的文化,也使"中国文化热"走向全球,促进文化多元融合,而也正是因为春节承载的文化具有广泛价值,澳洲对中国文化的包容性极强,悉尼农历节才得以大范围推广开来。

二、立项创意及评析

(一)悉尼农历新年庆典立项背景

在20世纪90年代,唐人街每逢春节时期,都会举行社区活动庆祝农历新年,从1998年开始,悉尼政府作为组织者主办悉尼农历新年庆典。21世纪以来,随着中国国民经济的快速发展,华人移民海外的比例也在不断发生变化,新移民文化素质的提高,华人社区的不断扩大,华人经济实力的提升等使华人在海外的地位与作用日益受到当地政府与普通民众的认同,而华人本身的文化自觉使得华人的文化也逐渐受到关注和重视。

(二)悉尼农历新年庆典立项优势

近年来,澳洲华裔比例不断攀升(如悉尼城市总人口约为500万人,悉尼地区的华裔人口大约在40万左右,占8%),华人群体已成为澳大利亚除英语以外的第一大非英语少数民族社区群体。澳洲华裔人数增多成为悉尼农历新年庆典存在的重要基础,也为华裔营造了春节的氛围。

(三)立项创意的评析

春节在中国历史悠久,是中华民族一年中最重要、最隆重、延续时间最长、影响最大的民俗节日,至今依然是中国老百姓思想上最关切、行动上最积极、情感上最浓烈的节日。随着海外华人群体规模的不断扩大,春节也渐渐走出了中国,其知名度与影响力亦随着中国的高速发展与全球文化交流的日渐深入而不断提高。海外华人华侨作为一个资源概念,是中国传统文化在海外的延伸。海外华人华侨在融入当地的过程中容易产生文化自觉,对本国的传统文化往往更有情感需求。对海外华裔来讲,传统节庆对于自身的文化身份认同、中华民族传统的传承都有重要的意义。另一方面,海外华人华侨在融入的过程中也影响了当地的文化生态。

此外,中国在经济全球化过程中取得的成功是中国文化软实力的最大的资源基础。中国外文局等单位联合发布的《中国国家形象全球调查报告 2014》表明,中国在经济相关的领域内得到正面评价最多、程度最高,也是国内与海外民众共识性最强的正面项,同时亦是海外对中国感兴趣的主要项之一。中国在经济全球化过程中取得的成功引发了海外对其价值观的正面思考。这一实质性的经济成就,伴随着以儒学为特征的传统文化的复兴,提升了中国在亚洲和整个世界的软实力。

在澳洲政府的文化包容基础上,每年农历春节期间,中华文化和多国文化的融合,吸引了大量观众和流量,促进了当地旅游、交通、通信、零售等产业的发展。

三、悉尼农历新年庆典的经典做法及评析

(一)新春庆祝表演

1. 简介

澳大利亚是个文化多元化的国家,每年新年庆典都将举办百余场包罗万象的新春庆祝活动,汇集了中、韩、日、泰、越等不同文化习俗和特色,庆祝活动中不乏众多积极参与中国文化展示的华人工作者及表演者,他们通过自己的专业、热情与奉献参与到农历新年庆典中,可以把中华传统文化的魅力通过本土的优势传递给更多不同文化背景的人。

2020 年悉尼以一场大型的街头派对作为庆典序幕,正式开启长达 16 天的节庆盛事,传统舞龙舞狮表演、各国艺术家的舞蹈演出以及民族乐器演奏为观众提供了一场视觉和听觉盛宴。庆典还邀请来自中国陕西"欢乐新春·国风泰韵"演出团的 24 位表演者和音乐家参与演出。从街头派对到社区舞蹈表演再到久负盛名的达令港龙舟竞渡,中国文化在这些多样的文娱活动中释放着自己独特的魅力。借庆典舞台,许多当地机构及华人社团也在积极展示着中国优秀文化元素。在悉尼海港大桥下,澳大利亚悉尼华星艺术团的成员们曾倾情合唱《我的祖国》,他们歌声嘹亮,洋溢着浓郁的中国情。该艺术团从 2014 年开始几乎年年参加各类新春庆祝活动,2020 年鼠年春节约有 26 个团参加大悉尼地区 9 个市的新年庆典,悉尼华

星艺术团现旗下共有48个艺术团,在春节期间,艺术团不仅会积极参与他人举办的各类大型活动,同时也会举办自己的品牌活动,如"华星闪耀大舞台"以及"华星艺术节"等。

2.评析

中、韩、日、泰、越等多个国家的表演社团通过舞蹈、音乐、话剧、讲故事等形式来分享他们的文化背景和氛围,在新年庆典舞台上,多种文化的融合,以不同的形式出现,传统和科技的结合带了观众强烈的视觉和听觉的冲击,更是将不同国家的本土文化以节事活动作为载体传递给更多不同文化背景、不同国家的人。

(二)十二生肖主题花灯

1.简介

悉尼农历新年庆典除了有庆祝表演外,也有新年花灯活动。唐人街作为庆典活动的中心被节日彩灯装饰一新,以庆祝农历新年的到来。灯展作品的设计结合了中国传统花灯工艺和现代照明科技,仿十二生肖造型,栩栩如生。入夜后,琳琅满目的花灯映入观众眼帘,让观众真切地感受到地道的中国年味,中国花灯从举办年起每年都会点亮悉尼地标——海港大桥,寓意新年的幸福快乐。如2018狗年花灯会上,最醒目的主角是一盏名为"瑞狗迎春"的花灯,它矗立于悉尼歌剧院旁。该作品的创作者为澳籍华裔艺术家宋陵。这一杰作的组装由18名技艺超群的工匠和5名裁缝完成,共使用了5吨钢材、90盏照明灯和200多米布料,宋陵用玻璃纤维材料制作了瑞狗迎春花灯,并特地把狗灯的尾巴和舌头设计成动态部位,在设计过程中将狗对主人的忠诚和陪伴,以及对人类的友善等内涵表达了出来,让整个作品更加引人注目。而在2021年悉尼农历新年庆典的主题生肖灯中,两盏粉嫩可爱的"招财牛"造型花灯伫立在唐人街牌坊的入口处,向熙熙攘攘的来访者"热情招手",为人们送上新春祝福。

2.评析

悉尼农历新年庆典根据每年中国农历生肖的不同,设计举办不同特色的生肖主题花灯会,届时悉尼唐人街张灯结彩,数百盏红、金、粉色调代表吉祥的灯笼组成亮眼的灯帘,高悬于德信街上空,以该年生肖作为主角,其内涵贯穿于整个花灯会,将生肖的特征和寓意传递给每个观众,其余11个生肖配合当年主题的形式而改变颜色。活灵活现的花灯,配上街道上喜庆热闹的背景音乐,带给观众新鲜而又熟悉的体验,将中国年味传到了各个角落。同时,花灯体现出来节庆场景中标识、有形物质的重要性,烘托渲染了节庆场景的氛围。

(三) 龙舟竞赛

1. 简介

龙舟是中国文化的一个具体表现,龙象征着中华民族的力量,龙舟文化在一定程度上对广大海外同胞起到了教育和感染的作用,龙舟竞赛作为每年的庆典压轴活动,也是庆典重要组成部分,吸引了成千上万名参赛选手和观众,是南半球规模最为庞大的水上竞渡盛事。在龙舟竞赛当天早上,首先要为龙舟举行传统的点睛仪式,以表唤醒巨龙之意,同时也为参赛龙舟的安全及运动员创出佳绩祈福,数百名乘坐龙舟的队员竞相泼水,预祝此次竞赛取得圆满成功,紧接其后的便是激烈的龙舟竞赛。现场也有中国传统的舞龙及舞狮表演、澳洲俊男靓女的服装表演、欧裔和华裔人士的武术表演以及澳洲侨青社的民族歌舞等活动。2019 年的龙舟竞赛吸引了来自悉尼所在的新南威尔士州各专业龙舟俱乐部、商业和慈善团体参赛队的 3 000 余名选手参与,观众达 10 万人。

2. 评析

举办赛事让整个农历庆典活动变得生机勃勃,提高了观众的参与感,同时也让参赛团队的热情、参与积极性以及赛手们的技巧更上一层楼。在为期两天的比赛中平均每 8 分钟便有一场赛程约 200 米的比赛,数千名龙舟赛手参与其中。他们来自不同社团或竞技团队,无论老少或竞技水平的高低,都积极参与到赛事当中。除专业比赛队伍外,还有慈善龙舟队、抗癌明星队、残障儿童亲友团队、商业团队等,赛手们齐心协力、奋勇向前的精神,也感染了海港两岸的观众,使之为其呐喊助威。龙舟竞赛不仅让更多人了解了龙舟文化,同时由于可以与家人共同参加,也更好地促进了家庭关系,在锻炼身体之余,选手们互相照应,互相尊重,让观众体验到了团结在一起的力量。龙舟赛事的举办,结合当地水资源的独特优势,带动了水上歌舞、水上餐饮、水上会议、水上娱乐等一系列文化产业发展,完善了水上系列旅游产业体系,打造特色的旅游链条,为城市的发展增添了更多的活力。

(四) 配套活动

1. 简介

除悉尼市政府组织的 80 余场活动外,中国驻悉尼总领馆、悉尼中国文化中心以及当地华人社团也参与了活动的举办,中澳双方联手奉献 100 余场丰富多彩的活动,包括农历花灯会、农历花灯美食街、红透悉尼城活动以及南半球规模最大的龙舟赛等,让世界各地的游客汇聚在此,悉尼农历新年庆典具有独特魅力,中国春节文化的底蕴也让这座多元文化都市增色不少。

2. 评析

丰富的配套活动能够提高节庆活动知名度、丰富活动内涵以及延伸活动价值,同时也是多维度、多样化展示城市要素的有效手段。节庆活动本身就是文化的载体,中澳双方结合中华传统文化和澳洲地域文化打造了多种多样的配套活动,增强了节庆氛围感,让观众在异地中体验中华文化、学习中华礼仪、感受中国特色。

(五)运作特点

1. 政府官方支持

在澳大利亚,几乎每个州府地区都有许多得到政府支持而成功举办的国际艺术节。政府还通过投资计划鼓励发展地区性文化节。1977 年澳洲政府通过相关文件,首次正式提出了社会和谐、机会平等与文化认同的基本原则。1989 年颁布的相关文件则进一步明确了多元文化政策的内涵。在澳洲政府的支持下,推行的多元文化政策使春节推广并融入澳洲社会,悉尼农历新年庆典是中国文化在悉尼本土化、市场化做得非常好的一个活动典范。春节活动在全世界来说也有一些普世价值,比如家庭团圆、朋友团聚、对美好未来的向往,这些普世价值对全世界来说都是有意义的。

2. 民间团体

居民是地区社会文化中最具活力的因素,是文化旅游产业创新体系的核心因素,民间社团与区域文化传统、文化设施及区域文化客观形式种类共同构成了促进社会文化创新的推动力量。悉尼农历庆典起先由海外华人民间团体举办和发展,民间团体每逢中国农历新年,通过自己的专业、热情与奉献参与到农历新年庆典中,在唐人街巡游演出,把中华传统文化的魅力通过本土的优势传递给更多不同文化背景的人。

3. 国际合作

在澳洲政府推行多元文化政策基础上,悉尼市政府与中、韩、日、越、泰、印尼以及马来西亚等社区代表进行讨论,将庆典在不忘其本源的基础上更上一层楼,节庆保留中国农历新年庆典的主要元素和活动,其他地区的表演团队也可在该庆典舞台上传递本民族的文化。

4. 评析

文化认同涉及群体中的个人在其所生长的地方的传统历史文化背景与其血缘族群的联系,随着群体共同的生活经验、参与文化活动、宗教信仰或仪式等而有了集体的记忆与情感,进而形塑个人与群体的价值观与文化认同感。文化认同对于个人的文化创造与行为有着较大的影响,人的文化活动往往取决于文化认同,文化认同感的强弱对于文化的存在与发展起着非常重要的作用。因此海外举办农历新年庆典,无疑是一种增强文化认同感的有效方式。

第二节　美国超级碗

一、基本情况

(一) 超级碗简介

超级碗(Super Bowl)是美国国家橄榄球联盟(也称为国家橄榄球联盟)的年度冠军赛,胜者被称为"世界冠军"。超级碗一般在每年1月最后一个或2月第一个星期天举行,那一天称为超级碗星期天。超级碗是比赛的名称,奖杯名称为文斯·隆巴迪杯,参与球队为该球季的美国橄榄球联会冠军以及国家橄榄球联会冠军。超级碗的直播节目多年来都是全美收视率最高的电视节目,比赛当天也被称为"美国春晚"并逐渐成为一个非官方的全国性节日。2016年,《福布斯》评估超级碗品牌价值为6.3亿美元,是夏季奥运会品牌价值的1.72倍,位列全球体育赛事品牌第一位,是美国名副其实的第一大运动盛事,也是世界上最有价值的体育赛事。

(二) 超级碗的影响

1. 经济的影响

在福布斯的年度榜单中,超级碗连续多年荣膺世界最有价值的体育赛事品牌,即便是奥运会和世界杯也无法与之比拟。《福布斯》的最新预估数据显示它的品牌价值达到6.3亿美元,超过了奥运会和世界杯的总和。对于举办地而言,超级碗有着难以估量的经济效益,主要体现在旅游业、餐饮业以及NFL官网的产品销售上。例如:2006年超级碗为底特律带来约2.6亿美元的经济效益;2008年为亚利桑那州带来5亿美元的经济效益;2014年为纽约带来6亿美元的经济效益;2017年为休斯敦地区直接带来1.9亿美元收入,并在住宿、餐饮、旅游和娱乐等多个方面带来5亿美元的收入。

2. 社会的影响

美国人向来将超级碗当天视为全国的狂欢日,甚至被称为非正式的美国国庆日。在比赛期间的食物消耗量仅次于感恩节。超级碗也是一场名副其实的媒体盛宴。2011年超级碗在全球超过230个国家和地区进行直播,转播语言超过30种。Kantar Media Analysis of Nielson Media Research Data 的调查数据显示,1990—2009年,超级碗每年的全美收视人数近乎是奥斯卡颁奖典礼的2.5倍、格莱美奖的5倍,吸引的电视观众数是 MLB、NBA 总决赛的3倍多。包括中央电视台体育频道、上海五星体育、东方卫视、广东体育等中国媒体也对这场充满美国特色的饕餮盛宴进行了现场直播。

二、立项创意及评析

(一) 立项的成功因素

美式橄榄球运动所蕴含的集体主义、团队意识、拼搏精神等,与美国英雄主义有着密切的一致性,其所体现的精神和美国的精神十分吻合,这项运动也为美国观众带来了强大的精神支持,同时也成为全美最受欢迎的运动之一,拥有超级庞大的观众资源。超级碗几乎是美国梦的完美缩影,这里有美国人想要的精神食粮。这里是最平等的舞台,没有黑白肤色,"穷小子可以成为富翁,普通人可以变成英雄"。这里展现了最完美的较量,激烈对抗的身体力量、狂飙突进的猎豹速度、睿智天才的战术思维、牺牲配合的团队精神,决不放弃的坚持果敢。当然,还有中场演出时的超级巨星和无所不在的商业广告。

超级碗为观众提供了一个道德清晰的典范,而这在观众生活的赛场上是难以捉摸的。它的比分是在"中立"的领土上确定的,它的球队受到固定的规则管理。这里几乎没有偏袒、多愁善感或情感上的细微差别。橄榄球能明辨是非,超级碗向观众展示了一个可以达成一致的世界——在这个世界里,远离了日常生活的混乱,力量、技能和实用的智慧占据了主导地位。

(二) 立项创意的评析

超级碗之所以成为美国的"国球"和体育赛事的"典范",是与其良好的群众基础及与美国民族文化的契合分不开的。美国是一个移民国家,汇集了不同的人种,他们追求平等、自由、娱乐等生活理念。超级碗符合美国民众文化理念,具有典型的美式民族文化特性,因而成为其民族文化的代表。超级碗在向受众展示其竞技精神的同时,也在激发受众对美国文化中价值观念的认同。在橄榄球比赛中充满的勇敢、团结合作和英雄主义等精神无一不是对美国文化的诠释和表现,这种文化是吸引观众的重要因素。

三、超级碗的经典做法及评析

(一) 专业化的赛事运作

1. 简介

在超级碗举办期间随处可见专业性的体现,比如电视转播的时长和机位都尽量满足所有收看电视的观众需求,现场的设备和体育展示都完美地配合了比赛的进程和文化展示。2018 年超级碗首次采用全景直播,利用安装在赛场各个位置的摄像机,360 度全景式直播,无论是在现场还是在电视上,球迷都可以获得更为丰富的观赛体验。超级碗把 VR 技术应用到直播中,增加了视觉效果,还原现场,运用多架无人机、多部高清摄像机参与全方位拍摄,可以让观众 360 度全景式观看现场画面。此外,超级碗还用强大的慢动作系统、先进的字幕系统等,给赛事带来更高级的效果,给观众带来更好的视觉体验。

2. 评析

为了举办好比赛,超级碗主办方下足了功夫,在诸多方面都体现出了专业性。运用先进和专业化的高科技提高了赛事的传播效果及精彩程度。

(二) 非同寻常的中场秀

1. 简介

超级碗 12 分钟的中场表演与比赛具有同等重要的位置。任何体育运动的比赛,从未像美式橄榄球那样,在比赛中场休息时,安排规格如此之高的文艺节目表演。每年的超级碗中场秀都会邀请当年最具吸引力和最受瞩目的超级巨星前来表演,包括迈克尔·杰克逊、麦当娜、碧昂斯等世界级巨星都曾经登上超级碗中场秀的舞台。中场秀的表演都是无报酬的,也就是说世界级巨星免费为超级碗中场秀表演。可见超级碗中场秀的曝光度和影响力之大。每一年被邀请的超级巨星也会为超级碗带来更多潜在的观众。这种模式使超级碗的辐射范围超过其原有单纯的体育赛事的辐射范围,吸引了更多的非体育赛事观众来观看比赛。并且因为时间的限制,中场秀的节目安排得十分紧密,这就在很大程度上满足了观众在观看时的多元性和紧凑感的要求,也满足了观众在体育赛事中对观看娱乐节目的要求。

2. 评析

超级碗遵循"泛娱乐化"的办赛理念,将比赛的进程进行艺术融合。它运用丰富的娱乐内容,弥补比赛中场休息带给球迷和观众的"闲暇",又以艺术表演等形式体现橄榄球的时尚与魅力,这些内容集舞蹈、音乐、美食、明星等于一体,紧密围绕美国的本土传统文化和体育强项,突出体育娱乐主题,进行文化传播,彰显美国体育特色。超级碗借助娱乐模式,让一切在娱乐中变得快乐。体育与娱乐的精妙结合,引发了除球迷外的歌迷、影迷甚至旅游爱好者的关注,这都成为超级碗人气爆发的背后推力。对那些并不熟悉美式橄榄球规则或对超级碗比赛不感兴趣的观众来说,中场秀明星是最大吸引点。

(三)精彩的插播广告

1. 简介

超级碗享有美国广告界的"广告奥斯卡"的美誉。它在广告商的选择上十分用心和考究,因此其广告的内容非常精美,传播效果也十分显著。在超级碗投放广告的广告商大部分都是口碑出众的厂商。这也在无形之中提升了超级碗和品牌之间的关联性和互利性,使得超级碗自身的口碑和品质也更能够通过这些知名品牌得以提升。超级碗让观众把收看广告视为一种享受。调查数据显示,39%的超级碗观众都热衷于看插播广告,而真正觉得比赛好看的观众只有28%,甚至每年至少有 5 000 万美国人是专程打开电视看广告的。这些只播一次却斥巨资打造的广告都是为超级碗特别定制的。例如,2015 年,科技巨头微软豪掷千金成为超级碗广告俱乐部成员,而且购买了两则总长两分钟的广告,投入超过 1 500 万美元。微软的两则广告延续了其一贯的温情励志主题,讲述了科技如何帮助没有双腿的儿童和贫困地区的黑人,让他们勇敢面对艰难的人生。超级碗广告商还让观众参与插播广告的制作。例如,超级碗常客——百事可乐就运作了一场网络大赛,让粉丝制作百事在超级碗期间播出的广告。获胜者还可参演电影《变形金刚》。巨大的诱惑在前,粉丝们绞尽脑汁为百事制作出了最具创意的广告,答案揭晓当天也自然紧盯屏幕一秒也不肯放过。赛后,更有专门评选超级碗广告的 Social Dowl 大赛。每年都吸引众多用户参与其中。对广告商来说,用最好的创意、最高的水准才能无愧于天价广告位,对于观众来说,这样的广告则代表了满满的诚意,期待值"爆表"也就不足为奇了。以 2019 年超级碗为例,28 个超级碗广告在 YouTube 上被播放了1.05 亿次,在推特上也有千万次的播放量。

2. 评析

超级碗广告受到追捧是因为广告本身有趣,内容优质且夹杂在精彩的节目中,像创意的狂欢大会。超级碗用拍大片的理念拍广告,而观众用看大片的心态看广告。现在的观众早已不是单纯地被动接受,他们渴望表达,希望广告商能听取他们的声音。让观众参与制作,像关注自己的东西一样关注广告。所以,更具互动性,拥有更高粉丝参与率的广告常常能抓住人心。

(四)赛事人文色彩浓重

1. 简介

在比赛前期,运营方通过海报、广告、电视媒体等一系列的宣传和体验活动,吸引球迷的目光,拉近与观众的距离。例如球迷可以和橄榄球明星的手模比大小;可以参加模拟的橄榄球比赛与对手比力量;还可以在展板上签名留下自己祝福的话语。这些体验活动渲染了赛事的欢乐气氛,丰富了赛事的文化内涵。在中场休息时,邀请超级娱乐明星、体育名人、影视巨星等倾情演出,博得眼球,吊足观众胃口,让球迷欢呼尖叫,把氛围推向高潮。如 2009 年的超级碗,由于当时的美国遭受金融危机,民众情绪低落,但是,举办方在中场将当年遇险获救的美航 1 549 航班人员请到了现场,用全场共同演唱国歌的形式,给比赛鼓劲,以此来化解美国民众心中的忧伤,极大地振奋了民心,民众的自豪感、自信心油然而生。

2. 评析

超级碗之所以备受全世界球迷喜爱和关注,最重要的原因在于其充满"人性化"的赛事体验与关怀,能够挖掘并满足观众的需求,增加观众和球迷对赛事的认同感和亲切感。

(五)比赛新潮体验

1. 简介

2021 年受到新冠疫情影响,比赛场馆原本可以容纳 66 000 名观众,实际邀请到场的观众只占 20%。仅有 2.5 万人到现场,其中还包括了 7 500 名医护工作者。但是,为了让无法到场的观众可以享受到现场待遇,主办方特别制作了 3 万个"纸片人",类似于人形立牌,球迷要想让自己的头像出现在现场座位上,需要向主办方支付一定的费用。纸片人的形象不乏演艺明星、球星、政客等各界名流。

2. 评析

疫情期间,这样做不仅为球迷提供一种在现场看比赛的新潮体验,还做到了让现场的球迷保持社交距离。

(六)融媒体传播

1. 传统媒体传播

超级碗以电视转播为主要手段,这是因为电视转播所具有的高清性和稳定性,可以使观众有较好的观赛体验,也在一定程度上推动了相关技术的发展,让赛事转播和赛事传播可以有更大的发展空间。而超级碗的广告权和转播权大部分也是捆绑销售的,购买方在购买转播权的同时也可以拥有自己在其中添置广告的权利,这也为超级碗的传播和发展带来了不一样的模式。

2. 新媒体传播

超级碗与 Facebook、Instagram 等社交媒体和传播媒体进行合作，充分发挥新媒体的优势。超级碗与各种社交网站的合作，让观众在电视上观看比赛的同时也能够运用新媒体达到实时社交和分享比赛的目的，满足观众多元化的交流和观赛需求。Twitter 与 Facebook 这两大社交平台也成为超级碗的营销阵地，他们关注赛事，制作话题页面供粉丝讨论，紧紧抓住粉丝的需求，掀起超级碗讨论热潮。同时，NFL 也是第一个进驻 Discover 的联盟，并通过 Live Story 的形式提供常规赛和"超级碗"的短视频，据官方数据显示，已有超过 7 000 万的用户观看了 58 个短视频，这算是一个比较可观的数据。超级碗与 Discover 等媒体合作，制作与超级碗相关的短视频，为更多无法长时间观看或没时间观看电视转播的观众带来更加便利的参与赛事的途径和别具一格的观赛体验。第 52 届超级碗在 NBC 体育 App、NBC 及旗下的 Sports 网站、NFL Mobil 等数字媒体端每分钟平均观看量达到 202 万，直播最高峰值为 310 万。

3. 借势传播

赛事举办方力邀美国总统、明星、名人等各界人士进行间接宣传，包括奥巴马、菲尔普斯等。同时，在运营比赛时，采用打造超级巨星的方式，迅速聚拢以明星为核心的观众群体。在超级碗比赛当天，超级巨星的表现牵动着所有观众的心。例如，在 2017 年的超级碗决赛中，运动员布雷迪共完成 62 次传球，打破超级碗纪录，全场传球命中率达到 69.3%，位居历史第一。布雷迪成为这场比赛备受关注的焦点是因为大家爱看明星，而且特别爱看"逆袭"的大明星，而比赛借助这位明星达到了宣传的目的。

4. 评析

新媒体时代的到来使赛事的营销手段更加多元化，新旧媒体融合使超级碗在传播力上呈现出一种"联盟式"的效果，也让更多的人参与到了超级碗这场体育盛宴中。善用新媒体扩大影响力，能引发全民大讨论。同时，借助意见领袖、明星传播，也能增强传播公信力和影响力。

(七) 多元化的商业模式

1. 简介

一年仅一场比赛的超级碗之所以能够成为世界第一的吸金品牌，得益于其多元的商业模式。《福布斯》发表的统计数据显示，超级碗期间，58%的美国人是为了观赛，46%是为了观看超级碗直播过程中插播的广告，23%是为了参与社交活动，18%是为了超级碗的中场秀，10%是为了参加超级碗当天的活动。可以看出，并不是所有观看比赛的美国人都是为了比赛而看的，通过超级碗，美国民众实际上是享受了一场多元化的娱乐狂欢。而正是瞄准了不同群体对超级碗的需求,以转播商为首的各个品牌公司也都从"群众观看超级碗"这一行动中赚取了不同渠道的利润。

2. 评析

以"赛事+广告+中场秀"为核心,将目标群体扩散到每个美国人。无论是球队的周边、广告的投送、明星的中场秀表演还是线下各种娱乐活动,都是在刺激民众为超级碗消费。

(八) 多样化的盈利模式

1. 转播版权收入

超级碗的收视人数每年都能达到 1 亿人以上,2015 年超级碗新英格兰爱国者队与西雅图海鹰队的精彩对决,更是吸引了平均 1.14 亿人次收看,创下美国电视史上的空前纪录。有这样的转播收视率,自然转播权价格也是不菲。超级碗的电视转播权并没有进行单独的售卖,而是采取投标的方式来选择赛事的转播商,福克斯(Fox)、美国国家广播公司(NBC)和哥伦比亚广播公司(CBS)三家电视台分别拥有不同年份的超级碗转播权。据了解,CBS 向 NFL 每赛季支付 10.8 亿美元,获得包括 2016 年、2019 年和 2022 年三年超级碗赛事的转播权。而 NBC 和 Fox 将在其余的年份里轮流对超级碗进行转播。

2. 广告赞助收入

超级碗在转卖转播版权时,要求必须保留原有的广告数量和出现时段,这无疑让超级碗转播期间的广告成为转播内容的一部分。超级碗直播就是世界各大品牌的优秀广告作品展以及电影预告片发布会。上亿的直播观看人数,必定让广告商趋之若鹜。1967 年,第一届超级碗比赛,60 秒的广告费就已经达到 7.5 万~8.5 万美元,30 秒的广告也达到了 4.2 万美元。之后,每年超级碗的广告费都水涨船高。2020 年超级碗赛事直播方 FOX 电视台的 30 秒广告费已经涨到 500 多万美元,折合人民币 3 000 多万,几乎是 1 秒钟 100 多万人民币。百事可乐、可口可乐、汰渍、百威、奥迪、英特尔、Google 等国际大品牌都愿意以 500 万美元的天价获得 30 秒的广告时段。

3. 门票收入

在门票方面,主办方通过赛事"炒作",吸引球迷竞相购买,且把门票分为多个等级,每个等级价位不同,以获得更大收益。2017 年,TicketIQ 的数据显示,截至比赛前 4 天,超级碗球票的票价在二手票网站上的平均价格是 4 243 美元。在Stubhub 网站上的最低票价是 2 043 美元。球场中场位置的一层看台的票价,在Stubhub 的平均票价大概是 4 850 美元。假如观众想坐在最前排的位置近距离接触比赛,最贵座位大概是 15 000 美元。此外,每名 NFL 球员有机会买两张优惠票,平均票价是 1 825 美元。

4. 评析

虽然商业化的转播方式会降低比赛观赏性,但依靠中场秀文艺演出以及转播过程中的广告,超级碗的商业潜力变得十分巨大。围绕一场体育比赛,衍生出电视转播、广告赞助、球票销售、文艺演出、体育销售、餐饮住宿等一系列消费,这些亦保证了超级碗利益与价值最大化。

第三节 巴西狂欢节

一、基本情况

(一)巴西狂欢节简介

巴西狂欢节是目前世界上最大的全民自发参与的狂欢节,具有"地球上最伟大的表演"之美称,通常在每年 2 月连续举办 3 天,狂欢节期间能吸引国内外游客高达数百万人,是至今世界上著名的、极具特色的、令人神往的节日盛会之一。

巴西狂欢节同世界各国的狂欢节一样,是个具有宗教色彩的节日。这是一个与复活节相关的节日。根据相关宗教习俗,每年的复活节前有一个 40 天的斋期(这期间禁肉食、娱乐,信徒要闭门思过忏悔和追思殉难的耶稣)。但在斋期开始前的 4 天时间里人们可以纵情歌舞、娱乐、开怀畅饮并举行化装舞会和化装游行。

巴西狂欢节是在巴西各地市政府统一组织管理下开展的节日庆典,每逢狂欢节到来之际,各地市政府会提前组织好游行彩车和桑巴舞表演队,且队形要经过多次严格彩排后才能够正式参加演出。在市政府的统一领导下广大民众参与热情极高,进行彩排和演出的费用支出由市政府承担。狂欢节是名副其实的公众性节日,也是真正反映和体现巴西传统民族文化与快乐精神的重大节日,已成为巴西立于世界的象征。

(二)巴西狂欢节的影响

1. 促进旅游相关行业发展

巴西狂欢节期间,全国各地充满了音乐和舞蹈所带来的快乐的气息,不但吸引了巴西国内居民,还吸引了成千上万的国外游客到此聚集,因此巴西各地政府对商业、娱乐、休闲、景点、购物等旅游相关行业实行统一管理,一方面是为外来游客提供各种消费保障,另一方面可提高本地区旅游相关行业参与节庆的程度,更好地维持旅游市场秩序。据巴西国家旅游局统计,每年单里约州地区的狂欢节盛会就能吸引游客上百万,旅游收入达数亿美元,而政府投资不过数万美元。可见狂欢节的举办推动了巴西旅游相关行业的发展。

2. 拉动相关行业的产业链发展

几十年来,一个与狂欢节密切相关的大型产业链应运而生。涉及服装、饰品制造业、形象设计、造型设计、材料和加工业以及音乐、歌舞等文化部门和相关的人员培训等一系列领域。经过几十年的打造,巴西狂欢节具有了一大批各行各业的精英人才和一条高水平的产业链。政府的鼓励政策也可谓是"一箭数雕",不仅推动了社会文化事业的发展,还促进了文化产业的形成,创造了大量的就业机会,促进了旅游的发展。

3. 赋予城市品牌化特征

里约热内卢的狂欢文化构成了这座城市的文化主体,体现了里约热内卢的城市特质,里约热内卢一步一步将文化形态向经济效益方向转变,形成了文化和经济之间相辅相成、共同繁荣的局面,文化的经济化和经济的文化化是其集中表现。狂欢文化和当地经济的紧密结合,使得二者之间产生了明显的相互推动力,形成一种以经济为依托的新的文化形态,和一种以文化为内涵的新的经济形态。狂欢产业在里约热内卢形成了规模化的产业集群,把城市形象和城市主题放在经济的大背景下,城市品牌就能够取得经济上的收益。在文化的影响下,经济效益与之成正相关,狂欢文化越发展,经济效益越丰厚。

4. 提供强大的经济动力

据统计,狂欢节大约每年可以为巴西带来数亿美元的收入,被狂欢节吸引而来的游客数不胜数,每年来参加狂欢节的人数大约为 150 万~200 万。巴西狂欢节恰逢夏季,人们聚集在沙滩上,唱歌跳舞,也带动了相关产品(例如啤酒、饮料)的销售。狂欢节期间的啤酒销售量可谓惊人,会额外给里约热内卢带来上亿美元的收入。随着狂欢节越来越火爆,狂欢节游行的门票也随之水涨船高,有些时候会高出原有票价的几倍甚至十几倍。

二、立项创意及评析

(一)立项创意

巴西狂欢节是巴西各市为广大市民举办的节日庆典活动。狂欢节期间,游行队伍里不分贫穷与富有,不分尊贵与卑贱,成千上万的人簇拥在彩车前后,尽情歌舞,充分体现出狂欢节全民娱乐的特点。节庆期间进行巡游表演的数千名舞者绝大部分都是志愿者,而制作狂欢节道具与服饰的团队也由志愿者组成,这充分体现出狂欢节具有广泛民众参与的性质。

巴西狂欢节参加游行的演员们身穿奇异奢华的服饰,伴着音乐唱着歌,跳着活泼动人的桑巴舞,像一片片彩云翩然而过。加之雄浑激越的桑巴音乐以及激动人心的鼓乐,形成浑然一体的大型表演场面。桑巴大道的修建表现出巴西政府对人民参加狂欢节的支持。欢呼声、鼓乐声、号角声、汽车喇叭声,汇成一支震天撼地的狂欢曲,尽欢方罢。这一切都造就了巴西狂欢节浓厚的节庆氛围。除了喜悦,还有传统节日内涵的狂欢自由意味。专家们根据打击乐队的演奏水平、桑巴舞蹈的故事情节、数千演员歌与舞的和谐与否、服装的设计和色彩、桑巴舞蹈的表演艺术、主题歌曲的优美程度、音乐和彩车等标准给每个参赛队伍打分,评出"大赛冠军"。狂欢节在历年不断发展中,将自由、狂欢做到了极致。其宗教象征性逐渐演变成偌大文化招牌中的一个特性。

(二)立项创意的评析

虽然狂欢节由葡萄牙人引入,桑巴舞来自非洲,但历经多年的沉淀,巴西狂欢节早已自成一派。桑巴舞的比赛成了享誉全球的本地文化招牌。巴西狂欢节有着鲜明的节庆精神,带动人民并吸引游客一同陷入火热的氛围中。狂欢节的热烈奔放与自由状态,很大程度满足了人民的自我需求。激发广大民众的自发参与性是一项文化活动想要获取成功最基本的条件,狂欢节是巴西国内能激发和调动全民参与热情的节庆活动。

三、巴西狂欢节的经典做法及评析

(一)多地同时举行,提高活动影响力

1.简介

巴西狂欢节中较为著名的有里约热内卢狂欢节、萨尔瓦多狂欢节、亚马逊丛林里的狂欢节,其中里约热内卢狂欢节是巴西规模最大的狂欢节,桑巴舞是巴西狂欢节中的主旋律,该地区狂欢节也因桑巴舞表演大赛而负有盛名。

巴西是一个地域广阔的国家,狂欢节的表现形式也常因地而异。如米纳斯吉拉斯州的狂欢节,保留了罗马式的私人饮宴形式,庆祝活动中有向群众分发饮料和酒的习俗;圣卡塔琳娜州的狂欢节,有法国狂欢节的木偶游行;巴伊亚州的狂欢节,是由载着乐队的彩车代替模特作队伍的前导,人们簇拥着彩车,在欢乐的气氛中边歌边舞。

2.评析

狂欢节庆典遍及巴西各地,普及范围广。多地区同时举办狂欢节,有助于在全

国范围内掀起狂欢热潮,有利于狂欢节产生更大的影响力。目前,国内也有一些节事活动采取主分会场的模式,举办场地涉及国内外。

(二)举办桑巴舞大赛,彰显文化特色

1.简介

巴西里约热内卢狂欢节之所以充满了生机以及具有令人陶醉的魅力,就是因为它能在激烈的优胜劣汰的竞争中不断地创新,并向人们展示其梦幻般的境界,且能不断地创造进而达到更高的意境。里约热内卢狂欢节表演采取分组晋级淘汰制。其组织形式是将各桑巴学校根据平时的表演和竞赛结果分成甲(A)、乙(B)、丙(C)、丁(D)等级,在比赛中按总分从高到低排列名次,丁级学校产生的第一名晋升到上一等级丙组内,丙组的最后一名则降级到丁组内,以此类推。

参加表演的每个桑巴学校的行进时间必须控制在80分钟以内,由专家、历史学家、记者、社会名人组成的40人评委会进行打分。评比分为10个方面:主题情节(涉及事件、故事、历史等)、配合度、服饰和装潢、主题乐曲和歌曲、桑巴舞、鼓乐队、彩车道具和创意、灯光和效果、队伍舞蹈、队形的协调性等。每项最高分数为10分。每个类别的分数加起来组成每个队的总分数,并按照总分数高低排列名次。

巴西大部分地区的狂欢节桑巴学校行进表演并非简单的表演,而是具有比赛性质的表演。以里约热内卢为例,甲组(特别组)的表演安排在两个晚上进行。获得冠军虽没有特别的奖金,但桑巴学校的知名度和内部凝聚力会因此大大提高,平时安排在桑巴学校内的演出就能吸引更多观众,增加经济收入,而且获得赞助也会变得容易。

2.评析

狂欢节的文化内涵要与举办地的城市文化相呼应,才能相得益彰并体现城市的文化特色。巴西狂欢节的主要举办城市之一里约热内卢是一座充满激情、热情洋溢的城市,这里的狂欢节始终围绕"热情"这一主题,给予了城市文化明确的定位,深入挖掘了自己的城市特色,将桑巴舞这一传统民间活动扩大到整个狂欢节范围,还创新地开展了桑巴舞大赛,虽是官方举办的,但在民众中产生了广泛的影响,越来越多的当地人以及外籍游客参与其中,一起感受桑巴舞的魅力,享受狂欢节蓬勃的生命力。这也彰显了里约热内卢整座城市的特色。

(三)打造民众的"欢乐王国"

1.简介

以里约热内卢狂欢节为例,里约热内卢市长要在狂欢节开始前将城市的"管理权"和金钥匙交给经过民众选出的"摩摩王"(REIMOMO),摩摩王享有很高的荣

誉,是狂欢节统治者的象征。

在开幕式时摩摩王由"王后"和两位"公主"陪伴在侧,引领第一支队伍方阵进入赛场。参赛队伍一般由 3 000~4 000 人组成,其中配备有若干大型彩车,每个方阵前均有两名手持队旗、衣着狂欢节传统羽毛装饰的男女引领队伍。

2. 评析

节事活动需要有仪式感。巴西狂欢节通过塑造狂欢节的国王、王后和公主等角色,营造一种狂欢氛围和仪式感。通过此仪式,告知人们现已进入狂欢国度,使人们暂时从一切社会关系、等级、规范中抽离出来,融入狂欢盛会中。

(四)传统与创新、民族化与国际化双兼顾

1. 简介

自 1932 年里约热内卢首次举行具有竞赛性质的桑巴学校行进表演以来,这种形式的活动年复一年,始终没有中断。虽然规模不断扩大,但狂欢节表演的主体结构始终不变,并逐步形成规范。桑巴学校表现的主题各不相同,参加的人数也有差别,但评比项目相对固定,这是狂欢节传统得以延续的关键所在。而在此基础上,各桑巴学校没有死抱传统、一成不变,而是在保持传统精髓的同时,紧跟时代步伐,在内容和形式上不断创新,每个时代都有许多反映当时社会问题、贴近生活的主题。巴西狂欢节的组织者还赋予狂欢节国际化特征,使其越来越得到全世界认同。同时,作为一项民族特色鲜明的文化活动,无论是内容还是形式,人们始终能看到鲜明的巴西文化特点。

在近年里约热内卢举行的狂欢节行进表演中,游客都能强烈地感受到里约热内卢狂欢节的国际特征——各国的文化内容越来越多地成为狂欢节的主题。如意大利的文艺复兴、安徒生的童话故事和塞万提斯的作品《堂吉诃德》。此外,越来越多的外国人或国际名人出现在狂欢节的行进队伍中,如著名歌星麦当娜参加了2010 年狂欢节的行进表演。这显然能提高狂欢节在全世界的知名度。狂欢节的开放性和包容性使其日益为全世界所接受,越来越多的国家开始转播巴西狂欢节的实况。狂欢节表演明显的国际化趋势,一方面促进了世界各国人民对狂欢节的了解和认同,另一方面,也为其提供了更多的资金保证,各桑巴学校表现的外国主题往往能为其带来丰厚的资金赞助。近年来,一些桑巴学校还选择了许多针砭时弊以及表现现代科技和环境保护的主题,充分体现了狂欢节紧跟时代脉搏、贴近民众的特点,这是广大民众喜爱狂欢节的一个重要原因。

2. 评析

巴西当地政府努力打造狂欢节品牌,使其逐渐走向世界,为了面向不同肤色、不同种族的人群,也采取了很多措施,同时,又极力保持桑巴舞等文化传统与特色,人们在众多的狂欢节活动中能够一眼区别出巴西狂欢节并迅速辨别狂欢节中的巴

西元素。在近几年的巴西狂欢节中,越来越多的国际元素被注入其中,各国的文化都可以在狂欢节主题中得到展现,很多外国人或者国际名人也参与到巴西狂欢节之中,显著地提高了巴西狂欢节在世界范围内的知名度。狂欢节本身就象征着包容,一个开放、自由、包容的民族文化和世界文化的狂欢节,才能吸引更多的国际游客参与。

(五)政府引导扶持的运作模式

1. 简介

巴西政府对各地狂欢节的引导与扶持是其走向成熟不可或缺的因素,在狂欢节开展过程中,联邦与地方政府均扮演着"推手"的角色,政府组织作为节庆活动政策制度、活动资金和配套基础设施的提供者,是确保狂欢节活动顺利开展的重要力量。尽管狂欢节起初是由广大民众自发组织的文化节日,但随着参与人数的增多,越来越显示出管理制度不完善的问题,对此巴西政府并没有简单地将其取缔或停办,而是通过各种手段和策略对其进行正确引导和扶持。政府对狂欢节门票的控价也满足了广大人民的参加文化活动需求,观赏票价的层次性、节日周边活动都带动了当地居民和外来游客的参与热情。在合理的价格下,巴西狂欢节通过独特的活动形式、热烈的节日氛围成就了别具风情的文化品牌。

具体而言,以里约热内卢狂欢节为例,当地政府最初对待狂欢节的态度就是积极乐观的,面对狂欢节当中的不稳定因素进行善意的疏导,在加强警力维持秩序的同时,也允许狂欢节自由地举办。同时,当地政府还积极促进桑巴舞学校之间的交流,督促他们制定相应的行业规范,剔除桑巴舞当中历史遗留下来的糟粕,树立桑巴舞健康、向上的形象,然后向世界范围内推广。不仅如此,里约热内卢政府还斥巨资,建立了一条能够容纳6万名观众的桑巴大道,从这时开始,里约热内卢狂欢节进入了快速发展时期。当地政府先后投入了大约5 000万美元的资金,建造了一个"狂欢节工厂",主要用于制作彩车。这个"狂欢节工厂"也就成了继桑巴大道之后,又一个里约狂欢节的重要标志。里约热内卢政府对于打造狂欢节的经验对其他城市具有很大的借鉴作用,许多城市看到了里约热内卢狂欢节的成功而纷纷效仿,也加大了对狂欢节的扶持力度,比如圣保罗、维多利亚和巴西利亚等。狂欢节城市就这样一座一座树立了起来。因为狂欢节并非是纯粹的商业化的活动,因此,即使里约热内卢狂欢节品牌已经打造成功,各项运作都已趋于成熟,但是仍然需要政府投入资金来扶持。比如联邦政府在一些著名的国企的支持下,向巴西的桑巴舞学校援助了大概600万美金,用于学校的修建、人才的培养以及狂欢节的设施改造。

2. 评析

政府在狂欢节的打造和开发等方面扮演着非常重要的角色,起着推动和促进的作用,通过提供配套的设施、政策上的有力支持、资金上的援助来塑造城市的狂欢节。成功的城市狂欢节都需要政府的大力扶持,只有政府作为后盾,狂欢节才能够走得更远。政府是否扶持对于民间文化活动能否成功具有现实的意义,也是其发展过程中一项必不可少的重要因素。只要是文化产业,就不会是纯粹的商业化的活动,就需要政府提供资金上的支持,文化产业的经济效益和社会效应都是很明确的,但是也绝对不能把文化产业商业化。因此,政府的支持就显得尤为重要。

(六)全民参与狂欢

1. 简介

在巴西狂欢节中为人们提供桑巴舞表演的演员是自愿参加的,他们享受为民众带来美的观赏乐趣,自己也身在其中感受着快乐。巴西狂欢节欢迎任何职业、任何年龄的人参与,完全不受限制,人人都能承担,人人都有资格,面向所有大众,而不是某一个群体。在这其中有腰缠万贯的富翁,也有贫寒的拾荒者,有刚学会走路的稚童,也有年过花甲的老人,在狂欢节之中他们都是平等的个体。据调查,狂欢节期间,巴西犯罪率呈下降趋势,在这期间每个人都放下了戒备,全身心地融入一个全新的世界中,人与人之间的隔阂消失了。在狂欢节期间,大批民众涌上街头,尽情地享受狂欢带来的乐趣,每个人都不是孤立的,互相分享着各自的喜悦。狂欢节期间巴西各地犯罪率明显下降的事实,足以说明这一活动所产生的积极社会效果。

2. 评析

狂欢节的外在特征之一就是全民性,也就是说狂欢节能否成功,基本的条件之一就是民众是否广泛参与。从这个角度来讲,巴西狂欢节就做得非常成功。它作为一项全民参与的盛大节日,民众们既参与其中,也在其中消费。民众的广泛参与带来的是全新的愉悦感,这种愉悦感不同于日常生活中的个人体验,而是一种大众的、共享的喜悦。

第四节 慕尼黑啤酒节

一、基本情况

(一)慕尼黑啤酒节简介

慕尼黑啤酒节(the Munich Oktoberfest)又称"十月节"(Oktoberfest),与英国伦敦啤酒节、美国丹佛啤酒节并称世界最负盛名的三大啤酒节。慕尼黑啤酒节起源于 1810 年 10 月 12 日,因在这个节日期间主要的饮料是啤酒,所以人们习惯性地称其为啤酒节。啤酒节总是在 9 月 15 号之后的第一个星期六开幕,在 10 月的第一个星期日闭幕。自 2000 年开始,如果 10 月的第一个星期天为 10 月 1 日或者 2 日,那么啤酒节将自动延长到德国的国庆节(10 月 3 日)当天。

图 3-1　慕尼黑啤酒节

慕尼黑啤酒节在一个叫作"Theresienwiese"的地方举办(图 3-1),巴伐利亚方言简称为"Wiesn",意为牧场,是慕尼黑一年中最盛大的活动。每年大约有 600 万人参与其中。据官方统计数据,慕尼黑啤酒节大约可提供 10 万人的座位,平均每年接待游客达 640 万人次,大约有 1.2 万人参加啤酒节的服务工作,平均每年大约售出 600 万升啤酒及 50 万只烤鸡,啤酒节上的啤酒价格呈现出逐年增长的趋势,平均增长率为 3.1%。至 2011 年,啤酒价格平均每扎 8.95 欧元,节事期间共收入 11 亿欧元。在巴伐利亚雕像脚下,巨大的啤酒节场地还提供旋转木马、过山车和博览会上所有壮观的游乐设施,供各个年龄层的游客使用。庆典还伴随着一系列的活动,包括啤酒节酒吧老板和酿酒厂人员的盛大入场式,以及盛装游行和步枪兵游行。

慕尼黑啤酒节在 200 多年的发展过程中,逐渐成为慕尼黑乃至整个德国的象征。如今,啤酒节已经走出德国,成为世界上家喻户晓的民间节日之一。

(二)活动影响

1.带动消费,推动产业链发展

据 1980—2010 年间德国慕尼黑啤酒节的相关统计,每年慕尼黑啤酒节参加人数基本保持在 600 万人以上,个别年份略有波动,而啤酒消耗量总体上升趋势非常明显。2003 年以前,平均每人啤酒消耗量不到 1 升,2003 年以后,啤酒消耗量增长较快,超过参加人数的增长速度。这表明,啤酒节带来的啤酒消耗量越来越大。

慕尼黑啤酒节每年可为慕尼黑带来近 10 亿欧元的收入。啤酒节上大批游客带动了消费,商家是直接获益对象。同时,商人需要一定的供应商、批发商以及配送过程产生的合作者,大量消费间接拉动了产业链甚至其他产业的发展。慕尼黑啤酒节的举办会吸引大量游客来当地游玩,提高了当地酒店入住率,促进了旅游业和餐饮业等行业的发展,为当地带来巨额经济收益。当地亦通过慕尼黑啤酒节期间游客的住宿、交通和消费等来带动经济发展。

2. 增强民族认同感

慕尼黑啤酒节不仅推动地方经济发展,还在人文精神层面上,增强了德国的民族认同感和归属感。为了隆重庆祝慕尼黑啤酒节,每年啤酒节的第一个周日,来自德国各个州的人们穿上富有特色的民族服装进行盛装游行——演奏音乐,浩浩荡荡地穿过慕尼黑的市中心,最后来到啤酒节的现场 Theresienwiese。慕尼黑人称之为"Gaudi",这是当地人的方言,意思是"兴高采烈"。人们把自己打扮成古代衣着考究的贵族公爵或身披绫罗绸缎的王妃、贵妇,驾着鲜花装扮的古典马车,也有不少人穿着农民过节穿的朴素衣服。参加的人从老到少,甚至连幼儿园小朋友都有。这种全民参与的特色民族节日使德国的啤酒文化与德国的民族文化紧密地联系起来,也增强了德国人民的民族认同感、归属感。

3. 推动科技文化传播

慕尼黑啤酒节在它 200 多年的历史中,不仅为来自世界各地的人们提供了观看民间风俗、品尝当地美味的契机,更是向人们展示了当时最先进的科技。世界上第一只白炽灯是托马斯·爱迪生在 1879 年发明的,而仅仅在 6 年之后的 1885 年,爱因斯坦公司就在啤酒节上搭建起了 16 只弧光灯。爱迪生的留声机刚刚申请专利,参加 1891 年啤酒节的人们就听到了伦敦交响乐团的演奏录音。啤酒节举办至今,对任何形式的发明都是持开放态度的。新产品往往是在市场上刚一出现,就到啤酒节中进行展示或销售。在 1904 年的啤酒节上,邮局展示了一台带有电话功能的电报设备。

如今的啤酒节主打环保概念,比如在 1997 年,就曾经举办过环境公益组织的大型集会,并获得了德意志联邦项目奖。

慕尼黑啤酒节最初只是当地的特色节日,但经过不断地发展已经成为世界性节庆活动。当地人们在啤酒节上穿上自己民族的特色服饰,与来自世界各地的人们一起狂欢,向他们传播着自己的文化。可见,慕尼黑啤酒节给科技和文化的传播带来积极影响。

二、立项创意及评析

(一)慕尼黑啤酒节创立的背景

1810 年 10 月 12 日,巴伐利亚王储路德维希和萨克森公主特蕾泽举行了盛大的婚礼。这让所有巴伐利亚人的心中都充满了喜悦,赛马、游行等欢庆活动更是让整个城市都变成了欢乐的海洋。无论在城市,还是在乡村,人们都在这个具有纪念意义的日子里表达自己对他们所敬爱的王室的忠诚与爱戴。婚礼的庆祝活动持续了 5 天,这就是第一届慕尼黑啤酒节。据记载,当晚共有 32 065 块面包、3 992 磅瑞士奶酪、超过 80 公担(8 000 千克)烤羊肉、8 120 根煮香肠和 13 300 对熏制香肠被人们吃掉。与此同时,232 000 扎啤酒和 400 升奥地利白葡萄酒被送上了酒馆的柜台。

在这 5 天里,城里到处都有游行、音乐节目和悬挂彩灯等节日活动,一小部分上层人士在剧院里观赏戏剧和芭蕾舞演出。也许是年轻的维特尔斯巴赫王朝的统治者们想要表现出他们亲民的一面,王室成员没有保持自己高高在上的姿态,而是与普通民众一起纵情欢庆。免费的美酒和菜肴吸引了四面八方、各行各业的人来到慕尼黑。第一次啤酒节的主要活动都集中在了 10 月 13 日这天晚上举行。

为了让庆祝活动更加完美,市民提议可以举行一次赛马,大家也能借此重温一下这项慕尼黑传统运动。国王得知后批准了这个提议,并将赛马活动定在 10 月 17 日举行。为了纪念这个节日,参赛的官兵请求国王用新娘特蕾泽的名字来命名比赛所用草坪,从那时起该草坪就叫作"特蕾泽"草地。由于在 1810 年的婚礼庆典和之后举行的活动中,普通民众展现了良好的社会风气,社会呈现出贵族、官员和市民其乐融融的场面,给人们留下了深刻的印象,所以人们建议 1811 年再搞一次全民性的活动,节日便这样继续下去了。

(二)慕尼黑啤酒节的立项优势

1.历史文化优势

从 1810 年起到 19 世纪末,慕尼黑啤酒节逐渐发展成一个世界知名民俗节日。啤酒节的时间也逐渐延长,并且改到了阳光明媚、天气相对暖和的 9 月举行。虽然有过数次因不可抗力而中断节日的经历,但经过了 200 多年发展后的慕尼黑啤酒节有着厚重的历史底蕴、良好的品牌口碑,是世界闻名的国际性节庆活动。

最初的慕尼黑啤酒节的参与者只有当地居民,渐渐地闻名于全国乃至世界,每年的慕尼黑啤酒节都保留初心——在节庆活动展示只属于当地的巴伐利亚文化。如啤酒节上的大篷、道路两旁的建筑、来往的人群身穿民族特色服装听着乐队演奏民族特色音乐。如今提到德国就能想到慕尼黑啤酒节,想到漂亮的当地民族特色服饰和浓厚的历史文化。

2. 产品品牌优势

德国目前是世界第二大啤酒生产国,境内共有 1 300 家啤酒厂,生产的啤酒种类高达 5 000 多种。德国啤酒指德国生产的白啤酒、清啤酒、黑啤酒、科什啤酒、出口啤酒和无酒精啤酒这六大类。德国啤酒曾获得 DLG 奖、欧洲啤酒之星、BIO 有机认证和犹太认证等奖项或认证,可见德国啤酒以其高质量品质已获得国际上的认可,成为"纯正啤酒"的代名词。

慕尼黑一向是公认的"啤酒之都",是德国主要的酿酒基地,有世界上最古老的啤酒厂,被称作"泡在啤酒里的城市",拥有众多啤酒厂商,慕尼黑啤酒节上的啤酒大多是由当地啤酒厂商供应的。

3. 地理优势

慕尼黑,也称明兴,总面积达 310 平方千米,位于德国南部阿尔卑斯山北麓的伊萨尔河畔,是德国主要的经济、文化、科技和交通中心之一,是德国第二大金融中心。"2019 年全球城市经济竞争力榜单"上,慕尼黑列第 8 位。慕尼黑既是欧洲繁华和现代化程度较高的都市之一,同时又保留着当地传统的古朴风情,因此被称作"百万人的村庄"。慕尼黑有许多别名,历史上曾被赞为"伊萨尔河畔的雅典",在第二次世界大战后曾被称为"秘密首都",如今又在统一后的德国有了"科研首都""文化首都"和"互联网之都"的美称,而世界各地的人们更多地称之为"世界啤酒之都"。

慕尼黑也是一个旅游城市,拥有玛利亚广场、维特尔斯巴赫王宫、维克图阿连市场、安联球场等著名景点,全城还有 3 000 多家画廊、50 多座博物馆、4 座歌剧院、3 个世界级交响乐团。浓厚的文化艺术氛围吸引大量游客来当地观赏,著名足球俱乐部拜仁慕尼黑的主场球场——安联球场就在当地,也吸引众多球迷前往。这些都能够吸引国内外游客,为啤酒节打下良好基础。

4. 内容优势

慕尼黑啤酒节拥有丰富多彩的活动。每逢开幕当天,都要举行盛大的开幕式和由各大啤酒厂组织的五彩缤纷的游行。开幕式由慕尼黑市市长主持。中午 12 点,在 12 响礼炮声和音乐声中,市长用一柄木槌把黄铜龙头敲进一个大啤酒桶内,然后拧开龙头,把啤酒放出来,盛在特制的大啤酒杯中,著名的啤酒节便正式开始了。

在慕尼黑啤酒节上有一个占地很大的游乐场,里面有很多适合家庭娱乐的设施,像大转轮、旋转木马等。大会组织者每年都要安排一些新鲜的节目或游乐项目,例如聘请外国的艺术团体演出,还有耍蛇、驯兽等节目。另外,各种游乐设施之间也举办许多有意义的展览会,如现代电器展览、优良小麦展览等。场内还点缀了小马戏团、杂耍铺、魔术表演等，无数各具特色的小店把整个游乐场装点得生动活泼，游客可在这里买到纪念品以及巴伐利亚的特色小点心，或是参与游戏赢得各种可爱的玩具。

(三) 慕尼黑啤酒节的立项评价

慕尼黑啤酒节作为历史悠久、文化底蕴深厚的知名节庆活动，依靠的不仅仅是时代传承下来的品牌名称，每年的啤酒节在保留、传播传统民族特色文化的基础上，还借助丰厚的资源和精彩的活动，这也让慕尼黑啤酒节常办常新。

1. 节日中融合巴伐利亚文化展示

从 200 多年前首届慕尼黑啤酒节开始，巴伐利亚当地特色文化就一直融于节庆活动过程中，将社区传统与节庆活动相结合，并在今天成为慕尼黑啤酒节的特色，是节庆活动中一道亮丽的风景线。巴伐利亚文化是慕尼黑啤酒节上最鲜明的特色，可以说是一个标志或记忆点。节庆活动的成功举办需要有自己的特色，而长久的举办则需要坚持自身特色并将其发扬传播成为节庆活动的标志、大众的记忆点。在节庆活动中融合品牌文化或当地特色文化，能够推动经济、旅游事业发展，也能传播当地特色文化，传承传统文化。

2. 借助丰富资源

德国啤酒是慕尼黑啤酒节的核心，稳定的啤酒节供应和良好的产品质量保证，这才使得啤酒节成功举办。节庆活动想要成功稳定地举办，需要有核心主题或产品。核心产品需具有标志性且稳定供应，正如慕尼黑啤酒节上的德国啤酒一样。

慕尼黑啤酒节借助慕尼黑丰富的旅游资源、浓厚的文化艺术环境以及交通便利的地理位置，为其成功举办打下基础。节庆活动的举办需要主办方善于利用节庆举办地丰富的旅游资源、浓厚的人文氛围或优美的自然环境等要素。节庆活动当中，周边的丰富资源能够极大满足人们的基本需求，无论是生理上还是心理上都能得到满足。

3. 节庆活动选址优越

节庆活动的选址是举办前的重要环节，是节庆活动举办的基础。好的选址能为节庆活动锦上添花。慕尼黑啤酒节的举办地是德国慕尼黑，慕尼黑经济实力雄厚，交通便利，旅游业发达，有利于节庆活动的持续举办。

4. 活动内容丰富多彩

在慕尼黑啤酒节上有着多种多样的特色活动，能够满足不同人群的需求，让游客保持新鲜感。多样的活动能让游客有多种体验，能更好地感受节庆活动，增强参与感，提升体验感和满足感。

三、慕尼黑啤酒节的经典做法及评析

(一)多感官活动体验

1.开幕仪式

每年的慕尼黑啤酒节都会在肖特哈默尔音乐节大篷举行开幕仪式。在啤酒节的第一个周六的中午12点,市长会打开第一个啤酒桶,并高喊"O' zapft is(开酒了)!"根据传统,在啤酒节的大篷里(图3-2),慕尼黑市长尽其所能地灌满第一个啤酒杯,而这个酒杯通常是交给现任巴伐利亚州州长的。

图3-2 啤酒节的啤酒大篷

仪式成功后,人们会在巴伐利亚山前鸣响12响,向其他的啤酒节大篷发出信号,慕尼黑啤酒节正式开幕,啤酒开始源源不断地供应。虽然酒窖在第一个周六早上9点就开放,但所有的帐篷都要在枪声响起后才能供应啤酒。

2.游行活动

自1950年以来,每年啤酒节的第一个周日都会举行传统的服装和游行(图3-3),狩猎俱乐部、历史服装团体、来自世界各地的音乐家、乐队和挥舞国旗的队伍穿过慕尼黑市中心,前往特蕾西娅草坪。共有约9 000人参加在慕尼黑举行的60组庆祝游行。

每年慕尼黑的官方吉祥物"Münchner Kindl"都会现身,届时他会骑马带领着缤纷多彩的游行队伍来到节庆现场。人们把自己打扮成各种各样的人物,从阿尔卑斯山下的牧童、莱茵河畔的磨坊主,到科隆教堂的修女、北德普鲁士的老翁。在第一个周日上午 10 点,节日服装和猎人游行从马克西姆大街上的 Max Ⅱ 纪念碑漫步穿过慕尼黑市中心,前往特莱塞恩维泽。而游行路线沿路为游客设立了看台,以便能近距离欣赏感受。

图 3-3　花车游行

3.民族服饰

"啤酒节"因人们皆身着传统风格的服饰为特色。根据一份评估显示,2010 年 38%(2009 年为 34.5%)的游客身着此类服装——妇女穿着围裙,男人们穿着皮裤。很多外国游客都接受了这种习俗,购买或者租用民族传统服饰去参加节日庆典。在整个慕尼黑啤酒节上,巴伐利亚民族服饰是最鲜明的标志(图 3-4),无论是啤酒女郎、商贩,还是前来参观的当地居民和外地游客,都身着巴伐利亚民族服装。男士会穿真皮缝制的、带有背带的皮裤,配上白色衬衫和白袜子。女士会穿上柔软的亚麻白衬衣、绣花的背带长裙。

4.民族音乐

啤酒节上常常人山人海,管弦乐队在帐篷里演奏古老而受欢迎的巴伐利亚铜管音乐,德国著名的乐队穿梭于人群之中,娴熟地演奏轻松欢快的乐曲,为人们带来音乐的享受并烘托热烈的气氛。无数盛装的青年在铜管乐队的伴奏下翩然起舞,有些人甚至还跳起了欢快的巴伐利亚传统舞蹈"小鸡舞",碰上耳熟能详的歌曲,全场近千人会手拉着手,一起随着引吭高歌。置身会场,人们仿佛融进了巴伐利亚民族音乐的海洋。

5.特色民族食品

慕尼黑啤酒节规定,只有那些保留慕尼黑传统酿造方法、符合 1487 年"慕尼黑纯度要求"和 1906 年"德国纯度要求"的优质慕尼黑本地啤酒,才可以在啤酒节上亮相。啤酒节上不仅有富有特色的传统家常小吃(如香肠、烤小鸡、泡菜和烤牛尾等),更有烤猪腿和面包圈。这些极富特色的食物,让每一位来客都想去品尝。品尝着巴伐利亚传统食物,就着美味的啤酒,一定是一次难忘的美食体验。

图3-4 身着传统民族服饰的游客

6.评析

(1)富有仪式感和参与感是节庆活动保持活力的重要手段。极具仪式感并代代相传的开幕式和游行活动能让游客近距离感受节庆活动的魅力,增强参与感,加深对节庆活动的记忆和感受。开幕仪式的传承能延续节庆活动的传统,让其为整个节庆活动创造良好的氛围。

(2)视觉、听觉、嗅觉和味觉等多感官参与让节庆活动更加生动,更具体验感。民族服饰、音乐和食物是一个民族传统和文化的体现。参加慕尼黑啤酒节的各类人群都身着巴伐利亚民族服饰,听着民族音乐,品尝特色美食,这让节庆文化更贴近游客,更具真实性。这种民族文化的展现方式不仅生动活泼,也使啤酒节的文化氛围更加浓厚,民族音乐完美烘托了现场狂欢气氛,让人们随着音乐唱歌跳舞,提高了节庆的参与性和互动性。民族食物与啤酒节完美结合,在销售了大量啤酒的同时,也售出了许多食物,给当地带来了极大的经济效益。同时,这些民族传统食物也提高了游客参加啤酒节的体验度。

(3)贯穿节庆活动的民族文化有利于节庆活动品牌和民族文化的传播。慕尼黑啤酒节只允许出售本地生产的啤酒,这保证了民族传统文化的原汁原味。巴伐利亚民族服饰、音乐和美食等在慕尼黑啤酒节上已经成为象征,也许游客并不知道具体的名字,但提起慕尼黑啤酒节,映入人们脑海的便是巴伐利亚民族文化的服饰、音乐和美食,这对传统文化来说是一种高效的传播方式。当民族文化成为节庆活动的象征时,其传播是高效率、强效果和低成本的。

(二)高度可用性的节日网站

1. 高实用性的节庆活动官方网站

慕尼黑啤酒节网站(图3-5)的可用性整体高于青岛啤酒节网站,尤其在网站导航和网站信息方面,慕尼黑啤酒节拥有较好的网站结构和信息布局,信息搜寻路径的设计较优。慕尼黑啤酒节官网首页页面简洁,有清晰节日图片作背景,节日名称、举办时间等都在页面上展示,导航标签明确,菜单分类清楚,操作简便,拥有用户友好设计、页面语言选择、网上商店链接、搜索图标、地图等。

图3-5 慕尼黑啤酒节官网首页

2. 评析

节庆活动的官方网站需要具有高度可用性与实用性,不能只是好看。一个完善成熟的节庆活动网站需要具有简洁、布局合理、链接有效、导航菜单明确等特点,让用户操作简单、便捷。节庆活动注重的是体验,而其网站浏览也是体验之一,好的节庆活动网站能够高效传播节庆活动,提高游客满意度,加强对节庆活动的感知,从而提高游客对节庆活动体验感和喜爱程度。

(三)慕尼黑啤酒节的中国之旅

1. 慕尼黑啤酒节的北京之旅

2013年9月6—21日,慕尼黑啤酒节亮相北京奥林匹克公园(图3-6)。这也是德国慕尼黑啤酒节首次授予北京官方办节的资格。17天内的参加人次达到了50万,近7万平方米的活动场地由4座各具特色的啤酒大篷组成,分别是慕尼黑啤酒节大篷、皇家啤酒大篷、茜茜公主大篷以及新天鹅堡大篷。大篷在装饰风格上充分体现德国巴伐利亚地区特色,在篷内布局上也完全按照德国标准啤酒大篷打造,其中的主篷慕尼黑啤酒节大篷面积达到13 000平方米。参加本次活动的啤酒供应商全部是德国最著名、最具代表性的啤酒厂商,如德国两家最大、历史最悠久的啤酒商 HB 皇家啤酒和国王啤酒。所有啤酒的供应均是从德国原装进口。为了更好地展现原汁原味的慕尼黑风情,慕尼黑啤酒节的金牌酒娘和 4 支驻场乐队身着传统的巴伐利亚民族服饰,表演最纯正的巴伐利亚民族舞蹈,演奏脍炙人口的中文经典曲目,并与现场游客亲密互动,让游客在音乐声中,尽情享受啤酒带来的愉悦。

图 3-6　慕尼黑啤酒节北京之旅的图标

2. 慕尼黑啤酒节的成都之旅

2015 年 5 月 22 日至 6 月 7 日,首届"慕尼黑啤酒节——成都之旅"在成都国际非物质文化遗产博览园举行。此次"成都之旅"是慕尼黑啤酒节在中国中西部地区的首次尝试。活动获得了德国慕尼黑市慕尼黑啤酒节组委会官方境外授权,以"成都的慕尼黑,世界的狂欢节"为主题,为 30 万游客展现出慕尼黑啤酒节原汁原味的巴伐利亚民族特色。成都作为联合国教科文组织确定的世界美食之都,将在本次活动期间展开与德国美食文化的深入交流。

3. 慕尼黑啤酒节的昆明之旅

从 2016 年至 2018 年,"慕尼黑啤酒节——昆明之旅"已经在昆明成功举办了三届,吸引了 20 多万春城市民和游客沉醉其中,并在露天啤酒大篷(图 3-7)里度过一个个美妙的狂欢之夜,此项活动业已成为促进中德文化交流、展现鲜明亮丽的异城风情及正宗原版的巴伐利亚风格、促进昆明文化创意产业繁荣的亮丽品牌。前三届均在昆明国际会展中心北外场举办,为了让更多的春城市民参与到这一全球性的狂欢之旅,从 2019 年至 2021 年,啤酒节移至新亚洲体育城。

2019 年的"慕尼黑啤酒节——昆明之旅"在坚持德式经典的基础上,融合了多种云南特色。美食方面,德国烤猪肘、德式烤鱼、德式烤鸡、慕尼黑白肠,这些经典的德餐均出现在此次"慕尼黑啤酒节——昆明之旅"。同样,昆明当地特色美食:小锅米线、炸洋芋、烧豆腐、卤鸡翅等也将出现在现场。市民和游客可以随时品尝到中德两国的各种美食。演艺方面,则邀请德国慕尼黑啤酒节驻场乐队 Take-five——一支有着丰富的德国慕尼黑啤酒节演出经验的实力派乐队出场。除德方乐队,本土乐队也毫不逊色,与现场市民一同狂欢,当脍炙人口的歌声响起,当熟悉的旋律在"慕尼黑啤酒节——昆明之旅"会场中回荡,慕尼黑啤酒节想要传达的"快乐生活"理念已深入人心。

活动期间,主办方在活动主大篷内外举行德国文学艺术与云南民族文化相融合的系列活动,采取艺术展、电影放映、音乐及舞蹈展演、图书售卖、名家讲座等形式,实现以酒为媒介,促进中德文化交流。

4.评析

慕尼黑啤酒节的中国之旅让这个举世闻名的节庆活动在中国的各大城市举办,将其特有的巴伐利亚民族文化向中国传播,让更多的人体验并享受这一国际节庆活动。在中国之旅中,慕尼黑啤酒节不仅保有自己独特文化,还融合中国当地特色文化,让中西文化互相交流传播,提高了游客满意度与参与感。

图 3-7 "2019 慕尼黑啤酒节——昆明之旅"的啤酒大篷

固定的节庆活动举办地虽在一定程度上限制了节庆活动举办的灵活性,但采用多地举办这一方式能够提高节庆活动的灵活性,且根据实际情况而确定的节庆活动举办时间也能确保这一点。

第五节　潍坊国际风筝会

一、基本情况

(一)潍坊国际风筝会简介

潍坊国际风筝会创办于 1984 年 4 月 1 日,每年举办一届。由中国国家体育总局、国际风筝联合会、潍坊市人民政府等联合主办,有来自世界各地的 30 多个国家和地区参加,是我国最早冠以"国际"并被国际社会承认的大型地方节会。从 1984

年以来,已成功举办过 39 届,其创立的"风筝牵线、文体搭台、经贸唱戏"的模式,广为全国各地借鉴。

(二)潍坊国际风筝会的影响

1. 提升潍坊风筝的知名度

调查显示,潍坊本地人都知道潍坊"世界风筝都"的名号和潍坊国际风筝会的存在,这想必是与每年市内的宣传和教育分不开的。然而只有 37%的非本地人知道潍坊"世界风筝都"的名号,这也从侧面反映出主办方需通过潍坊国际风筝会来打响潍坊风筝的名号。

2. 促进文化的传播与发展

潍坊风筝兴起于宋代,普及于明代,繁荣于清代。到了清朝乾隆、嘉庆年间,关于潍坊风筝的记载和描述即见于正史和诗词,从这些史志和诗词中可以体会到潍坊风筝的繁荣发展。至今每年开展一次的风筝会对于传统文化来说,具有较为重要的作用。

3. 促进城市形象塑造

潍坊国际风筝会在根本上促进了整个城市品牌化建设进程,对于打造立体化的城市形象有着无比重要的促进意义。随着文化产业进程的不断推进,积极地促进我国潍坊国际风筝会发展,着力采集风筝文化元素来对城市符号进行深度塑造,能够从根本上促进我国城市形象建设,从而不断地引领时代文化发展潮流,为我国文化发展、经济发展和社会进步奠定坚实的基础。

二、立项创意及评析

(一)潍坊国际风筝会创立的背景

1983 年美国人大卫·切克列与潍坊工美风筝艺人的合影引起了国内外的关注。尤其是相片中长达 50 米的龙头蜈蚣风筝,更令人连连称奇。当时,潍坊市应邀参加上海市组织的中外风筝放飞活动,赴上海参加交易会的美国西雅图市风筝协会主席大卫·切克列先生对潍坊的风筝产生深刻的印象,会后,他专程来潍坊订购了一批风筝带回美国。也正是这次大卫·切克列与潍坊的亲密接触,意外把潍坊风筝推上国际舞台。

(二)选择潍坊国际风筝会的理由

1. 大卫的支持和领导人的设想

1983年9月6日,大卫·切克列及夫人第二次来到潍坊。他说,中国四大风筝产地北京、天津、潍坊、南通,他都去过,潍坊风筝最好!并提出正在考虑在他的家乡西雅图举办一次国际风筝会,想邀请潍坊工美组织一个风筝队参加,要听一听潍坊艺人们的意见。时任潍坊工美风筝研究所所长的孙立荣反复琢磨,既然大卫·切克列对潍坊风筝这么感兴趣,山东省旅游局也打算次年在潍坊进行风筝表演,为何不抓住时机在潍坊也办个国际风筝会?孙立荣向大卫·切克列表达了潍坊工美难以到美国参加大会的实际情况后,提出了在潍坊举办国际风筝会的想法。"潍坊风筝代表世界最顶尖的水平,如果潍坊风筝不能去西雅图参加风筝会,那么我的风筝会也就失去了举办的意义。"大卫·切克列郑重地说,"为了世界风筝艺人的友谊,潍坊应当举办一个国际风筝会,我支持你们办好国际风筝会!"确定在潍坊举办国际风筝会以后,孙立荣等人与大卫·切克列又继续协商,最后确定1984年4月清明节期间在潍坊举办首届潍坊国际风筝会。

2. 历史文化浓厚,地理位置优越

潍坊,古称"潍县",又名"鸢都",特产风筝、年画等均驰名海外。潍坊是世界风筝的发源地,制作风筝的历史悠久,工艺精湛,潍坊风筝亦是山东潍坊汉族传统手工艺珍品,是非物质文化遗产之一。潍坊自古为北海名城,文风昌盛、科甲蝉联、经济繁荣,乾隆年间曾有"南苏州,北潍县"的说法。

3. 具有专业的风筝扎制匠人

潍坊曾出现很多优秀的风筝艺人,他们之中,有为乾隆皇帝的千叟宴扎制过宫廷仙鹤童子风筝的贺大,也有为慈禧扎制风筝的陈姓哑巴艺人,更有名噪一时的潍县城派风筝"十世家"。

(三)立项创意评析

1. 厚重的风筝文化底蕴

潍坊风筝有200多年的历史,当地抓住历史文化根源,大力发展国际风筝会。潍坊风筝是山东潍坊传统手艺珍品,扎制风筝已成为民间传统节日文化习俗并有自己独特的风格。现世界上70%以上的风筝都是来自潍坊。潍坊风筝同中国许多民间艺术形式一样,产生于人们的娱乐生活,寄托着人们的理想和愿望,是与人们的生活密切联系的艺术品。

2. 广泛的群众基础

潍坊国际风筝会取得的辉煌成就,得益于潍坊人民的理解、支持、关心和参与。市民们愿意参加活动,同时多姿多彩的活动满足了不同群众的需要。

3. 得天独厚的地理环境优势

从地理位置来看,潍坊处于胶东半岛的内陆,地处中纬度地带,受太阳辐射、大气环流和地理环境的影响,属暖温带大陆性季风气候。其主要特征是:季风明显,四季分明,春季风多雨少,秋季天高气爽。因此潍坊比较适合放风筝。

4. 政府的支持

考虑到长远发展,政府在 1991 年建成了占地 12 公顷的浮烟山国际风筝放飞场。浮烟山为泰沂山余脉,呈西南、东北走向,景色优美,交通便利,现已成为潍坊市宣传风筝文化和城市建设成果的重要窗口,自建成之日起,一直是潍坊国际风筝会开幕式和风筝赛的主要场地,更是国内乃至国际最为专业的风筝放飞地。

三、潍坊国际风筝会的经典做法及评析

(一) 风筝会的多业经营策略

1. 与潍坊国际风筝会相关的活动

以 2014 年第 31 届风筝会为例,共设计了风筝、文化、招商三大版块 10 多项重点活动。其中风筝板块包括第 31 届潍坊国际风筝会开幕式暨万人风筝放飞表演、第 10 届世界风筝锦标赛、全国风筝分区选拔赛、潍坊风筝大赛、第 4 届中国(潍坊)夜光风筝邀请赛等活动。文化板块包括第 4 届中国画节·中国(潍坊)第 7 届文化艺术展示交易会,第 7 届中国(潍坊)风筝工艺美术博览会等活动。招商板块包括 2014 外交使节潍坊行、第 31 届潍坊国际风筝会蓝黄"两区"建设重点项目推介会、潍坊市投资合作推介会、潍坊会展经济转型发展论坛等活动。

2. 旅游活动与潍坊国际风筝会相互促进

潍坊国际风筝会本身具有较强的人员聚集功能,参会者除了参与节会本身的活动外,体验当地的风土民情也成了必然之选。潍坊的"千里民俗旅游线"涵盖潍坊的四区、六市、两县,内容极为丰富。包括地方小吃(如潍坊朝天锅、鸡鸭和乐)、缤纷节庆(昌乐的国际宝石节、寿光的国际蔬菜博览会)、特色线路(民俗游、农业生态游)、名胜古迹、现代游乐设施等,吃喝玩乐游样样齐全,即使在专业导游的陪同下,要一一体验,至少需要 4 天的时间。

3. 其他节会活动与潍坊国际风筝会相互促进

潍坊各县市区、开发区和市直有关部门、单位,也以风筝会为平台,结合地域和行业特点,分别举办有特色的分项活动。以第 31 届潍坊国际风筝会为例,有美丽潍坊行、第 7 届海峡两岸风筝文化交流活动、第 3 届海峡两岸(潍坊)休闲观光农业交流会、第 15 届中国(寿光)国际蔬菜科技博览会、潍坊环峡山湖万人健步行等活动。

4.评析

(1)潍坊国际风筝会本身从风筝、文化和招商三个板块入手,活动时间紧凑,安排合理,满足各种目标客户群体的需求。另外根据目标客户的指向性,凸显有合作意向的国内外重点企业、重点客商、台商、全国知名民营企业家。另外重点突出国际合作和国外市场,以吸引更多的国外企业来潍坊投资兴业。

(2)旅游活动与潍坊国际风筝会的相辅相成,分担了潍坊国际风筝会一部分的人流和参会压力,也丰富了参会体验。

(3)其他节会活动既是独立的节会活动,又与潍坊国际风筝会互为补充,拉动了区域经济的发展。

(二)风筝与文艺相结合造势

1.简介

以第21届(2004年)潍坊国际风筝会为例,当届活动将风筝与选美这种时尚文化结合,举办了轰动全球的"世界风筝小姐"选拔大赛。"世界风筝小姐"选拔大赛在中国是首次,在世界也属首次。这一赛事的举办令人耳目一新,引起了媒体和公众的广泛关注。"世界风筝小姐"选拔大赛的主办方阵容强大,包括政府机构(潍坊市人民政府、国家体育总局)、国际性组织(国际风筝联合会、世界环球旅游小姐组织机构中国机构)、重要媒体(中央电视台、凤凰卫视)。大赛选拔覆盖全球,以"银线牵四海,美丽靓五洲"为主题,参赛选手不分国籍、肤色和民族,只要符合参赛条件的都可以报名参赛,体现了"和平、友谊、开放"的精神。赛事分为初赛、复赛和决赛三个阶段,整个赛事层层造势,不断传播潍坊国际风筝会这一活动。

此外,赛事内容深度融合风筝文化,丰富多彩,吸引公众持续关注。主办方将潍坊风筝文化深度融合进比赛项目中,参赛的佳丽除了要进行个人才艺比拼、模仿表演等常规选美项目之外,还需要进行风筝知识问答(包括风筝文化、历届风筝会的知识),以及参加现场风筝的扎制和放飞技巧展示、风筝文化服饰秀等跟风筝有关的比赛项目。这些风筝类的比赛项目,不仅在报名参赛的选手中掀起了对风筝知识、潍坊风筝文化的学习热潮,也让观看比赛的观众了解了潍坊风筝文化。除比赛之外,主办方还创新举办了一系列特色的"长城放飞""入城仪式""颁奖晚会"等活动,吸引公众观看。

2.评析

"世界风筝小姐"堪称风筝会最大的一次造势活动,它将全球的目光都聚焦到了潍坊,人们开始关注这个赛事。"世界风筝小姐"大赛在时间、空间、活动内容以及媒体报道上都下足了功夫,成为舆论关注的热点,吸引了世界的目光,从而弘扬了潍坊的风筝文化,使潍坊国际风筝会借助"风筝小姐"的魅力被推广到了世界各地。

(三)风筝与商业相结合造势

1. 创办风筝展

2008 年第 25 届潍坊国际风筝会期间,潍坊举办了首届中国(潍坊)风筝产品交易会,随后每年举办一届。风筝产品交易会内容不断丰富,规模不断扩大,在 2013 年第三十届风筝会上,中国(潍坊)风筝产品交易会与潍坊工艺美术节同时开办,升级为中国(潍坊)风筝产品博览会。潍坊举办风筝博览会,得到了社会各界的广泛关注,首先是中外风筝厂商,他们积极响应,主动报名来潍坊参展。其次,风筝博览会上聚集了充满异域风情的精品风筝,吸引了中外观众前来参观和购买。博览会不断创新,增加了许多与观众现场互动的活动,如"风筝拍卖"和"风筝扎制"。博览会设定现场表演区,由潍坊风筝工艺大师们进行现场风筝扎制表演,观众可以跟学。风筝大师现场举行风筝作品拍卖活动,激发了观众的参与热情与购买欲望。"风筝拍卖"和"风筝扎制"活动,以与观众互动的形式进一步提升了潍坊风筝产品的品牌价值和竞争力。

2. 打造风筝文化主题餐厅

2018 年 4 月 13 日,在第 35 届风筝会举办前,潍坊国际风筝会办公室与肯德基潍坊北海路店合作成立了肯德基风筝文化主题餐厅,并将其打造成潍坊风筝文化青少年体验基地,这是肯德基首家风筝文化主题餐厅。风筝元素装饰肯德基餐厅,通过视觉传播潍坊风筝文化。整个餐厅装饰有风筝文化展板以及各色风筝,使来肯德基用餐的顾客如同置身在风筝的世界里,给其带来不一样的用餐体验。"潍坊风筝文化青少年体验基地"的标牌长久地挂在肯德基店里,"在春天的风筝会里放飞 KFC 的尽情自在"的宣传语贴在墙面上,通过视觉效果向路过和走进餐厅的受众传播潍坊风筝文化。

3. 评析

风筝博览会为中外游客提供了一个集中参观、游览和购买各国风筝等产品的好去处,为中外风筝厂商提供合作交流的机会,为展现潍坊风筝实力提供了平台。肯德基是来自美国的全球跨国连锁快餐品牌,本是一家现代快餐企业,但是潍坊创造性地将风筝这一民俗艺术与现代快餐业相结合,这是一次跨界创新,是一场创意升级,更是对传统文化的致敬。与肯德基合作,通过肯德基餐厅这个商业载体,传播了潍坊风筝文化。

(四)潍坊国际风筝会的传播策略

1. 简介

随着媒介形态的发展演变,大众传播媒体对潍坊国际风筝会的报道在不断丰富发展,如今,报纸、广播、电视和网络媒体的全方位报道已经形成一定规模。从媒体级别上来看,中央、省、市级的媒体都对潍坊国际风筝会进行了宣传报道。尤其是中央级别的新闻媒体,由于其权威性和受众广泛性的特征,它的宣传报道有力地增强了潍坊国际风筝会的知名度和美誉度。潍坊在举办风筝会期间,多次力邀品牌电视栏目走进风筝会、走进潍坊,一起合作宣传风筝会,宣传潍坊。中央电视台的多个品牌栏目都曾与潍坊国际风筝会合作,对其进行了摄制和播出。潍坊国际风筝会同时联合滨海电视台、坊传媒网、腾讯视频、拼多多、抖音、好客山东、好看视频等,通过视频、影像、文章、新闻等方式宣传,各企业、群团的微信、微博客户端也撰写、转发潍坊国际风筝会相关报道,为其鼓劲造势。

每年潍坊国际风筝会的举办都会邀请各界名人参加,包括中央、省、市的领导,文艺界、体育界的名人等。这些名人的出席实质上就是为潍坊国际风筝会做了形象代言。例如,在2014年第31届风筝会上,莫言在一只特制的风筝上题写了"高飞远翔,鸢都潍坊"的祝福语并委托专人赠送到了开幕式现场。莫言是我国首位诺贝尔文学奖(2012年获此殊荣)的获得者,是在世界上极具影响力的名人。此次赠送仪式,引起了媒体的普遍关注和报道,如潍坊日报刊登《莫言为家乡风筝会题词》的报道,中国新闻社、中国新闻网等媒体也对此十分关注,发表了《第31届潍坊国际风筝会启幕 莫言题字祝福家乡》的报道。对莫言的报道,自然引起人们的关注,同时,也增强了潍坊国际风筝会的曝光度和知名度。

同时,当地还借名人演唱表演来提升潍坊国际风筝会的人气。一是通过潍坊国际风筝会的文艺晚会,邀请当红歌手助阵,吸引大量歌迷前来观看,在将名人魅力呈现给观众的同时,也传递了潍坊国际风筝会的形象。二是将明星个人演唱会纳入潍坊国际风筝会的活动项目中。例如,在1994年第11届潍坊国际风筝会上举办的"94潍坊崔健摇滚乐专场晚会"以及在2018年第35届潍坊国际风筝会上举办的赵传"我要飞翔"超级演唱会。第35届潍坊国际风筝会将开幕式、风筝比赛等活动的门票与赵传演唱会门票整合成多种套票对外销售,来看赵传演唱会的观众同时也观看了潍坊国际风筝会,达到了整合传播的效果。此外,随着新媒体的发展,明星拥有了越来越强大的线上粉丝阵营,尤其是微博粉丝,明星在微博上发布的信息,通过其庞大的关注度能够得到广泛的传播。因此借助明星能够很好地提升潍坊国际风筝会的人气。

2.评析

从媒体类型来看,由于报纸、广播、电视、互联网等多种大众传媒形态并上,潍坊国际风筝会形成了立体化的全媒体传播格局。借助品牌电视栏目的高知名度、美誉度和观众忠诚度,潍坊国际风筝会传遍了中国的大江南北,文化以电视栏目的形式得到了保存和流传。潍坊国际风筝会充分利用网络媒体信息量大、覆盖范围广、时效性强等特点,加大对自身的宣传推介力度。同时,借政界名人的权威性增强风筝会的认同度——国内外政界名人的出席增强了潍坊国际风筝会的地位,是对潍坊国际风筝会的一种认可,提升了公众对潍坊国际风筝会的认同度。借媒体对名人的关注和报道,提高潍坊国际风筝会的知晓度——演艺界的明星,拥有庞大的粉丝群,他们会密切关注明星的动态,明星的演唱会是歌迷必不可少的"追星项目"。

(五)潍坊国际风筝会的市场化运作

1. 简介

如今,潍坊国际风筝会的举办,严格遵循市场规律,以巨大的经济效益来吸引企业参与,企业根据自身的情况决定是否参与赞助,而不是"硬性摊派"。通过招标、冠名、赞助等市场手段来为潍坊国际风筝会筹措社会资金,减轻政府财政负担,形成"以会养会"的良性发展模式。此外,政府角色定位为引导者、协调者和监督者,为举办者、承办者、赞助商等提供了平台,调动了他们培育、开发市场的积极性。政府还利用身份的特殊性,宏观把握风筝会的文化基调和发展趋向,统筹规划潍坊国际风筝会的框架主体,为潍坊国际风筝会的市场化健康运营保驾护航。

第16届潍坊国际风筝会是对市场化运营的一次成功尝试,潍坊风办与北京大策公司联合策划招商,共发出招商项目宣传材料2 700多份,采用拍卖企业冠名权以及门票销售承包权的方式,一改以往等客上门的"衙门作风",面向市场,主动联系。潍坊国际风筝会的市场化运营,引起了企业浓厚的兴趣,仅济南将军集团一家,就赞助30万之多。到举办第18届潍坊国际风筝会时,三大主要项目已经成功交与市场承办。开幕式文艺晚会承办权由潍坊电视台取得,门票销售总代理属潍坊音乐家协会,而河南汝阳杜康集团斥巨资取得了潍坊国际风筝会首家赞助企业的宣传权。而到了第19届潍坊国际风筝会,更可视为市场化程度最深、效果最显著的一届,其中六项主要的文体项目均由企业和社会竞标的形式完成。

2. 评析

在市场化运作下,政府不再是以"大家长"的形式包办督办,成功实现了"从主导到引导""从包办到协办"的转变。政府的角色转变,顺应了市场化的发展规律,为潍坊国际风筝会的健康发展营造了更为自由和公平的环境,在"投资—回报"的市场机制下激发了节会活动的经济潜能。潍坊国际风筝会既是民俗活动又是经济活动,所以,其走向市场化运营是必然选择。而潍坊国际风筝会之所以能够长盛不衰,也正是得益于市场化运作机制的应用,并在发展中不断地深入和完善。

(六)潍坊国际风筝会的盈利模式

1. 风筝售卖

活动期间,中国(潍坊)风筝产品博览会上聚集了充满异域风情的精品风筝,吸引了中外观众前来参观和购买。风筝博览会为中外游客提供了一个集中参观、游览和购买各国风筝及相关产品的好去处。每届博览会上潍坊风筝企业都会收到大量的订单。在第 6 届博览会上,30 余件大师级精品风筝经过现场竞拍,总成交额高达 152 万元。在第 7 届博览会上,5 天的交易额就达到 5 000 万元以上。

2. 风筝演出及相关活动

每年一届的潍坊国际风筝会,以售卖门票、提供展位、举行放飞表演等方式获得盈利。

3. 赞助收入(以第 37 届潍坊国际风筝会为例)

(1)赞助 5 万元以上(含 5 万元)的企业,其产品可作为第 37 届潍坊国际风筝会指定产品,主办方会为赞助企业颁发"第 37 届潍坊国际风筝会指定产品"证书并提供 1 个标准展位供企业自行使用。同时企业可以组织 30 人免费参加第 37 届潍坊国际风筝会开幕式。

(2)赞助 20 万元以上(含 20 万元)的企业,其产品可作为第 37 届潍坊国际风筝会专用产品,主办方会为赞助企业颁发"第 37 届潍坊国际风筝会专用产品"和"潍坊国际风筝会 2020 年度合作伙伴"证书,同时为企业免费制作 1 支具有企业特色的大型软体风筝(面积不小于 30 平方米),由企业自行放飞,并提供 4 个标准展位供企业自行使用。赞助企业可以免费组织 100 人参加第 37 届潍坊国际风筝会开幕式,企业负责人 2 人可在嘉宾席就座。

(3)赞助 50 万元以上(含 50 万元)的企业,其产品可作为潍坊国际风筝会永久指定产品,主办方会为赞助企业颁发"潍坊国际风筝会永久指定产品"和"潍坊国际风筝会战略合作伙伴"证书,并为企业免费制作 1 支具有企业特色的大型软体风筝(面积不小于 50 平方米),由企业自行放飞,并提供 8 个标准展位供企业自行使用。企业可以免费组织 150 人参加第 37 届潍坊国际风筝会开幕式,企业负责人 4 人可在贵宾席就座。

4. 评析

潍坊国际风筝会的盈利模式呈现多样化。来源包括售卖风筝以及风筝工具、举行风筝演出和拉赞助等方式,并联合百度、淘宝、天猫等平台进行交易。

第六节　青岛国际啤酒节

一、基本情况

(一)青岛国际啤酒节简介

青岛国际啤酒节(Qingdao International Beer Festival)是亚洲最大的啤酒节,与捷克啤酒节、德国慕尼黑啤酒节、日本札幌啤酒节并列为全球四大啤酒节。

　　青岛国际啤酒节始于 1991 年,在每年 8 月的第二个周末开幕,为期 16 天。于第 6 届进行体制改革(图 3-8),设置主会场和分会场。节日由国家有关部委和青岛市人民政府共同主办,以啤酒作为媒介,融合休闲旅游、文化娱乐、经贸展示等内容,是中国最早的也是最大的酒类狂欢活动,是国家级大型节庆活动,是亚洲的啤酒盛会。

图 3-8　第 6 届青岛国际啤酒节

　　啤酒节的定位人群主要是 20~40 岁的中青年群体。因为这一群体思想开放、思维活跃、富有激情、热爱旅游,喜欢接触新鲜事物,同时他们对活动的参与性强。在啤酒节期间举办的"饮酒大赛"就具有很强的针对性,一般青年人比较热衷于这个项目,而且也很喜欢参与。在举办啤酒节期间,各国啤酒商还会带来本土文艺节目表演。这些针对性强的活动的举办吸引了大批中青年参加,亦使啤酒节更具吸引力。在经历了 30 多年的发展历程,青岛啤酒节不断融入青岛特色,在活动组织、酒商招商以及现场管理等方面都有着自己独特的经验和创新方法。

(二)活动影响

1.产生乘数效应,促进经济发展

　　根据青岛市啤酒节官方网站以及青岛市旅游局内部提供的数据显示,自青岛市啤酒节开办以来,青岛市游客人数、啤酒节总收入、青岛市的 GDP 一直高速度增长。第 21 届青岛啤酒节(图 3-9)期间,活动累计接待游客 377 万人次,消费啤酒 1 100 吨,一个青岛啤酒节的旅游收入相当于两个黄金周的旅游收入。

　　青岛国际啤酒节的举办带来的旅游消费,会因为产业的关联性而产生更大的经济影响,即产生旅游乘数效应。例如,啤酒节举办期间能直接或间接带动地区交通、餐饮、住宿、商业、娱乐甚至周边房产的升值。啤酒旅游带来的消费支出及通过产业关联诱导的其他产出共同拉动地区 GDP 上升。根据官方统计,2012 年青岛啤酒节拉动崂山区 GDP 提高 2.9%,拉动全市 GDP 提高 0.6%。

图 3-9　第 21 届青岛国际啤酒节

青岛国际啤酒节的举办为各啤酒品牌提供了很好的展示和贸易机会,也为其他相关产品的展示提供了一个开放的平台。借助啤酒节活动宣传,本地企业与外地企业进行商贸交流,旅游城市政府可借机招商引资,啤酒节的举办大大促进了啤酒旅游城市经济贸易的繁荣。

2. 拉动旅游事业发展

青岛国际啤酒节的举办为青岛旅游事业做出了巨大贡献。节日期间,全市宾馆入住率高达 98%,环比上涨 6.19%;崂山风景区、极地海洋世界等国家级景区客流量大幅提高。从青岛市自 1998 至 2013 年的十五年间旅游业主要指标可以看出旅游行业的发展情况。国内旅游人次由 1998 年的 1 013.58 万人次,增加到 2013 年的 6 161.31 万人次,旅游总收入由 1998 年的 69.8 亿元,增加到 2013 年的 937.19 亿元,这和青岛国际啤酒节的举办息息相关。

青岛啤酒节凭借其独特的啤酒的节庆方式,吸引了世界各地的旅客前来参与,向世界展示了青岛的城市品牌和文化内涵,提升了青岛的知名度,尤其是游客们在亲自体会了青岛的魅力后,对于青岛城市形象的提升具有很大的帮助,这是一种无形却有力的宣传方式。旅游城市形象的提升对当地旅游业大有帮助,能吸引更多新老游客,推动青岛旅游事业发展,形成良性循环。

3. 推动文化传播

青岛比较缺乏鲜明民族特色的人文资源,对国际游客的吸引力不高。青岛啤酒节要长远地发展就应该立足传统,不断增加传统文化不仅使市民在心理上产生共鸣从而积极参与,而且也可以吸引外国游客来感受中国文化,如在开幕式或节庆活动中加入当地特色文化表演,以及设计售卖当地特色文化的文创周边产品。

文化是节庆的"灵魂"。青岛国际啤酒节是对"酒文化"的发掘,更进一步地讲是对"啤酒文化"的发掘。酒在中华传统文化中(特别是礼仪交际、文化活动中)充当重要的角色。啤酒酒精度低,营养丰富,在配菜上没有严格的限制,男女老少皆宜,适合豪饮,有利于感情的释放和宣泄。这种"沉浸在泡沫中"的节庆,展示出整个城市走向国际的信心和自豪感,以及市民热情、豪迈的待客之道,也显示出青岛兼容并蓄的城市态度。

作为国内外游客推崇的亚洲最大的啤酒盛会,青岛国际啤酒节已经成为青岛市的标志性活动,得到了青岛市民的广泛认可。每年一度的啤酒节,顺应了青岛市民的情趣需求,提高了公众的自豪感,丰富了公众的文化娱乐生活,参加节庆已成为青岛市民热衷的生活方式,啤酒节也成为青岛市民的共同期盼和集体约会,成为居民们依恋这座城市的真实理由,这正是在啤酒节举办下文化传播的影响。

二、立项创意及评析

(一)青岛国际啤酒节创立的背景

青岛国际啤酒节创意的提出是在 20 世纪 80 年代初,改革开放的中国向世界打开了大门,被誉为"朝阳产业"的旅游业随之蓬勃兴起,各地政府纷纷采取措施开发旅游资源,发展旅游产业。青岛是我国对外开放较早的沿海城市之一,旅游资源很丰富,但由于知名度和交通、接待条件的限制,每年来青岛的海内外游客只有数万人,这与青岛旅游城市的地位不相符。怎样提高青岛的知名度、促进旅游事业的发展,成为 80 年代中期市旅游局急须解决的课题。通过多次召开会议,广泛听取社会各界和专家学者的意见,市旅游局制定了三个初步方案。第一方案是青岛崂山登山节。由于当时崂山山顶未对外开放,登崂山而不能登顶,无法饱览山海秀色。因此无法满足游客的需求,活动失去吸引力,此方案被搁置下来。第二方案是青岛国际钓鱼活动。并分别于 1986 年、1987 年组织了两届"青岛国际钓鱼活动",但实践证明并不成功。第三方案便是青岛国际啤酒节。

1986 年,原青岛市旅游局向青岛市委、市政府打了一个报告,提出了举办青岛国际啤酒节的构想。但当时的青岛啤酒年产量不到 30 万吨,还肩负着全国近 8 成的外贸出口任务,因此,举办啤酒节的报告被市里否决了。但是,举办啤酒节的想法并没有就此搁浅,原青岛市旅游局、青岛啤酒厂等相关人员都在努力着——深入调研,修改着办节方案。几经波折,首届青岛国际啤酒节终于在 1991 年 6 月 23 日上午 10 点于中山公园西侧花卉区举行。

(二)青岛国际啤酒节的立项优势

1.产品品牌优势

青岛啤酒是啤酒界人士公认的世界三大名牌啤酒之一。因为青岛有许多得天独厚的条件,像优质的崂山泉水、进口的大麦、优良的酵母和酒花、合理的配方和严谨的工艺、严格的管理,所以酿制出的青岛啤酒泡沫细腻、口感醇厚爽口,具有麦芽香和酒花香,受到国内外消费者的欢迎。在国内的啤酒评比中,青岛啤酒始终是第一名,在国际的啤酒评比中,青岛啤酒获得过30多次金奖。最早的一次是在1906年,获得著名的慕尼黑啤酒节的金奖。美国先后搞了三次大的国际啤酒评比,青岛啤酒都是第一名。多年出口的历史、世界广泛的认可、优秀的品质和高端的品牌形象使青岛啤酒拥有了来自世界各地的忠实"粉丝"。青岛啤酒还成了2008年北京奥运会和2022年北京冬奥会的官方赞助商。雄厚的啤酒产业和粉丝基础,加上青岛市民对啤酒的热爱,成了啤酒节成功举办的重要因素。

2.地理优势

青岛地处中国华东地区、山东半岛东南、东濒黄海,是山东省经济中心、国家重要的现代海洋产业发展先行区、东北亚国际航运枢纽、海上体育运动基地、一带一路新亚欧大陆桥经济走廊主要节点城市和海上合作战略支点。青岛是中国最初的啤酒引入城市,发展历史已逾百年。这一城市底蕴中包含了中德关系演变、异国建筑风情、海滨旅游胜地、市民淳朴热情等,为青岛啤酒节的推广创造了良好的境条件。"青岛啤酒节"寻址青岛,巧妙地将历史遗产、地方特产与民俗风情融合提炼,产生了不同于其他节日庆典的精神气质,也具备深入挖掘的文化潜质。

青岛是一个旅游城市,具有丰富的旅游资源,如崂山风景区、海滨风景区、啤酒博物馆等。青岛还拥有丰富的人文名胜,如北九水、五四广场、琅琊台等。这些都吸引了国内外游客,为啤酒节打下良好基础。

3.战略优势

第一,青岛国际啤酒节对人文情感的把握。

青岛啤酒是青岛市民乃至全国人民的情感寄托,在啤酒节上将啤酒文化和当地文化相结合,在节庆活动中进行啤酒文化和品牌情感的双重输出,让游客增强情感体验,提升对品牌的认同感与忠诚度。

第二,青岛国际啤酒节对营销手段的整合应用。

例如线上与线下的多渠道节庆活动传播、结合青岛啤酒和受众情感进行整合营销、推出与大众互动式活动、在节庆活动期间进行文化表演、推出文创周边产品和各地特色文化产品等。

4.内容优势

青岛国际啤酒节由开幕式、啤酒品饮、文艺晚会、艺术巡游、文体娱乐、饮酒大赛、旅游休闲、经贸展览、闭幕式晚会等活动组成。在节日期间,还会举办包括但不限于啤酒品饮活动、"慕尼黑主题日"活动、中心舞台文艺演出、啤酒节文化展览系列活动、啤酒酒标展、摄影大赛、爱心参节团活动、啤酒海鲜菜大赛、嘉年华娱乐项目等活动,这些活动将青岛的大街小巷装点一新。占地近 500 亩、拥有近 30 项世界先进的大型娱乐设施的国际啤酒城内更是酒香四溢、激情四射。节日每年都吸引超过 20 个世界知名啤酒厂商参节,也引来近 300 万海内外游客举杯相聚。

(三)青岛国际啤酒节的立项评价

青岛国际啤酒节的立项是来源于青岛当地对旅游、经济发展的实际需求,且并非是有节庆构想就直接实施的,而是经过调研、修改办节方案等过程后才举办的。节庆活动的举办需要有实际意义,主办方要根据当地需求以及产品供应等实际情况进行节庆活动方案的调整,这样有利于节庆活动的成功举办,满足当地需求,促进当地发展。

1. 坚定核心主题

青岛啤酒作为青岛国际啤酒节的核心,正是因为拥有雄厚的粉丝基础、稳定的产品供应和良好的产品口碑,才能支持啤酒节的成功举办。节庆活动想要成功稳定的举办,需要有核心主题或产品。其中核心主题要精确,核心产品需具有标志性且能够稳定供应。当节庆活动在筹备期或首次举办时,需要一个主题或知名产品来为其奠定良好基础,如青岛国际啤酒节就是借助世界闻名的青岛啤酒打开青岛乃至国际市场。

2. 借助丰富资源

青岛国际啤酒节借助青岛丰富的旅游资源、浓厚的人文环境以及便利的地理位置,为成功举办打下基础。节庆活动的成功举办离不开举办地址的成功选取,好的节庆举办地通常具备交通便利、旅游资源丰富、人文氛围浓厚或自然环境优美等条件。

3. 节庆活动中融合文化

青岛国际啤酒节的成功在于将节庆活动和人文情感相融合,在节庆活动中突出情感体验,并且整合应用多种营销手段,线上线下同步对节庆活动进行传播,提升游客满意度。节庆活动不仅仅是社会活动,也是在特定时期举办的、具有鲜明地方特色和群众基础的大型文化活动,是国家、民族或区域历史、经济以及文化现象的综合体现。所以在节庆活动中需要融合品牌文化或当地特色文化,在促进经济、旅游事业发展的同时进行文化传播。

4. 活动内容丰富精彩

青岛国际啤酒节中的活动丰富多样,能够满足不同人群的参与需求。节庆活动中的内容不能固定与单一,否则会让游客感觉枯燥乏味,且活动内容需要紧扣节

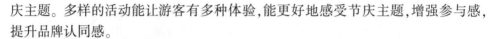

庆主题。多样的活动能让游客有多种体验,能更好地感受节庆主题,增强参与感,提升品牌认同感。

5.把握合适时期举办节庆活动

青岛国际啤酒节对举办时间进行了准确选取。炎热的八月是啤酒需求最为旺盛的时期,也处于暑假期间,是青岛的旅游旺季,拥有众多的游客。啤酒节与海滨旅游形成了良性的双向促进,吸引游客畅游青岛,共享啤酒盛宴。节庆活动的基础是人,需要有大量的参与群众才能成功举办。这就需要主办方对举办时间进行慎重选择,何时能吸引专业观众,何时能吸引普通观众,正确处理这些问题才能达到最佳活动效果。

三、青岛国际啤酒节的经典做法及评析

(一)准确的市场定位和资源的紧密嫁接

1.市场定位准确

从青岛市政府对啤酒节的定位来看,政府把举办啤酒节看成是"扩大青岛在国内外的知名度,树立城市形象,促进旅游经济发展"的重大举措,政府树立青岛啤酒节遵循"向国际化城市迈进,加速青岛改革开放步伐,创旅游国际名牌"和"国际性、专业性与群众性相结合"的办节指导思想。在啤酒节的具体组织和策划上将其定位为"市民节"和"狂欢节"。着力将青岛国家啤酒节打造成促进青岛旅游经济发展,提升城市形象的一面旗帜。青岛国际啤酒节主题定位准确,且每年节庆主题核心理念不变,具体活动内容紧密依托节庆主题定位不断创新。青岛国际啤酒节秉持可持续办节理念,坚持核心主题不变,结合实事,对每届啤酒节主题进行定位,不断推出新的内容和形式,使得啤酒节长盛不衰。青岛国际啤酒节本着"青岛与世界干杯"的核心,每一届都有新的亮点、热点和卖点,2008年更是借助奥运会的契机,让啤酒节再次抓住全世界的眼球。

2.资源嫁接紧密

青岛国际啤酒节的举办场地位置优越、环境优美、风景秀丽,场地周边已成为产业高度集中、商贸活动频繁的现代化生态城区,自然、人文资源丰富,拥有一大批入驻及拟入驻项目。这些周边的产业项目的建设会和青岛国际啤酒节相辅相成,形成良性互动。且周边交通便利,酒店、停车场等资源丰富。青岛啤酒本身品牌形象好,有牢固消费者基础,啤酒资源丰富,和节庆活动紧密相连,有利于啤酒节的举办。

3.评析

青岛国际啤酒节成功的关键,在于选择青岛本地特色啤酒作为节日的核心,定

位准确,秉持着可持续办节的理念且举办地历史悠久,风景优美,具有丰富资源,能保证节庆活动的举办。节庆活动想要成功举办,首先也是最重要的就是对主题进行精准定位。好的开头是成功的一半,精准的主题定位能为节庆活动吸引相关人员,包括赞助商、参展商等。青岛国际啤酒节坚持核心主题不变,在内容和形式上不断创新,策划有亮点、热点和卖点的节庆活动。一个成功节庆活动需要具有可持续性,常办常新,才能久盛不衰。地点的选取也会影响节庆活动的举办,便利的交通、丰富的旅游资源和独特的当地文化更能吸引游客,能为节庆活动奠定基础。

(二)青岛国际啤酒节的市场化、产品化和规范化

1. 市场化

青岛国际啤酒节从一开始的由政府主导已转变为由市场主导,组成节庆活动内容的各单项项目已经基本上由各承办单位自收自支,自求平衡,政府只是出台相关便利的措施,这从根本上增强了节庆活动的生命力,也为各承办单位带来了客观收益。节庆活动只有通过市场化才不会成为政府的负担,才能带来经济效益,拉动地方经济发展。

2. 产品化

青岛国际啤酒节已经成了青岛旅游体系中的一项重要特色旅游"产品"。一般来青岛旅游的游客以观光型旅游为主,根据游客的不同需求,推出这种特色的观光"产品"可以刺激游客消费,增加旅游收益。同时,将节庆活动作为产品和旅游产业进行资源整合,可以节省资源,避免资源浪费。

3. 规范化

早期青岛国际啤酒节举办期间,当地居民的正常生活曾受到一定影响,如交通问题、噪声问题、环境问题、治安问题等。主办方通过采取相应的改善举措,如优化市内交通、规划停车场地、增开公交专线、加强晚间节庆现场的音量监控、快速清理垃圾等,确保当地居民的正常生活不受节庆的影响,以此提高当地居民的满意度和幸福指数。

4. 评析

青岛国际啤酒节的市场化为其带来了大量收入,不再依靠政府支持,达到收支平衡;产品化加深了节庆活动和旅游业的联系,形成良性互动;规范化让节庆活动带给市民和游客更好的体验感和满意度,能促进节庆活动的圆满举办。由此可知节庆活动的主办方可以和当地政府合作,寻求互利共赢的模式,如将节庆活动作为产品加入当地旅游特色中,互相促进发展。节庆活动市场化,将不同内容活动分给不同承办方,自求收支平衡,通过不同优惠策略进行招商引资,获得盈利。规范化的节庆活动需要多方进行协作,形成完善的节庆活动服务体系,这样才能打造成功的节庆活动。

(三)青岛国际啤酒节丰富多彩的活动

1. 首届啤酒文化创意设计大赛

在第 30 届青岛国际啤酒节上,组委会办公室为积极推动青岛国际啤酒节品牌内涵,汇聚文创设计、文旅服务等时尚创新资源,和青岛黄岛发展(集团)有限公司举办了首届啤酒文化创意设计大赛,以创建"新视野、新人群、新连接"的"青岛国际啤酒"品牌,提高城市文化衍生系列产品的双量(体量、质量),引入优质文化、创意、设计、旅游新资源,促进产业化合作,打造全新的青岛国际啤酒节品牌综合新形象,用新血液、新思路、新方式,打造和丰满城市 IP、中国 IP。同时将获奖者的作品用在文创产品上进行售卖,这项活动大大增加了群众的参与性。

2. 大型晚会

拥有丰富多彩们表演内容的大型晚会是青岛国际啤酒节一贯的经典活动,包括最为精彩的开幕式晚会和特色文艺节目。第 29 届青岛国际啤酒节(图 3-10)举办期间,来自德国巴伐利亚的舞者表演团、美国丹佛的民谣乐队、加拿大的风笛乐队分别奉献了当地最具代表性的特色文艺节目,欢快的舞蹈、悠扬的歌声,洋溢着国际友人齐聚青岛西海岸新区的喜悦之情和对国际啤酒节联盟合作机制建立的美好祝福。

2020 年 7 月 31 日晚,第 30 届啤酒节开幕式在青岛西海岸新区金沙滩啤酒城中心舞台隆重举办。全新编程的无人机方队、璀璨夺目的焰火表演惊艳亮相,开启了为期 17 天的啤酒节激情狂欢序幕。青岛国际啤酒节的形象大使黄晓明以视频的方式为啤酒节送来了衷心的祝愿,歌手石头带来了古风歌曲《醉春秋》,火风激情献唱了《我爱你中国》,HAYA 乐队的《酒歌》更是点燃全场气氛,女歌唱家殷秀梅献唱了经典歌曲《一杯美酒》《初心》,钢琴与小提琴联合演奏《海滨音诗》、时尚秀与现代舞表演节目《与众不同》,精彩纷呈的文艺演出将开幕式再一次推向高潮。

图 3-10　第 29 届青岛国际啤酒节晚会

3. 青岛国际啤酒节产品展交会

第 29 届青岛国际啤酒节的产品展交会由黄发集团主办、青岛国际经济贸易促进中心承办。展交会旨在为青岛以及国内外啤酒饮料品牌商、生产商、经销商、技术服务提供商等搭建高效合作平台，对啤酒全产业链提供高效沟通的服务。自开展以来，观展人次达 12 万，意向成交额达 4 亿元。展会还邀请专业采购商、国内外的酿酒师、品酒师、餐饮从业者、大型啤酒企业高管、中小啤酒厂从业者、生产商、经销商、代理商、零售商等到会参观并洽谈采购。

图 3-11　品牌商花车巡游

4. 花车巡游

花车巡游(图 3-11)是青岛国际啤酒节在学习慕尼黑啤酒节成功经验的基础上，加入青岛特色文化而诞生的经典特色活动。以第 29 届啤酒节为例，花车巡游主题分为"序曲""时尚青岛""魅力新区""美美与共""相约" 5 个板块，19 辆花车按照不同主题分为五组，巡游时按分组顺序行驶。除开幕式当晚与观众精彩互动外，花车巡游及驻点展演将持续 24 天。

第 29 届青岛国际啤酒节艺术巡游表演最大亮点是增加国际表演团队，其中有墨西哥、波兰等团队组织的高跷方阵，加拿大的多佛港风笛团，来自世界各国的酒娘，来自墨西哥、阿根廷、美国的彩色鼓手等等，给巡游队伍增加了新的看点。

5. 啤酒节多会场举办

2020 年，第 30 届青岛国际啤酒节延续第 26 届分会场举办模式，也分为多会场进行举办：

(1)西海岸新区会场也是主会场，设在金沙滩啤酒城，以"时尚啤酒节"为主题，采取"线上+线下"的办节模式，负责举办开闭幕式、开启第一桶啤酒、灯光焰火秀、时尚表演、摄影大赛、体育活动、创意设计周等线下活动。

(2)崂山区会场设在世纪广场啤酒城(图 3-12)等场所,以"崂山全域欢动,激情历久弥新"为主题,按照"一主、三辅、六区、全域"的总体布局,营造崂山区"大文旅、大消费、大节庆"的欢动格局。推出大型纪念画册及书法名家题贺作品展览、播放"与岁月干杯"庆典宣传片等纪念和庆祝活动,庆祝啤酒节 30 华诞,同期举办开城仪式、文艺演出、尊享主题日、文体娱乐、多彩游乐、商贸展销等活动。

图 3-12　崂山区世纪广场啤酒城的南大门

(3)即墨区会场设在即墨古城,以"赴即墨之约,与古城同醉"为主题,举办开幕式、古城灯光秀、花车巡游、淘宝夜市、知名模仿秀、歌舞表演、魔术杂技、民谣驻唱、摇滚乐等活动,采取"线上+线下"互动方式,每日组织"云喝酒大赛",烘托啤酒节火热氛围。

(4)市南区、市北区结合啤酒节在万象城广场及登州路啤酒街等地举办开街仪式、啤酒集市、产品展销、啤酒品饮、文化娱乐等一系列活动,营造节日氛围。

6. 评析

(1)广泛的参与性是节庆活动凝聚人气、树立品牌、形成影响的有效手段。节庆活动的参与性体现在两个方面,一是业内人士的参与,二是普通游客的参与。青岛国际啤酒节通过丰富的具体活动项目和积极的线上线下活动加深游客对节庆活动的参与度,大大增强了活动效果,并借此对啤酒节进行了广泛宣传。文化创意比赛、大型晚会等线上线下活动激发大众对青岛国际啤酒节的兴趣,使大众获得了参与感和满足感。产品展交会则增加了节庆活动业内人士的参与度,在享受节庆活动的同时能够进行商务交流,产生合作,一举两得。

(2)内含特色文化的花车巡游,契合了啤酒节彰显特色、传承文化、服务民众的理念。不同主题和设计理念的花车巡游,让市民和游客更好地了解西海岸乃至青岛市的发展特色和城市魅力,进一步提升西海岸新区的美誉度和知名度,从而让新区的"城市名片"熠熠生辉,为青岛建设开放、现代、活力、时尚的国际大都市增添新的文化内涵和活力。

（3）多会场举办节庆活动对参与人员进行分流，减轻主会场办节负担，也能吸引更多游客就近参与青岛国际啤酒节，提升参与度。不同分会场的不同活动，增加了青岛国际啤酒节活动的多样性，提升游客的体验感。

（四）青岛国际啤酒节的多种营销传播方式

1. 微博线上互动

青岛国际啤酒节的官方微博定期更新，推出一些文创活动，并和关注者进行互动。在啤酒节举办前发布节庆活动的具体时间、地址、参与方式及注意事项等信息。节庆活动举办期间官博发布或转发啤酒节相关事件、游客的体验感受等。啤酒节结束后官博还经常发布青岛国际啤酒节的相关信息，如本届啤酒节的趣事、下届啤酒节的准备情况、青岛啤酒节的历史、国外啤酒节的历史等，潜移默化对青岛国际啤酒节进行传播，扩大影响力。

2. 举办"云上啤酒节"

2020 年因为疫情影响，第 30 届青岛国际啤酒节举办了"云上啤酒节"（图 3-13），让更多人能够加入啤酒节的活动中。观众只需优酷搜索"云上啤酒节"，便可进入专题页，在云端观看以"啤酒会客厅"为核心的"醉美西海岸"大型直播。众多青岛籍知名艺人、音乐人、乐队，以及青岛文化名人做客直播间，带领观众深度体验啤酒节。节目中观众不仅可以了解到啤酒节的节庆盛况、活动安排，还可以购买到啤酒节的啤酒、美食、衍生品以及新区本地品牌的特色产品，直播间还推出多种互动活动。提供包括啤酒节与西海岸新区商家提供的代金券、礼品，将以预约礼品与"红包雨"形式发放。观众可在网上购物平台使用或兑换。直播时段以外，观众可通过点播观看直播回放及短视频内容，包括云游西海岸、探秘啤酒节、掠影青青岛、知味啤酒节等一系列网络短视频，同时有名人大咖、艺术家、网红以探店短视频的形式，打卡金沙滩啤酒城及青岛西海岸新区特色地标、城市经典美食，打破屏幕界限，实时传递精彩。所有视频内容在多个平台呈现。不仅如此，第 30 届青岛国际啤酒节还推出了双视角直播，第一视角为啤酒会客厅，第二视角为中心舞台表演，双视角同时进行。观众只需要在终端屏幕上滑动一下便可以随意切换。

3. "网红直播带货"活动

第 30 届青岛国际啤酒节专门设立网红带货直播间，每晚 19 点至 21 点进行直播带货活动，货品全部为西海岸新区及啤酒节特色商品。直播期间，观众可通过优酷"云上啤酒节"专题页进入淘宝直播间。另有各路百万粉丝以上的网络达人，以独特视角带领网友深度体验啤酒节，在直播带货的同时对青岛国际啤酒节进行宣传。

图 3-13 "云上啤酒节"直播间

4.多平台直播活动

2020 年 8 月,无锋炫石粉丝文化节在金沙滩啤酒城举行,来自斗鱼、B 站、抖音、快手等平台的人气主播在游玩的同时以全程直播的形式,带领网友线上体验第 30 届青岛国际啤酒节的时尚狂欢,弥补不能亲临金沙滩啤酒城的遗憾。与此同时,山东广播电视台金沙滩啤酒城融媒体演播室联手全省 16 地市和全国十佳电台联盟为第 30 届青岛国际啤酒节和新区文旅业量身打造了线上系列旅游休闲特别节目。通过山东广播电视台融媒网络直播平台、山东文艺广播、官方抖音号播出。此外,青岛广电新闻中心推出了大型直播狂欢秀——"哈！金沙滩",蓝睛客户端、央视频、快手、今日头条、新浪微博同步直播。

5.评析

成功的节庆活动不能仅满足于大众在活动举办期间的互动参与需求,在活动结束后也要积极地通过各种方式和观众互动,如在微博上发布节庆活动期间的趣闻、图片,唤醒观众美好记忆,加深其对节庆活动的感受,增强品牌印象,为下一次节庆活动的传播与举办打造良好形象,促进未来节庆活动的成功举办。节庆活动的互动性不仅可以在线下体现,也可以在线上进行,良好的互动性能让节庆活动保持活力。第 30 届青岛国际啤酒节推出线上互动活动——"云上啤酒节""网红直播带货"等,借助各大传播平台进行直播活动。节庆活动的传播方式不仅限于借助传统的大众媒体,在新媒体高速发展下,更要善于运用新媒体进行传播,如社交平、直播等,这些传播方式能拉近节庆活动与线上游客的距离,进行实时交流互动,还能增加游客的节庆活动体验感,提升传播效果。

(五)青岛国际啤酒节的盈利模式

1. 招商盈利

青岛国际啤酒节的收入来源主要由门票和招商组成。在门票方面主办方走的一直是亲民路线。以2018年为例,日场门票10元/人,晚场20元/人,且对特定人群有免票福利。2019年开始日场门票免费,开幕式晚会门票只收取10元/人。

因此,青岛国际啤酒节收入很大程度上依靠招商,其中包括广告、赞助和摊位收入。主办方推出一系列灵活的招商策略吸引赞助商,包括但不限于在场地门口、舞台周边、餐巾纸上印刷投放广告、进行冠名等。摊位招商收入也是啤酒节收入的重要来源。主办方将摊位划分,按区域招商,不仅让其为节庆活动增光添彩,也在按不同位置、不同广告展示方式以及展位摊位明码标价进行招商的同时,获取利润。

2. 文创产品盈利

第30届青岛国际啤酒节在淘宝上开设了官方店铺,目前已有30多家企业的100多种商品上架,涵盖了茶叶、食品、美妆、文创等各类特色产品以及金沙滩啤酒城内的各种品牌啤酒。网友在淘宝网搜索"青岛国际啤酒节商城"即可足不出户在线购买。青西精酿、琅琊台、明月爱熙、鲁海丰等本地特色品牌产品,以及罗塞尔、雪花等经典品牌啤酒应有尽有。商城运营方青岛西海岸啤酒文化集团有限公司副总经理王璐表示:"青岛国际啤酒节商城官方淘宝店铺的上线,为广大市民游客参加青岛国际啤酒节提供了又一个便捷通道,丰富了啤酒节的内涵。大家在放心购买的同时,也进一步了解了啤酒节的历史和文化。今后我们会在商城推出更多、更丰富的产品,'线上+线下'互动,方便各类需求的消费者深度参节,体验'啤酒之城'的时尚与魅力。"

3. 评析

招商是青岛国际啤酒节的基本盈利模式,通过招商能够实现啤酒节各方的自盈自亏、收支平衡。售票文创产品是近几届青岛国际届啤酒节举办过程中出现的盈利模式,通过啤酒节文创周边产品的售卖,不仅能营利,还能向大众推广啤酒节文化,为青岛国际啤酒节塑造良好的品牌形象。

第七节 浙江三门青蟹节

一、基本情况

(一)简介

在 2002—2013 十余年间,浙江三门先后举办了以"新三门、新形象、扬青蟹美名,促社会经济发展"为主题的五届"三门中国青蟹节"(简称三门青蟹节),广邀各界人士到三门参观考察养殖基地,并品尝青蟹。五届中国青蟹节举办期间,共签约项目 145 个,签约资金达 138.7 多亿元。

2014 年,"三门中国青蟹节"进行了转型,与淘宝合作举办了首届淘宝青蟹节,敲开了许多青蟹商家线上之"门"。此后,"三门中国青蟹节"转型为"三门·中国网络青蟹节"。浙江三门利用节庆的影响,集中展示青蟹文化、渔村文化和渔食文化等,极大地提高了三门青蟹知名度和美誉度。

(二)活动的影响

1. 三门中国青蟹节的影响

第一届青蟹节叫响了"三门青蟹、横行世界"的口号,打响了三门青蟹的品牌。第二届青蟹节获得了"三门——中国青蟹之乡"美誉,三门青蟹真正名扬天下。第三届青蟹节荣获"三块金牌":一是"三门青蟹"通过国家质检总局认定,成为全国唯一获地理标志保护的海产品;二是被中轻产品质量保障中心评为"中国著名品牌";三是三门县被中国水产品流通与加工协会确定为"三门青蟹中国研究基地"。

2. 三门·中国网络青蟹节的影响

(1)直接影响

2014 年以来,三门县积极探索"互联网+品牌"营销模式,连续举办了 7 届网络青蟹节,三门青蟹网络销售额较 2013 年实现了成倍增长,2019 年三门青蟹网络销售额超亿元,同时也带动了线下销售额的增长,品牌价值达 40 多亿元。

举办网络青蟹节,有效提升了消费者对三门青蟹的品牌认知,拓宽三门青蟹线上线下销售渠道,推广了"鲜甜三门"区域公用品牌,促进了三门青蟹产业提质增效。在与阿里巴巴的战略合作下,三门青蟹产业持续壮大,逐步成为家喻户晓的新品牌,也让正宗鲜甜的三门青蟹真正走进千家万户。

（2）间接影响

"三门·中国网络青蟹节"全方位展示青蟹产业及三门旅游产业,极大地提升了三门青蟹的市场影响力。网络青蟹节不仅拓宽了三门青蟹销售渠道,带动周边小海鲜产业和当地旅游业发展,还推动了传统企业转型升级。在网络青蟹节的带动下,电子商务成为三门农民增收致富的幸福渠道。线上青蟹的成功销售,拓展了三门青蟹走向全国各地的渠道,也打开了跳跳鱼、望潮、泥蛤等其他海鲜品的销路。三门县网络零售额从 2014 年的 13.82 亿元跃升至 2019 年的 56.2 亿元,年均增长率超 30%,呈现良好增长态势。截至 2020 年,三门县已连续四年跻身全国电商百强县,全县拥有各类网店 4 000 多家,近三年网络零售额年均增长率超 32%,直接解决就业岗位近万个。2020 年,三门县被列入国家电子商务进农村综合示范县和全国"互联网+"农产品出村进城试点县创建名单。

二、立项创意及评析

(一)三门中国青蟹节创立的考虑因素

1. 青蟹产业的优势

浙江省三门县,与青蟹有着百年之缘,从乾隆年间一路走来,青蟹与三门县可谓互相成就。

三门县地处浙东沿海三门湾畔,境内水系资源发达,雨水夹带着大量养分入海,致使近海水质肥沃、盐度适中。相关调查显示,三门湾每立方米海水有浮游生物 668 克,为全国之最,加之气候适宜,成为三门青蟹最佳的生长地域。三门青蟹以壳薄、螯大、色纯、体壮、味美著称。

"三门青蟹"是中国著名品牌、国家地理标志保护产品和中国驰名商标。目前,三门县青蟹养殖面积达 9.5 万亩,产量 1 万余吨,约占全国青蟹产量的九分之一,产值达 6 亿元,约占全县大农业产值比重的三分之一。

2. 市场竞争的压力

起初,三门县青蟹养殖大多为粗放型,产量高而产值不高。同时,青蟹也非三门一地独有,一直以来市场同质化竞争激烈——既有福建一带的青蟹"来势汹汹",又有同属三门湾的宁波青蟹"强势夹击",压力巨大。如何有效应对竞争,甚至从中脱颖而出、抢占先机,成了主政者和县内青蟹养殖从业者共同关注的焦点。

3. 丰富的会展营销经验

三门县具备利用会展活动提升锯缘青蟹知名度、美誉度的经验。三门县委、县政府多次组织养殖户、贩销大户,分别在上海、杭州等地举办"中国青蟹之乡·浙江三门水产品"推介会。在杭州,原县委书记黄志平、县长李良福,带着县四套班子领导上街"摆地摊",面对面向市民介绍三门青蟹。通过推介会,三门青蟹在国内的知名度不断提高。先后在 1998 年浙江省农展会、2001 年浙江国际农业博览会和宁波海洋与渔业博览会上荣获金奖,在北京举办的国际农业博览会上还荣获"名牌产品"称号。

4.创立的目的

为了进一步推动三门县域经济发展,提高经济外向度,打响"三门湾"牌锯缘青蟹等系列品牌,发挥三门的资源优势,三门县委、县政府决定 2002 年举办首届三门中国青蟹节。由农业部任顾问单位,浙江省海洋与渔业局、台州市人民政府主办,三门县人民政府承办,中央电视台、浙江电视台、新华社浙江分社、台州日报社、台州广播电视局协办。首届三门中国青蟹节以"打造特色品牌,发挥资源优势,展示良好形象,扩大对外影响,促进经济发展"为宗旨。

(二) 三门·中国网络青蟹节创立的考虑因素

1.落实节俭办会的有关规定

前四届三门中国青蟹节均有隆重的开幕式文艺晚会等活动。2013 年,为深入开展党的群众路线教育实践活动,认真贯彻落实中央八项规定以及中宣部等五部门关于节俭办晚会的通知精神,经三门县委常委会研究决定,对三门县第五届三门中国青蟹节的活动项目进行调整,取消开幕式文艺晚会等相关活动项目,突出开展好"走进蟹乡·创业创新"系列活动。同时,为了贯彻执行上级有关文件精神,进一步改进三门县节庆活动,三门县还出台了《关于改进节庆活动的意见》。该意见从规范审批、厉行节约、求真务实、为民惠民、绩效考评等五个方面,对节庆活动进行严格规定。在此政策背景下,三门县开始谋求青蟹节创新的办节思路。

2.线下销售渠道局限明显

经过长期积累,"三门青蟹"这一品牌具有较高的竞争优势,同样的青蟹,三门县出产的价格每斤要高出 5 元左右。近年来,三门青蟹主要采用传统线下渠道销售,因销售渠道狭窄、品牌包装简陋和市场推广略为保守,相比阳澄湖大闸蟹,三门青蟹销售量逊色不少。

3.网络销售空间巨大

据淘宝官方数据统计,2014 年在网上销售"三门青蟹"的网店共有 100 多家,最好的网店年销售额能达几百万元,但与线下销售量相比,只占了很小一部分。为进一步扩大"三门青蟹"影响面,提升知名度,拓宽销售渠道,让更多的人了解并购买"三门青蟹",2014 年 9 月,三门县与淘宝首次合作举办了首届淘宝青蟹节。并从第三届三门网络青蟹节起,实施全平台、全方位的营销,打破了以往单一的营销方式。除了淘宝、京东等知名平台外,三门县政府打通多个互联网渠道,还和本来生活网、慧顾家、萌店等知名电商平台签订了战略合作意向书,为三门青蟹多渠道、多维度、多元化运营打下基础。

(三)评析

面对青蟹产业的发展需要和市场竞争的压力,三门县委县政府因势利导、顺势而为,发挥政府"有形之手"的作用,立足青蟹的资源禀赋和产业优势,在参展营销的基础上,通过创立"三门青蟹节"造势,提高三门青蟹品牌的知名度和美誉度。并在节俭办会的政策背景下,积极探索节事营销的创新实践,抓住了"互联网+"时代的机遇,通过与多个电商平台合作,走出了一条"互联网+品牌"的青蟹产业网络营销之路。"三门青蟹节"正是在这种背景以及三门县委县政府的审时度势下应运而生的。

三、三门青蟹节的经典做法及评析

(一)"政府主导,市场化运作"的办节模式

1.领导高度重视,工作机制完善

以第三届三门青蟹节为例,三门县委、县政府高度重视,把成功举办青蟹节作为年度工作的重中之重来抓,实施了以下三个措施:

第一,建立领导机构,制定总体方案。

三门县委、县政府多次召开县委书记办公会议、县委常委会和县四套班子会议,进行专题讨论研究部署。专门成立了第三届青蟹节活动领导小组和第三届青蟹节组委会,制定了青蟹节总体方案,明确了12项活动和相关筹备工作的直接责任单位、责任人和工作职责。自三门县委提出要举办第三届三门中国青蟹节后,县宣传部主动承担起了这项任务,并组建了以部内同志为主体的临时工作班子,着手前期的筹备工作。为策划好青蟹节总体方案,宣传部采取"请进来"与"走出去"相结合,通过外出学习、座谈会、意见征求等多种形式策划活动方案。先后组织人员赴海宁、嵊州、象山、慈溪、临海等县市学习办节经验。分别召开了第三届青蟹节活动方案策划座谈会,广泛听取社会各界的意见和建议。又分别向10多家直接责任单位征求总体方案的修改意见。同时,还多次向县委书记办公会议、县委常委会汇报青蟹节总体方案策划情况。最终,三门县四套班子会议专题讨论并通过了青蟹节的总体方案。

第二,召开动员大会,统一思想认识。

在青蟹节举办的三个月前,三门县隆重召开动员大会。市委、市政府对三门举办青蟹节给予了高度重视,市委常委、宣传部部长出席会议并做重要讲话,充分肯定了三门县举办第三届三门中国青蟹节的重要意义。在动员大会精神的激励和鼓

舞下,全县上下迅速形成了关心青蟹节、支持青蟹节、参与青蟹节、奉献青蟹节的良好氛围。

第三,完善工作机制,狠抓督查落实。

在抓落实的过程中,三门县充分发挥组织、协调、沟通的职能,采取现场办公、会议座谈、专题汇报等形式,把阶段性集中督查和临时性抽查有机结合起来。青蟹节组委会先后6次召开节事12项活动及相关重点工程负责人汇报会,认真听取各项活动筹备工作的进展情况,及时解决存在的一些困难和问题。县主要领导多次牵头召开筹备工作汇报会,并深入各活动项目现场,亲自督促检查指导工作。青蟹节组委会和县委县政府督查室先后专门组织了8次集中性督查。完善的工作机制和强有力的督促检查,确保了各项工作有序高效推进。

2.市场化运作,社会筹资办节

以第三届三门青蟹节为例,节事所遵循的"政府主导、各方参与、市场运作"的原则主要体现在以下三个方面。

第一,市场化运作大型文艺晚会。

根据县委书记办公会议要求,青蟹节大型演唱会要体现热烈隆重、注重品位、市场化运作的总体要求,从当年年初开始,组委会先后对省内外十家演出公司进行了广泛深入接触。通过几十轮的接触谈判,在层层筛选的基础上,组委会与台州市星艺文体传播有限公司签订大型文艺晚会合作协议书。经过双方的共同努力,打造了一台演出阵容强大、舞台和音箱效果达到较高档次的大型演唱会。在经济效益和社会效益上实现了双赢。

第二,社会化筹措活动项目资金。

组委会坚持早策划、早宣传、早动员,制定出台第三届青蟹节社会筹资工作方案。社会各界人士特别是三门重点企业的广大企业家,以主人翁的办节姿态,慷慨解囊,踊跃捐资,用实际行动全力支持第三届青蟹节。亚达科技集团、三变科技等5家企业各赞助20万元;县烟草公司赞助15万元;海啊集团、中国银行等20家企业各赞助10万元;其他38家企业赞助2万~8万元不等。本届青蟹节组委会共向社会筹措资金463万元,为各项活动顺利开展提供了强有力的资金保障。

3.评析

"政府主导,市场化运作"的办节模式是三门青蟹节成功的关键。三门县委、县政府高度重视青蟹节,早计划、巧安排,全民动员,多方筹资,市场运作,以蟹为媒,节庆搭台,大做青蟹产业文章。

(二)青蟹节线下活动

1.线下活动丰富多样

首届青蟹节以"新三门、新形象:扬三门青蟹美名,促经济社会发展"为主题,推出渔业观光考察、中国海洋论坛、"青蟹王"拍卖冠名仪式、青蟹宴、农产品工业品展览暨经贸科技洽谈会、地方民间文化艺术展示等14个项目。

第二届三门中国青蟹节以"潜力三门、活力三门、魅力三门"为主题,围绕经贸、文化、旅游三大系列。组织开展三门湾风光摄影大赛、蟹乡美食节、百名记者蟹乡采风、支持三门青蟹上奥运万人跑、海岛休闲游、招商引资暨经贸洽谈签约仪式等18项活动。

第三届三门中国青蟹节举办开幕式暨大型文艺晚会,举行三门青蟹地理标志保护、三门青蟹"中国著名品牌"授牌仪式、闭幕式暨环三门湾民间艺术大巡游、"钱江浪花"艺术团欢乐蟹乡行、三门湾发展系列论坛、金秋蟹乡"渔家乐"系列竞赛、风驰浙江自驾车中国蟹乡之旅、三门名优特新农副产品展示展销会、第三届三门中国青蟹节新闻发布会暨"蟹乡行"新闻媒体采风活动、"三港三城"投资环境说明会暨经贸洽谈签约仪式、三门湾文化创作展览活动"三港三城"系列重点工程竣工开工仪式等多项活动。

第五届三门中国青蟹节主题为"走进蟹乡·创业创新",节事内容以"青蟹产业转型发展、招商引资扩量提质、重点工程提速增效"为重点,相关活动包括:农博园开园仪式暨精品园游园系列活动、台州商界精英三门行暨经贸洽谈项目签约仪式、74省道南延三门段工程浦坝港大桥贯通仪式、2013三门渔业资源放流活动、台州港健跳南港区疏港公路一期工程开工仪式、创新发展经验交流会、青蟹产业发展大讲堂、中国摄影报走进三门影友联谊会等多项活动。

2.线下活动特色鲜明

以第三届三门中国青蟹节为例,节事在策划过程中创新举办了一些特色鲜明的活动,并获得良好效果。比如"'钱江浪花'艺术团欢乐蟹乡行"扩大了群众的参与面,实现了真正意义上的城乡互动。又如环三门湾民间艺术大巡游,共策划出《金秋蟹黄香》等3大篇章10个节目,深受各级领导、各界人士和广大群众欢迎。再如金秋蟹乡"渔家乐"系列竞赛——县海洋与渔业局广泛征集"金点子",和县体育局一起策划的青蟹捆扎等11个比赛项目,集娱乐性、趣味性和群众性于一体,切实做好了"乐"字文章。

第三届青蟹节的活动具有四个明显的特点:一是实施了三门县"三港三城"战略,做足经济文章。举办"三港三城"投资环境说明会等5项活动,与三门县委、县政府提出的"开发三港、建设三城"战略紧密结合,真正做到"青蟹为媒,经济唱戏"。二是推动了优势产业发展,做足青蟹文章。举办三门青蟹产业发展论坛、青蟹宴、"三块牌"授牌仪式等一系列活动,宣传三门青蟹,推动青蟹产业发展。三是进行文化内涵挖掘,做足品位文章。三门湾文化创作展览、环三门湾民间艺术大巡游等活动,都突出了蟹乡民俗风情,充分展示了三门湾独特的农渔文化。四是加强了城乡互动,做足节庆活动群众性文章。"钱江浪花艺术团"欢乐蟹乡、金秋蟹乡

"渔家乐"系列竞赛等活动贴近实际、贴近生活、贴近群众,体现蟹乡特色,使老百姓直接参与到青蟹节的各项活动中来,真正体现了"为群众办节"的主旨,让群众乐在其中。

3.评析

通过浙江三门先后举办的五届"三门中国青蟹节"不难发现,节事特点是:活动丰富多样、特色鲜明。涵盖了经贸、文化、旅游、美食等领域,举办了节庆、会议、展览、赛事、演艺等类型的活动。通过青蟹节推动了三门青蟹产业的发展,也带动了三门经济、社会、文化的发展。

(三)青蟹节线上活动

1.2014年首届淘宝三门青蟹节的活动

首届淘宝三门青蟹节共有三个活动,包括在淘宝网推出99元的超值包装(3~5两青蟹3只,约1.2斤)和1.5斤套餐以及全家福、礼盒、跳跳鱼等产品;举行抽奖免费游三门活动——选择10户家庭,参加由相关旅行社组织的免费游三门活动;举行青蟹王拍卖活动,精选1只3斤左右的青蟹进行网络拍卖。为让活动更有声势,主办方将推出免单、白送活动,只要在物定时间进入相关页面并进行指定操作,顾客订单均可免单或免快递费。

2.2015年第二届淘宝三门青蟹节的活动

活动通过"政府搭台、企业运作"的方式,利用周末淘宝、手机淘宝焦点图、聚划算、淘宝汇吃等阿里巴巴核心平台开展促销。在三门青蟹节期间除了销售三门青蟹外,还引入跳跳鱼、望潮、雪蛤及干货海产品等三门特色小海鲜产品参与活动,丰富了产品类别,通过青蟹带动其他三门特色小海鲜的销售。

3.2016年第三届三门网络青蟹节的活动

这次三门青蟹节,各种互联网元素齐上阵,在启动仪式上通过直播、电商平台、微商等渠道进行宣传。首次通过举行"五大网红带你游三门品青蟹"的大型网络直播活动,全方面地展现了三门青蟹从养殖到餐桌的全过程。三门县和多个营销平台举行联动促销活动,特别是淘宝网特色中国活动,以"特色中国·三门馆"为载体,通过搭建专题页面形式全方位展示三门青蟹及小海鲜,举办集中售卖活动。网络销售除主推三门青蟹之外,同步售卖血蛤、跳跳鱼干、对虾干等三门本地农特产品。线上限时活动结束后,"慧顾家"将通过江浙沪1 000多个线下便利店进行品牌推广,"萌店"将通过朋友圈,利用拼团形式在移动电商端进行推广。

4.2017年第四届三门网络青蟹节的活动

本届三门·中国网络青蟹节以"一品青蟹、天下为鲜"为主题,活动时间为8月30日至10月31日。活动分为启动仪式、专家研讨会、大型淘宝达人网络直播、新媒体传播、线上售卖、青蟹保险等六个项目。其中,9月4日至8日,淘宝特色中国·三门馆优选三门青蟹和农特产线上优质商家,搭建三门青蟹节专题页面,进行线上销售。同时,活动整合淘宝网、一淘网、淘宝客、天天特价、淘宝试吃、萌店拼团、众筹网、批发分销等核心资源进行为期2个月的活动售卖。不同以往的是,本届网络青蟹节结合专题研讨、新零售场景互动、网红直播、内容营销、平台支撑等多元化方式,创新历届青蟹节玩法,将最鲜美的三门青蟹呈现在消费者面前。与此同时,启动仪式也是亮点频频:三门青蟹联合百度发布《三门青蟹产业网络数据白皮书》;"淘宝网特色中国·三门馆"升级馆正式授牌并启用。

5. 2018年第五届三门网络青蟹节的活动

与往届青蟹节不同,本次活动以"海誓山盟·永结同心"为主题,通过东西部扶贫协作,把三门县和苍溪县核心特色产业聚合在一起。两地借助"互联网+农产品",将海边鲜味和大山美味带给全国消费者,带动本地百姓增收致富,实现精准扶贫。三门县借助"互联网+产业新生态"扶贫新模式,整合多方资源,依托淘宝网、京东商城、有赞商城、农淘优选等平台,上线三门青蟹和苍溪红心猕猴桃系列产品,打造了"蟹蟹有你,红心代表我的爱1元助农"活动,并通过内容营销、短视频营销、三地跨界营销等多营销渠道推广。青蟹节启动仪式现场举办了浙江省农产品电商资源对接会(三门站),通过引入更多资源,打造两地区域公共品牌。

6. 2019年第六届三门网络青蟹节的活动

第六届三门·中国网络青蟹节(图3-14)继续将三门的鲜甜海味和苍溪大山的丰富山珍结合在一起,有效发挥电商对消费的带动和引领作用。本次活动运用大数据、云计算、移动互联网等现代信息技术,形成更多的流通新平台、新业态、新模式。线上预热活动借助"互联网+产业新生态"模式,依托淘宝网、农淘优选、贝店、小程序等平台,通过内容营销、视频营销、新媒体等多渠道推广方式全面启动。活动借助"互联网+",打通"农产品出山"和"网货下乡"的双向通道,让"电商"成为消费扶贫的新举措。启动仪式当天,活动还围绕"山海之约,蟹逅三门"主题,搭建农产品特色展示区,通过现场品鉴、组合销售等多种推广手段对三门青蟹和苍溪红心猕猴桃进行推介。

图3-14 第六届青蟹节海报

7.2020年第七届三门网络青蟹节的活动

第七届三门网络青蟹节(图3-15)活动以"云赋三农、蟹逅未来"为主题,分为启动仪式、线上售卖、直播营销、新媒体传播等活动。同时,创新历届青蟹节举办方式,邀请明星主播、百万级淘宝主播,在淘宝吃货、正宗原产地等官方账号,进行产品溯源等多场次直播,通过直播网民可清楚了解三门青蟹的养殖基地、生长环境、捕捞作业、发货场景等内容。活动期间,淘宝吃货官方账号将直播镜头特别对准了三门县涛头村的青蟹基地,进行了一场趣味的溯源直播。主播不仅带着粉丝云游青蟹基地,更是请到当地青蟹料理大厨,为粉丝详细展现了青蟹的挑选、烹饪的全过程,引得全国消费者争相购买。同时,在微信、微博等新媒体阵地上,一系列有关三门青蟹的线上传播推广动作也在积极展开,以趣味的长图条漫、产地溯源短片等形式,围绕三门青蟹的产业历史、生长环境等进行了全方位地趣味解读,让消费者对三门青蟹实现更进一步地了解。在淘系平台上,开设三门青蟹专题活动页,全国消费者只需要在手机淘宝上搜索"淘宝吃货",就能购买到正宗鲜甜的三门青蟹

图3-15　网络青蟹节

8.评析

"互联网+农业"已成为县域电商发展的大趋势,2014年至2020年,浙江三门在前五届"三门中国青蟹节"的基础上先后举办了七届三门网络青蟹节。三门网络青蟹节推动了三门县青蟹产业的电商化,有效提升了消费者对三门青蟹的品牌认知,拓宽了三门青蟹线上销售渠道,带动了三门其他农特产品的线上销售。同时,三门县借助网络青蟹节开创了"互联网+产业新生态"的扶贫新模式,将三门青蟹与苍溪猕猴桃联合推广,共同打造区域公共品牌,带动农民脱贫致富。

第八节 上海国际艺术节

一、基本情况

(一)上海国际艺术节的简介

中国上海国际艺术节是由中华人民共和国文化部主办、上海市人民政府承办的重大国际文化活动,是中国国家级综合性国际艺术节。举办时间在每年10月18日至11月18日前后。

中国上海国际艺术节自成立以来在节目版块设计上进行了不断地丰富,成立之初主要有舞台演出、艺术展览、群文活动以及演出品交易四大版块,后又加入了学术论坛和节中节等版块。

结合本地两千多万的常住人口和国际艺术节的定位,群众性和国际性是艺术节考虑的首要因素,由此便得来了"中外艺术的盛会、人民大众的节日"这一办节宗旨。通过不同版块的有机结合,紧跟国家文化"走出去"的方针指引政策,艺术节在秉承"举办国际水准艺术演出"的道路上,不断探索出具有中国鲜明特色的上海国际艺术节办节模式。

(二)上海国际艺术节的影响

1.激活市场,优化资源配置

中国上海国际艺术节充分利用各国艺术界人士和各国艺术精品云集上海的良机,创办了国际性的演出交易会,通过市场媒介,为中外艺术作品的交流牵线搭桥。第五届艺术节交易会新设"国际交易会展区",直接与一些国际著名演出交易会、国际著名艺术节进行交流合作。2013年第十五届艺术节首次将交易会、论坛和部分推介演出集中于浦西洲际酒店举行,形成主会场效应,提升了集聚效果。

同时,2013年第十五届艺术节首创项目创投会,向投资界推介国内有融资需求的公司和演出项目,力求实现资本与文化的对接。艺术节牵头引进了若干在国际上热演的大型演艺产业项目,比如在纽约热演的《无人入眠》,并向国内投资界开放。2015年第十七届创投会建立艺术节演艺项目创投会网站平台,打造线上项目数据库,提高了项目方与投资方洽谈效率,并且与大型互联网公司合作,引进众筹等演艺项目的融资新模式。

2. 扶持创新，打造项目孵化平台

第十一届艺术节首创"All In Art 创艺校园行"活动，使艺术节走进了大学校园。第十二届艺术节为积极服务世博，筹划了"挪威音乐校园行——世博版块"。第十四届艺术节特别组织了 20 场"国际艺术节校园行"活动，还为中德两国 100 名非艺术专业的中学生搭建了专业的演出平台。2015 年第十七届艺术节上，"扶青计划"成功推出了 14 部委约作品、100 多场邀约演出。已连续举办四届的"扶青计划"为新人培养、原创孵化、艺术教育开辟了新途径。

3. 扶持青年创新文化，发展国民艺术

中国上海国际艺术节一向注重青年市场的拓展，开展了一系列艺术教育、校园行、公益讲座等活动，第十七届中国上海国际艺术节针对大学生师生开展了 40 多项校园行活动，同时，针对中小学生，艺术节推出了相关艺术剧场、艺术讲座等版块。无论是"扶青计划""青创周"还是艺术教育，艺术节一直在培育和创新文化资源方面努力提供全方位便利的条件。每年艺术节都会委约艺术家进行创作，其中包括著名大咖如作曲家谭盾、舞蹈家杨丽萍等，也有"扶青计划"的新秀，如青年作曲家龚天鹏、上海昆剧团团队，各类论坛也在帮助艺术节探索今后的发展道路。让中国艺术从"高原"走向"高峰"。

4. 服务广大群众，发展全民艺术

第十届艺术节高举"文化服务民生"的旗帜，艺术节组委会从 50 台参演剧目中抽取了约 30 000 张优惠票向市民发售，除此之外还购买价值 30 万元的 1 000 余张票，赠送给上海援助四川抗震救灾、重建家园的工作人员家属，并与慈善基金会合作举办"七旬老人步入艺术殿堂"大型公益活动，向 70 岁以上老人赠送价值 30 万元的各类演出戏票，把政府的敬老爱老工程落到实处。艺术产业与人民大众有着相互依存的关系，一方面艺术产业满足了人民大众的精神文化生活需要，另一方面人民大众能推动艺术产业更快更好地发展。

二、立项创意及评析

(一)上海国际艺术节创立的背景

1. 我国急需一个对外开放的国际艺术节

我国艺术产业发展与国外相比起步较晚，而通过双向开放的国际市场，可以学习到国外艺术产业先进、成熟的运作经验，可以吸取世界各民族优秀文化的艺术养分，来充实我们艺术产业的母体。同时，通过与外国艺术产业的良性竞争，可以发现自身的不足，打破不合理的条条框框，引进先进的机制、观念、管理模式，壮大本国艺术产业。

2.上海的文化底蕴浓厚、文化设施齐全

上海是一座多种文化相互汇集的城市,既有西方文化的痕迹,也有近代中国文化发展的气息,既有内地文化的输入,又有沿海文化的存在。

中国上海国际艺术节举办场地囊括上海市内 12 家剧院,其中上海大剧院、上海东方艺术中心等都是国内一流剧院,除此之外,还包括中华艺术宫、上海展览中心等展览会场。这些剧院、会场的支持使得艺术节有了一个高端的艺术文化交流舞台,在展现着上海这座城市文化艺术同时,也培养着受众长期的艺术欣赏习惯,切实可靠地为艺术节品牌推广打下坚实的基础。

(二)上海国际艺术节的优势

1.名人效应

中国上海国际艺术节凭借其国际化的平台,邀请来了许多国内外著名的艺术家参与,如世界著名艺术家普拉西多·多明戈、马友友、伊扎克·帕尔曼、克里斯蒂安·齐默尔曼等。

以第十四届中国上海国际艺术节为例,国内著名舞蹈家杨丽萍带着自己的作品《孔雀》登上艺术节的舞台,作为"孔雀公主"象征的杨丽萍,称此次演出将是自己台前的收官之作。此言一出,在杨丽萍的个人品牌作用下,《孔雀》成为当届艺术节最受欢迎的节目之一,同时也使人们关注到艺术节的其他演出内容。但是不可否认的是,中国上海国际艺术节在树立自己"专属"品牌艺术家、品牌艺术团方面还是值得期待的。

2.面向国际,开放发展

上海国际艺术节从诞生伊始就确定了国际化定位,把艺术节作为艺术产业对外开放的窗口,坚持引进来和走出去。首届上海国际艺术节从参演团体、演出剧目、观众等多个角度着手,使艺术节具有国际化的定位,如在首届艺术节的开幕式上,组委会特邀了 550 名外宾参加,闭幕式也邀请了近 400 名外宾参加。第二届上海国际艺术节更加重视对海外的宣传,艺术节中心提前五个月走出国门,赴新加坡举办新闻发布会,并制作了本届艺术节的画册、光盘、海报、节目介绍等宣传品赴东南亚、欧洲诸国,引起了海外艺术节、媒体的热情关注,使中国上海国际艺术节在海外名声大震。

3.服务大众,扩大参与面

组委会先是设立让民众参与进来的各式活动。首届上海国际艺术节面向全国公开征集节徽、节歌、海报,群众与中外专业演员同台献艺、"大篷车"宣传巡展、千人绘画、知名艺术家进小区等活动,让群众真正参与到艺术节当中。随后第二届艺术节组织了世纪公园游园活动暨大型音乐焰火联欢晚会、国际音乐焰火节、特色文化街艺术巡礼、中外艺术家进社区、国际艺术节知识大赛、"苏州河光明行"赛艇与

文艺演出等大规模的群众性文化活动,引起了强烈反响。

在民众购票的便捷度、优惠度方面,首届艺术节组委会组织演出经纪机构、表演团体、演出场所三家联手出票,通过网上订票、电话订票、送票上门等服务措施方便群众购票。2003 年第五届艺术节首次推出低价票工程,由上海市政府通过上海市文化发展基金会,出资约 100 万元,补贴艺术节销售 10 元至 100 元之间的低价位优惠票。这一民心工程在社会上产生了良好的反响。第十一届还组织把优惠票送到大学校园,深受大学生欢迎,同时还和慈善基金会联手,向 3 000 名 70 岁以上的老人赠送戏票,让老人免费观看艺术节演出。

(三) 立项创意的评析

在内容上,艺术作品体现了对中国文化的传承,在形式上,符合国际审美标准。艺术节为本土化节目加入了各种跨界元素,加深了国际受众对中国文化的理解和认可。同时还加强了与世界顶级艺术节间的联系,实现常态化合作,在保证文化多元性的基础上,为中国优秀文化打上标签。

三、上海国际艺术节的经典做法及评析

(一) 展览板块

1. 舞台演出

截至第二十届上海国际艺术节,活动共向中外观众呈现了 1 034 场中外展演,舞台演出作为艺术节活动的核心,在艺术性和观赏性方面都有很大提升。

2. 展厅展示

展厅展示作为交易会的基本形式是任何一项演出交易会都必不可少的,每年艺术节交易会会开放 150 个展位供参会代表交流演出产品、洽谈合作意向。2015年,艺术节交易会建立了网上预约洽谈系统,参会代表可以自荐项目上传至网站,买家可提早进行项目浏览,并预约卖家于实体交易会期间进行洽商。这种方式通过网络大数据分析也可以充分了解买家的需求,利用网上预约平台将重点项目信息推送给买方代表,从而大大提高买卖双方预约洽谈的效率,促进交易意向的产生。

3. 推介演出

目前艺术节交易会已经形成了以推介演出主会场为圆心的"推介演出圈",2017 年第十九届艺术节交易会共有推介演出总数 33 台。比如,杨丽萍新作《春之祭》现场片段演出过后,立刻收到了爱丁堡国际艺术节、加拿大多伦多艺术文化节、卑尔根国际艺术节、香港管弦乐团、威尔士艺术委员会等剧院、艺术节的诸多合作

邀请,推介效果十分理想。

4. 视频选拔推介会

视频选拔推介会是艺术节交易会区别于国内其他交易会的重要组成活动,主要分为境外项目视频选拔推介会与国内"走出去"项目视频选拔推介会。该形式是借鉴美国演艺人协会年会(ISPA)的新作视频选拔推介会引进的推介模式——每年7月主办方会在交易会官网开通视频项目选拔推介会的报名申请通道,每家注册机构都可以提交一个自荐项目。再由包括来自肯尼迪表演艺术中心、美国演艺人协会年会、国家大剧院、中国对外演出公司等国内外资深演出场馆、艺术节的负责人当选国际顾问,投票评选出两场推介会各10个优秀入围项目,这20个项目可以获得十分钟现场推介机会。

而上海艺术节的推介会除了拥有上述内容之外,这20个入围项目还均将通过交易会官方微信平台发布,并结合国外热门社交媒体平台针对国外重要买家进行"点对点"的项目信息推送。最终现场票选前五的项目将在一年内获得优先向艺术节交易会数据库内千家外国机构进行推广的机会,并且艺术节中心将在国外交易会时进行重点推介。

此外,通过视频推介的方式,结合大屏幕高清视频进行现场推介演讲以及现场发放的入围项目的基本资料(项目基本介绍、技术参数、未来档期、演出费用、联系方式等),便于买家全方位评估项目的可行性,有效节约沟通成本。

同时,来自现场国际顾问的点评也可以降低买家挑选项目时的盲目性,并能为入围项目推广增加宣传亮点。除此之外,"走出去"项目视频选拔推介会还得到了国家对外贸易基地(上海)的资助,入围的优秀项目可以获得3万~5万元资金补贴,协助其拓展海外市场,这无疑更有效地促进了国内演艺项目的"走出去"进程。

5. 艺术展览

艺术节每年举办十余项展览用于展示我国青年画家的绘画创作以及具有历史价值的文物,丰富的种类吸引几十万市民前来参观。第十七届中国上海国际艺术节共开展十一项展览项目,这些展览中不乏有一些已经成熟的品牌项目,比如始创于1997年的上海艺术博览会,在1999年就被纳入中国上海国际艺术节当中,目前上海艺术博览会这个品牌项目已经成功举办了十九届,中国上海国际艺术节以及上海艺博会两大品牌集于一体,艺术盛会强强联手,品牌效应大大加强。

2012年,上海美术馆和上海当代艺术博物馆分别迁入原世博会中国馆(中华艺术宫)和未来馆,成为艺术节办展的重要场所。硬件拓展和科技进步使得各种展览不再千篇一律,声光影打造了全新的视觉体验,组委会也尝试利用跨界的手法丰富展览形式。

6. 评析

在展览上上海国际艺术节不断做出创新形式。推介演出将买家集中起来进行演出片段展示或在剧场内完整演出,可以有效地节约成本,提高合作洽谈效率,体现了现场推介演出这类形式的有效性。而设立的两个视频选拔推介会,可以使国外买家了解国内近期的演出信息,获得与我国表演艺术团体与机构直接交流的机会,也可以帮助一批国内优秀的演艺团体、经纪公司等机构充分地了解国外演出承办人的需求,积极融入国际表演艺术市场,推广代表中国特色的表演艺术作品。

(二)论坛创投板块

1. 论坛

中国上海国际艺术节论坛是艺术节下属活动之一,论坛力图将世界先进理念与实践案例进行总结并呈现出来。例如,十七届中国上海国际艺术节的论坛主题为"互联互通时代的艺术:现状与未来",活动中主旨论坛邀请到了来自国外的美国林肯中心艺术总监、捷克布拉格之春音乐节总监以及国内著名舞蹈家、编舞家、画家、导演以及当代传奇剧场艺术总监等,国内外资深艺术从业者深入剖析互联互通大背景下的艺术现状与未来,可以结合案例对主题进行实际案例沟通交流。与此同时,多种系列论坛围绕不同主题展开,包含了时下最热的关注点以及演绎发展的最新趋势,更围绕城市文化发展与艺术教育二者之间的关系进行了思考,在围绕论坛主题的背景下,系列论坛更是将来自艺术节、剧院、拍卖公司、导演、艺术家等全球舞台艺术高端资源汇聚一起,辨析并推演最新发展趋势,分享科技在艺术领域的运用与发展案例,探讨城市文化发展与艺术教育的实践与思考。

论坛还持续关注业内热点,如今多媒体技术的快速发展赋予了舞台表演艺术更多的可能性,"沉浸式戏剧在中国"以及"表演艺术需要 VR 吗?"等论坛活动都从国内戏剧发展的不同模式出发,以国际化视野探讨国内沉浸式戏剧以及 VR/AR 与演艺项目结合的发展前景及潜力所在。尤其在论坛活动结束后的艺术科技 VR/AR 专题展示体验区,芭蕾演员带着 VR 动作捕捉传感贴片舞动跳跃,甚至在威亚的支撑下飞翔,而观众走上舞台,带上 VR 眼镜,看到舞者在他身边起舞,互动性极强。之后开心麻花、上海梦现场文化发展有限公司、狄拍科技公司在交易会展会和论坛以及演艺项目创投会上达成 10 余个合作意向,并于论坛现场发布了与美国纽约三腿狗艺术科技中心的全新合作,走在了业内前沿,为引领与探索演艺产品创新提供了新的思路。

2. 专业研讨会

艺术节交易会每年都会举办专业工作坊、法律顾问沙龙等活动,对演艺行业从业人员进行指导与培训。每年的两个专业工作坊——"如何进入国际市场"以及"如何进入中国市场",都会邀请 2 位视频项目选拔推介会国际顾问及 2 位国际演出经纪人进行演讲互动。国际顾问从选拔过程中的项目材料说起,总结如何准备海外推广宣传资料,如何在国际推介会上进行有效陈述,并根据国际顾问位各自文化机构遴选节目的经验,建议项目团队关注向海外机构推广时应重视的要点。富有经验的国际经纪人也从实例出发分析中国节目在海外推广、演出时遇到的问题与解决办法。

3.演艺项目创投会

每年演艺项目创投会于实体交易会前3~4个月通过网络平台发起项目征集,由创投会组建项目推荐小组,初选出入选项目,再与核心投资方进行复选,向入选项目提供投融资专业服务。于交易会期间举办的实体创投会将进行行业信息发布与演讲,并由入选项目制作团队按规定要素进行简短介绍,主持人引导核心投资方对制作团队进行问答互动。2017年的演艺项目创投会以"跨界·融合"为主题,通过线上与线下的结合和文化与金融投资界的联通,探讨"跨界·融合"的更多可能,使得更多具有潜力的项目获得启动资源并进入制作阶段。

4.评析

上海国际艺术节在论坛板块积极创新形式,寻求更好更有效的文化传播及创造平台渠道。上海国际艺术节论坛与上海戏剧学院等多元主体进行合作,有效地把业界、商界等资源与学界相互融合,在艺术多门类的探析中,将这些优质的资源传递给年轻人。通过论坛这样的形式,将艺术节的品牌推广至更多专业群体当中,在获得专业人士肯定的同时,也将艺术节品牌更有效地推广出去。

(三)青少年文化版块

1.艺术教育

青少年群体一直是艺术节重点关注和培育的群体,第十七届中国上海国际艺术节推出了"艺术教育"的新理念,相继推出艺赏会、艺云堂、创艺坊以及特别策划活动等四大版块。2015年设立的艺术教育板块让艺术普及有了针对性和引领性的拓展。为了配合青少年的道德教育和艺术素养,艺术节活动用年龄分层、精准定位的方式,从演出交流、进剧院观摩、双向互动,艺术培训五个方面展开活动。例如,艺术节专门为青少年开办了"周周演",群文部通常在周末推出青少年专场演出,包括音乐、戏剧、舞蹈、朗诵,青少年所创作的优秀作品还会在上海各区进行巡演,这也为青少年的艺术素质拓展提供了舞台。

2.亲子专业平台

艺术节交易会与上海儿童艺术剧场合作,于2016年开创了儿童亲子板块作为特别专业平台,设置了包括推介演出、话题讨论、展台交流等活动,围绕儿童剧的主题、儿童剧场与艺术节内容策划、中外联合制作儿童剧三个方向展开交流与讨论,通过讨论行业焦点热点,提出对儿童剧行业有启发性、建设性的观点,分享对行业发展有价值的经验。

3. "扶青计划"

2012 年第十四届艺术节首次创设"扶持青年艺术家计划",从全国各地遴选出来 9 位青年艺术人才,通过与艺术节委约的方式,围绕"上海·梦"进行主题创作。这个计划的目的是努力发掘当今优秀的华人艺术家,并提供艺术创作和上演的条件,该计划的重点项目是"委约创作"。其中的优秀作品的相关团队还会得到世界各国艺术总监和知名经纪人的演出邀请,这个项目如今成为艺术节中备受青年艺术家们瞩目的重要版块之一。2013 年第十五届艺术节,"扶持青年艺术家计划"与上海戏剧学院合作,同期举办"青年艺术创想周"(青创周)活动。扶青计划走进校园,进一步丰富了内容与形式。2015 年第十七届艺术节上,扶青计划成功推出了 14 部委约作品,进行了 100 多场邀约演出。已连续举办四届的扶青计划为新人培养、原创孵化、艺术教育开辟了新途径。

经过多年的积累,"扶持青年艺术家计划"在国际上具有了一定的知名度,很多国际知名艺术总监都在艺术节期间专程赶来观看"扶青计划"的首演,这也使得该计划中脱颖而出的青年艺术家和优秀艺术作品成为中国向世界展示原创艺术的新生力量,成为上海国际艺术节对外交流的重要窗口。

4. 评析

上海国际艺术节开设多个版块对接文化领域下的儿童启蒙、少年学习、青年创作,真正做到了普及人民、造福人民的文化节宗旨。在青年文化版块上,上海国际艺术节努力做好中国文化艺术的摇篮。无论是"扶青计划""青创周"还是艺术教育,艺术节一直在培育和发掘文化资源方面努力提供全方位便利的条件。每年艺术节都会委约艺术家进行创作。各类论坛也在帮助艺术节探索今后的发展道路。通过艺术教育,青少年与艺术零距离接触,这不仅培养了下一代观众,更提升了城市文化水准,同时对于培养未来艺术家、传播中国优秀文化具有深远意义。

(四)公益活动版块

1. "天天演"舞台

2002 年,中国上海国际艺术节主办方将演出搬到了户外,来到上海最繁华的商业街,并搭建了"天天演"舞台。

民族歌舞是每年节日中的亮点,市民在家门口就能欣赏到来自各地民营艺术团和民间艺术家身着特色民族服饰的演出。除此之外,活动主办方还让艺术自上而下多角度渗透,每年艺术进校园、进社区是群文活动的保留项目。例如在"区县周"活动中展现不同区域的民风民俗——浦东文化、青浦淀山湖文化等。

"天天演"作为上海市政府公共文化服务的品牌,参与者既有业余演出团体,也有专业院校学生,还包括残疾人艺术团体。此外,城际间的交流也是必不可少,周浦书画、北蔡曲艺都是江浙皖百姓文化成果的集中体现,也体现了活动版块设计贴近百姓生活的一面。

2."艺术天空"版块

第十六届艺术节群文活动中,"艺术天空"板块问世,其中上演的中国作品主要为民族器乐和民族歌舞,如上海民族乐团的民乐专场以及大型音乐史诗《金陵交响》等。

户外演出覆盖上海17个区县,尤其为嘉定区、崇明区这样的偏远区县送去了高质量的演出节目,线上线下惠及人次超过千万。

3.评析

公益群文活动不仅拥有不同的受众基础,而且还能够有针对性地将"广场文化"融入民族精神文化生活。每年节日期间,市民足不出户,就能欣赏到来自各地民营艺术团和民间艺术家身着特色民族服饰的演出。国外的游客也能够感受到浓浓的节日氛围。

(五)异地办节模式

1.分会场

第十四届艺术节首次开设分会场——无锡分会场。此次艺术节除了邀请大牌剧院团,也在有意培养本土的演出资源,以无锡分会场为例,舞台展演中锡剧专场占据了总场次的三分之一以上。随后的艺术节也陆续开设宁波、合肥分会场,艺术节品牌深入人心。2018年艺术节在内蒙古自治区设立了第一个北方分会场,结合了内蒙古草原文化。分会场不限于国内,如第十三届上海国际艺术节上的"廖昌永海外独唱"音乐会是艺术节首次在海外举办的专场演出。

2."嘉宾国"与"嘉宾省"

艺术节创办以来,一直致力于国际间的文化交流,从2002年起艺术节为搭建各国互通桥梁,每年邀请嘉宾国进行展演,先后为新加坡、匈牙利等国举办系列演出,还举办了诸如"挪威音乐校园行"的音乐教育活动。而从2005年第七届艺术节起,加入"嘉宾省"版块,每届艺术节邀请不同省或地区作为嘉宾,包括云南省、江苏省、内蒙古自治区等13个省市或地区。

从搭建桥梁引进西方经典到将目光聚焦国内挖掘本土文化遗产,每年一个嘉宾省,艺术节开始着重展现中国文化的多样和深厚。例如在第十五届宁夏文化周,岩画展和原创舞剧《花儿》充分展现了塞上江南的独特风情;第十六届艺术节陕西文化周,将黄土高原的非遗"鼓乐"隆重搬上舞台,另外还展出了当时刚刚出土的西周青铜器。

3.评析

异地办节是将固定的文化节传向中国大江南北,甚至是走出国门。这一方面传承弘扬了我国灿烂的文化,一方面打开了国门促进了国际文化交流。上海国际艺术节主办方从第十届开始用主题定义整届艺术节,作为艺术节浓缩的关键词直接表达核心思想。主题中无不传达出大国胸怀和高度的东方审美,版块设置时的中国特色更加鲜明,同时将"开放、交流"的办节宗旨和上海文化发展的目标紧密联系起来。

(六)运作模式

1.可持续发展模式

艺术节的运作是"政府推动、社会支持、市场运作、群众参与"四位一体的,其市场化运作水平的高低不仅关乎艺术节的经济效益,而且决定了其能否可持续发展。艺术节首次推出"全程合作伙伴"的新概念。还有许多企业以冠名、独资或共同经营等形式支持艺术节,充分说明其市场运作已日趋成熟。艺术节新设"国际交易会展区",通过互换展位特别组展的方式,直接与一些国际著名演出交易会、国际著名艺术节进行交流合作,拓展了国际演出交易平台。此外,新设"演出经纪人展区",对演出经纪人(特别是民营体制的)给予优先参展和优惠的准入政策,体现了演出交易的多元化。

2.多种形式交易会

上海国际艺术节演出交易会作为国内历史最长的演出交易会,拥有多年的举办经验。国内大部分省市与港澳台地区以及国外近 100 个国家与地区的超过1 500 余家表演团体和机构的业内人士都来沪参加过艺术节交易会。艺术节交易会通过互联网与实体活动相结合,连通国内与国际演艺市场,帮助实现生产要素流通与交易、项目融资与孵化,并实现了生产要素信息自由流通,成功推动了一大批中国演艺项目走出国门。艺术节团队帮助协调推广的科学培育模式(图 3-16),从源头、资金、渠道上保证了表演艺术走向国际市场的三个重要环节的无缝衔接,形成"选拔推介、专业培训、资金扶持、艺术节品牌海外集中推广"的一条龙式的中国"走出去"原创作品孵化、推广机制。节目交易部还积极展开与国际演出交易会的合作,自 2014 年起,艺术节交易会就采取以现场推介为主、视频推介为辅的形式,在全球最大的美国演艺出品人年会(APAP)及国际演艺协会年会(ISPA)上向国际市场进一步推介中国优秀原创作品。

2013 年至今,通过艺术节交易会平台实现了国内"走出去"重点项目已达 60 项,其中超过半数为"扶持青年艺术家计划"的委约作品。正是这种由艺术节"扶青计划"委约创作的方式,成功助力大批中国优秀原创表演艺术作品走上国际世界的舞台。

3.评析

上海国际艺术节集聚的线下实体活动可以与线上系统形成良好的 O2O(Online to Offline)互动效应,并利用互联网手段集聚演艺生产链与产业链上下游企业,带动区域文化创意演艺事业与产业的集聚效应,从而更好地促进演艺行业"走出去"的相关后续文创服务产业链的繁荣发展。

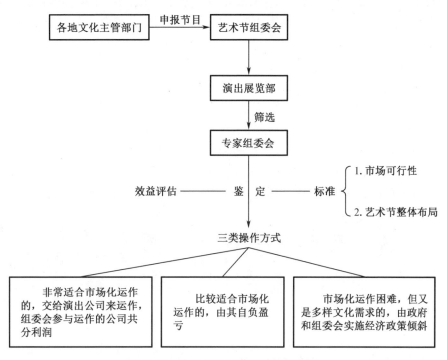

图3-16　市场化运作节目选择流程图

(七)宣传推广策略

1. 简介

中国上海国际艺术节官网下设首页、新闻、演出展览、艺术天空、扶青计划、交易会/论坛、艺术教育、特别活动、关于艺术节、会员中心10个内容。官网包含"艺术及内容介绍""艺术节机构及历史介绍""艺术节青年观众拓展"及"艺术节会员"等内容,可见官网除了具备让受众了解艺术节本身这一功能外,还具备售票及其他衍生性服务的功能。就发布平台而言,相关微信、微博账号成为网络社交平台传播的主力军,此外还有新兴的音视频网站如腾讯视频、喜马拉雅、哔哩哔哩、抖音等。其中在微博平台方面,主办方除了注册艺术节官方微博,还为每一个下设的板块注册账号,如"扶青计划""青年艺术创想周""上海国际艺术节艺术教育"等。第十七届中国上海国际艺术节在宣传推广时,采用了软件应用的品牌推广方式,通过时下流行的软件——微信展开。在微信当中,受众不仅可以订阅艺术节的公众号,随时查看演出信息,还可以咨询购票活动,在提供方便快捷的服务同时,还在微信城市服务功能中,对艺术节进行了特殊的推介。2018 年 10 月 19 日至 11 月 23 日期间,第 20 届中国上海国际艺术节共统计到艺术节相关的原创报道 3 316 篇,这些报道来自 109 个城市的 845 家媒体。从媒体地域分布情况来看,中央媒体报道 317 篇,占全部报道的 9.56%,上海媒体 2 262 篇,占 68.24%。国内其余省市地区和境外报道各占 21.12%和 1.09%。

2. 评析

多种渠道宣传的方式是上海国际艺术节的首选宣传方式。上海国际艺术节通过宣传手册、报纸、电视、网络媒体、官方媒体渠道等多种途径,扩大宣传范围。其中,网络媒体异军突起,成为上海国际艺术节报道主力。而传统媒体中报刊、电台、电视台的宣传也占很大的比重。在网络媒体中,上海国际艺术节对官网的建设尤其重视。为了缩小传统媒体带来的信息单向传送、互动性差的缺点,上海国际艺术节还重视打造能够与受众产生良好互动的公众号微信平台。

第九节　天猫"双十一"购物狂欢节

一、基本情况

(一)天猫"双十一"的简介

天猫"双十一"购物狂欢节(简称天猫"双十一"),是指每年 11 月 11 日的网络促销日,源于淘宝商城(天猫)2009 年 11 月 11 日举办的促销活动,当时虽然参与的商家数量和促销力度有限,但营业额远超预想的效果,于是每年的 11 月 11 日成为天猫举办大规模促销活动的固定日期。2012 年,淘宝商城正式更名为天猫,11 月 11 日促销活动也有了一个正式且响亮的名字——"双十一购物狂欢节"。2015 年"双十一购物狂欢节"升级为"全球狂欢节",并宣布举办"天猫双十一狂欢夜"。至今已成为国内最大的电商购物节日,也是具有全球影响力的购物节。2019 年,美国项目管理研究杂志《PM Network》在一项评选中,将天猫"双十一"评选为第 6 位"全世界最有影响力的项目"。2020 年天猫"双十一"成交额达到 4 982 亿元,再次刷新"双十一"记录。

(二)天猫"双十一"的影响

1. 提升消费水平

"双十一"作为一个有话题性的重大节事活动,无论在消费者群体中,还是零售商群体中都极具冲击力,因为活动可以在极短的时间内形成非常高的成交额。"双十一"节日化、运动化的特点令"双十一"期间的消费对日常消费的挤出效应较弱,可以有效地提升消费者全年消费水平。当前年轻人的生活中高度依赖手机,手机是年轻人生活运转的中心。网购通过手机 APP 嵌入年轻人的生活圈,促进年轻人消费。由于外部环境的不确定性,我国当前面临外需不足的问题,促进消费、提升内需可有效拉动中国经济。

2. 促进市场经济的快速发展

"双十一"不仅仅只是商家的销售策略,还使整个产业链都发生了惊人的变化。"双十一"促进关联产业的发展,使市场经济随之快速发展。其中,受影响最直接、最重要的行业就是物流行业中的快递业。经受了"双十一"洗礼的快递业再面临其他任何行业困难都无所畏惧,正是这样的考验促进了快递业的发展,提高了快递的业务水平,扩大了快递业的规模。此外,"双十一"也改变了网上支付的形式,各大银行也会在"双十一"前升级自己的支付系统,以应对可能出现的因为大量刷卡造成的系统卡顿问题。"双十一"为金融行业的发展开创了新的模式,从另一方面促进了市场经济的发展。

3. 促进传统零售行业转型升级

传统的零售行业弊端很多,在电子商务的对照下尤为明显,它受到很多条件的制约,包括地理位置、门面租金、人力成本等。随着市场经济的发展,租金、人力成本等越来越高,传统零售行业已不堪重负。如果任其弊端发展,会有更多的实体店消失,这样会造成大量人员失业,对于整个社会来说都是极其不利的,所以传统零售行业一定要积极转型升级。"双十一"的经济效益给实体店带来了希望,实体零售业发挥自己的长处,做出自己的特色,关闭一些位置不太好的店铺,专心经营地理位置优越的店铺,打造标准店、旗舰店,提升消费者的体验感。

4. 促进电子商务快速发展

"双十一"的出现引发了电子商务的变革,商家为了吸引顾客,不仅在促销手段上大胆创新,更是结合了现在最流行的直播方式,对商品进行全面推广,让电子商务的发展形式更加多元化。"双十一"产生的巨大销售额和经济利润也吸引更多的商家进入到电子商务行业,电商群体不断扩大,"双十一"无形之中促进了我国电子商务的快速发展。

5. 促进小微企业发展

网络销售模式使分散式的网络零售商取代了集中式的实体零售商,降低了零售业的门槛,催生出大量小微零售企业。"双十一"借助平台的力量,采用运动式的打折模式,实现了消费者精准定位,让价格敏感型消费者在"双十一"购买低价商品,而非在平时购买高价商品。这种消费者分类定价有利于提升小微企业利润。

二、立项创意及评析

(一)天猫"双十一"的创立者

淘宝网首席财务官张勇是于 2007 年 8 月加入阿里巴巴集团的,他参与设计淘宝商业模式,帮助淘宝实现盈利,是"双十一"购物狂欢节的创立者,并将其打造成全球最大的网购狂欢节。

2008 年张勇兼任淘宝网首席运营官及淘宝商城总经理。在张勇带领下,淘宝商城 B2C 业务高速发展,成为阿里巴巴集团最重要的业务之一,获得消费者和全球品牌商的高度认可。

(二)天猫"双十一"创立的背景

"双十一"购物狂欢节最早举办是在 2009 年,当时阿里旗下也分为两个线上购物平台,分别是淘宝商城和淘宝网,淘宝商城其实就是现在的天猫平台。刚刚起步的淘宝其实和现在的拼多多有很多相似的地方,为了改变人们的购物习惯,淘宝平台中出售的商品价格普遍都会比线下的低。商品价格越低,就代表着商品的质量越差,所以当时很多人对于淘宝平台的态度并不是很好。

为了解决这个问题,阿里就推出了淘宝商城。淘宝商城主要的方向是做相对高端的市场,对于平台中销售商品的质量把控得更加严格,但是在当时的环境下,淘宝商城的发展并不好。为了能够给淘宝商城中带入一点活力,做大淘宝商城的品牌,时任淘宝商城总裁的张勇和他的团队,提出希望营造一个属于淘宝商城的节日,让大家能够记住淘宝商城。张勇说:"那时,电商还不如今天如此流行,天猫是阿里巴巴新兴的一个业务,中国还没有类似美国'黑色星期五'这样的网购节日,让我们来挑一天,来给中国消费者创建这样一个节日,帮助他们记住天猫和我们的新品牌,这就是'双十一'的起源。"

(三)选择 11 月 11 日的理由

天猫之所以会选择在每年 11 月 11 日举办大型促销活动,是基于以下考虑:

1. 从消费者需求角度来看

每年的第四季度是传统的消费旺季,不仅是在中国,在全球也是如此,11 月是一个非常好的选择。

在 11 月举行这样的促销活动,消费者有非常强大的购买需求。这时候天气变化,正是人们添置冬装的时候。在中国北部,很多人已经开始购买换季产品,在南部也是如此。天猫的"双十一"策略戳中了网友们尝鲜的心理,从 2009 年举办第一届开始就发挥出了巨大的吸金潜力,销售额呈爆炸式增长,震惊友商。

2. 从季节角度来看

"双十一"刚好处于传统零售业的"十一黄金周"和"圣诞促销季"中间。人们会在十月第一周享受假期,这对于零售业来说是一个黄金期。而 12 月,消费者则会享受到年末清仓的优惠。因此在 11 月期间,存在一个相对"安静"的窗口期。

3. 从节日角度来看

张勇带领的天猫团队做了一些研究,寻找一些不同的节日,来推广活动。纵观全年,适合商家促销的节日中,1 月有元旦,2 月有春节,3 月有妇女节,4 月有愚人节,5 月有劳动节和母亲节,6 月有儿童节和端午节以及父亲节,8 有月七夕,9 月有教师节和中秋节,10 月有国庆节,12 月有圣诞节,只有 7 月和 11 月无适合促销的节日。而结合 7 月前后的节日来看,"十一"国庆节与 12 月圣诞节之间有将近两个月时间处于节日促销的空档期。张勇团队发现在美国"黑色星期五"和感恩节之间,还有一个新的节日,就是光棍节(又称单身节),人们认为这个节日是专门给单身人士所设立的。他们可以通过购物来打发时间。于是,张勇团队选择了 11 月 11 日。

(四)立项创意的评析

1. 借势"双 11 光棍节"

11 月 11 日之所以被称为光棍节,是源于这一天的日期里面有四个阿拉伯数字"1",形似四根光滑的棍子,而光棍有单身之意,因此光棍节成了单身族的代表性节日。借势家喻户晓的"双十一光棍节"来推广其网络促销活动,打着光棍节名号创立购物节,把促销活动与一个有趣的节日绑定在一起,让消费者想到"双十一"时就联想到天猫的网络促销活动,降低了消费者的认知成本,提升了促销活动的知名度。天猫借助"双十一光棍节"开启了自己电子商务网络营销新时代,实现了"互联网+娱乐+消费"的营销模式。

2. 先发优势

如今网络节日活动众多,例如京东的"618"、拼多多的"夕夕节"和"农货节"等,但最具影响力的还是天猫"双十一"。京东、拼多多、唯品会等电商平台也纷纷在当天"蹭"天猫"双十一"热度,但由于天猫是"双十一"的提出者,并在 2014 年 10月取得了"双十一"的注册商标。因此,具有先发优势,也是最大赢家。

3. 他山之石,可以攻玉

美国"黑色星期五"是指感恩节后的商场圣诞促销日。在这一天,美国的商场都会推出大量的打折和优惠活动,以在年底进行最后一次大规模地促销。因为美国的商场一般以红笔记录赤字,以黑笔记录盈利,而这个星期五人们疯狂的抢购使得商场利润大增,因此被商家们称作"黑色星期五"。天猫借鉴了美国"黑色星期

"五"的做法,为中国消费者创建了一个类似的网络促销节日。如今天猫"双十一"的成交额已经远超美国"黑色星期五"。

三、天猫双十一购物狂欢节的经典做法及评析

(一) 天猫双十一的优惠活动

以 2020 年天猫"双十一"为例,整个大促活动分为两波(即预售期和尾款期):10 月 21 日—11 月 3 日为第一波,11 月 4—11 日为第二波。消费者在第一波预售期间挑选好心仪的商品,11 月 1 日就可以支付尾款,很快就能收货了,这种活动方式更好地提升了消费者的购买和收货体验。具体的优惠活动包括:

1. 超级红包

第一波的发放时间是在 10 月 21 日—11 月 3 日,规则:每天每人有 3 次红包抽奖机会,使用红包的时间在 11 月 1—3 日。第二波的发放时间是在 11 月 4—11 日,规则:用户每天有 3 次抽奖机会,使用红包的时间在 11 月 11 日当天。

2. 天天开彩蛋活动

这是 2020 年首次推出的玩法,活动 10 月 23 日上线,在领取超级红包后可选择进入天天开彩蛋奖池。天天开彩蛋在 10 月 24 日—11 月 11 日每日早 8 点自动开奖,一等奖为 49 999 元红包,还有清空购物车、大额无门槛红包等奖品。

3. 预售会场

2020 年的预售会场将在 10 月 20 日中午 12 点提前上线,21 日晚 12 点正式开启。

4. 收藏福袋

2020 年在 10 月 21 日预售正式开启前,收藏预售商品,有机会获得红包或者大额兑换券。

5. 预售下单有奖活动

付定金期间下单,部分订单可抽中面额不等的现金红包或随机红包,或可抽取锦鲤抽奖码或淘礼金免定奖励;尾款期下单,最高可抽中 4 999 元免预售尾款的锦鲤大奖。

6. 跨店满减

正式活动期间天猫跨店每满 300 元减 40 元,上不封顶,并支持跨店铺、跨品类使用,跨店满减优惠可与品类购物券、天猫购物券、天猫超市卡、超市银泰卡、支付宝红包、现金红包、集分宝、单品优惠券、店铺优惠券等叠加使用。

7. 限时优惠

在大促价格基础上,定时进行部分商品限时限量优惠价格促销。

8. 聚划算百亿补贴

在 2020 年聚划算官方补贴中,很多历史低价、"绝对值"都是补贴后产生的。

9. 品类购物券/天猫购物券

各种券类会在主会场和各品类分会场发放,可以叠加跨店满减使用。

10. 折扣活动

精选品牌全年价格打 9.5 折,4 大直营品牌(天猫超市、国际直营、阿里健康、天猫奢品)全年价格打 9.5 折。

11. 其他活动

付定金立减、分期免息、有价优惠券等活动在"双十一"期间也同步开启。

12. 评析

(1)价格优惠力度大

"双十一"活动最基础的优势是价格优惠,天猫平台的跨店满减优惠、店铺大额红包吸引了众多消费者的关注。例如,2010 至 2011 年,天猫运用低廉的价格和诱人的折扣吸引眼球,推出"双十一光棍节全场 5 折"等优惠活动。虽然折扣会牺牲商家一部分利益,但会吸引更多的流量、打击竞争对手并且处理年终的库存。天猫网购的模式省去了很多的中间环节,因此天猫商品的价格比实体店铺的价格低了很多,消费者在选择相同的商品的时候都会选择价格低的。

(2)优惠活动形式丰富

天猫不只是通过简单粗暴地送红包、降价等形式来吸引用户参与"双十一"活动,而是通过多样化的活动形式,让用户不仅能购物,还能感受到活动的欢快气氛,从而愿意花更多的时间在应用内浏览。同时将大家关心的红包、满减、降价等优惠形式融入更多元化的活动中,让用户在参与活动的过程中获得优惠。

(二)热点话题的营造

天猫一直在致力于打造行业级的活动,以 2016 年和 2019 年天猫"双十一"为例。

1. 双十一首席"卖萌"官

2016 年双十一活动早期,天猫发起过一场"双十一首席卖萌官"的以晒萌宠为主题的线上活动。以"卖萌"为主题吸引喜欢猫咪的年轻人参与讨论。而后选出了 11 位卖萌官,天猫顺势发起了下一场活动——"画门票喂天猫",还是以轻松娱乐的"卖萌"的方式吸引用户参与——这次用户甚至不需要有一只猫,只需要会简笔画一条小鱼干就可以了。而活动的奖品,正是双十一狂欢夜的门票。这种卖萌的方式显然深得人心,一条没有任何明星露脸的视频竟然在微博上收获了 38 万转发量。而其中一只猫也在双十一狂欢夜当晚全程参与直播。

2. 全民开喵铺

活动时间:2019年10月21日—11月11日。活动形式:用户通过收集"喵币"升级"喵铺",在完成新手引导后,会获取第一家"喵铺",通过点击升级按钮来升级,消耗一定"喵币"。"喵铺"共50级,用户可通过"喵币"中心及"喵铺"自主赚"喵币"等方式升级,每种方式每天获得的"喵币"均存在一定数量限制,升级后有机会获得红包、购物津贴、头像勋章等奖励。

3. 盖楼大挑战

活动时间:2019年10月25日—11月9日,每天早九点至晚十点。活动形式:"喵铺"达到5级后可参与,最多5个用户组成一支队伍,在花费一定"门票"后可参与挑战,系统自动匹配后按照两队"盖楼"高低来进行比赛,过程中两队队员可通过队员上线助力、拉人助力等方式增加高度,同时通过限制每个用户每天可为6个队伍助力来限制"羊毛党"的刷票行为。

4. 夺星大挑战

活动时间:2019年11月1—10日。活动形式:11月1日、4日、7日,给有2名及以上队员的队伍发放1颗队伍星星,总计可获得3颗,而从11月1日晚十二点起,参与"盖楼"挑战获胜的队伍可夺去对方1颗队伍星星。

5. 拉人赢红包

活动时间:2019年11月10日早九点至11日早十点。活动形式:用户可将活动中获得的红包兑换为"双十一"红包,成功兑换后可将兑换信息分享给尚未兑换红包的用户,每成功召回三名未兑换用户,可赢取一个"双十一"红包,最多累计获得三次红包。

6. 赢心愿大奖

活动时间:2019年11月11日晚两点至晚十点。活动形式:个人累计达到50级的用户或"盖楼"队伍获得6颗及以上队伍星星的队伍成员有资格参与。这个活动体现了"双十一"活动的关联性,只要队伍在"盖楼"活动中净胜三场,所有队员均可参加,而为了"盖楼"挑战胜利,队伍成员又会继续提升自身"喵铺"等级,相辅相成。

7. 评析

现今是注意力经济时代,消费者的注意力很容易被分散。天猫"双十一"通过制造热点话题,可以起到以下效果:第一,通过活动造势能够吸引消费者的眼球,促使其对天猫"双十一"的持续关注;第二,通过娱乐化、游戏化的消费场景,增强消费者的体验感与参与度,促使其在轻松愉快的氛围中购物。

(三)新技术新场景的应用

以2016年天猫"双十一"为例,天猫不断探索着可以和电商相结合的新表达形式。例如 VR、AR 及直播等。

1. VR 的消费场景

2016 年"双十一"活动开场后的第一个话题就与 VR 息息相关,"穿越宇宙的邀请函"是一个结合 VR 技术的 H5(移动端的 web 页面),酷炫的视效和交互方式、琳琅满目的绚丽细节、欢乐而疯狂的氛围,让这个 H5 吸引了大量关注,VR 技术打响了天猫"双十一"话题的第一枪。早早就推出过预告的 VR 购物产品也赶在"双十一"期间上线了自己的 1.0 版本,虽然功能上还有很多不完善的地方,但全新的购物体验方式足以引起又一波热烈的讨论。

2. AR 消费场景

2016 年天猫"双十一","寻找狂欢猫"将 AR 和抢红包结合起来,让这个新的形式成为"抢红包"这项电商领域中的"古老"活动的全新驱动力。而当红包额度被提高至 100 元以后,有了金钱的激励,"寻找狂欢猫"这项活动也能收获和 Pokémon Go 一样高的线下热度。除去抢红包以外,天猫还利用"寻找狂欢猫"抢迪士尼门票、抢"双十一"晚会门票,可以说是一物多用。

3. 直播的消费场景

直播是 2016 年天猫"双十一"的一场重头戏。在短短不到一个月的时间内,天猫平台上上演了过千场直播,主播的组成则包括娱乐明星、网红、体育明星、全球主播、品牌 boss、旅行达人等等。在淘宝 App 上,仅仅在首页,直播就占据了两个入口。进入直播间后,明星和丰富的内容吸引着观众的注意力。官方组织的直播活动、商品推荐与导购无处不在,引导用户完成购物转化。

各大知名主播在 2019 年的"双十一"中以网络直播的形式进行线上推广,几天之内为商家带来上亿销量。

4. 评析

新技术新场景的应用为天猫双十一注入了新的活力,增强了消费者的好奇心,促使其愿意花时间去体验新鲜事物,从而增加了消费的可能性。

(四)天猫"双十一"狂欢夜晚会

2015 年首届"天猫双十一狂欢夜晚会"是中国电视史上首台互联网晚会,之后也变成每年"双十一"不可缺少的一部分,并且逐步丰富呈现及互动方式,成为互联网晚会的引领者、造风者。晚会承载着人们强烈的消费诉求和情感共鸣。"双十一"狂欢夜不仅是持续体验和探索美好生活的纪念日,更是全民"愿望十一实现"的一天。天猫"双十一"狂欢夜晚会具有以下特点:

1. 以艺人为核心传播

参与艺人共 44 位,总互动约 100 万次,19 位明星参与发声;玛丽亚凯莉开微博成功上热搜。天猫联动粉丝站 34 家,调动粉丝 700 万,发挥粉丝打榜能力和传播力,配合晚会进行互动。

"双十一"狂欢夜进行最喜爱的嘉宾投票活动,4 小时"喜爱值"飙升 300 万,易烊千玺成为"最喜爱"参演嘉宾;"超级晚节目排行榜"在晚会当晚实时为节目投票,播出 4 小时后,产生 2 882 万次投票。

2."边看边买"的购物模式

2015 年"双十一",天猫联合湖南卫视办晚会。其后台流量数据跟晚会内容几乎是步调一致——节目走到哪里、明星们提到哪些商品、哪些品牌的 logo 一出现,相关商品线上搜索量就直接暴涨,并大量涌进购物车、收藏夹,屏幕前的观众边看电视边"剁手",创造了一种全新的"边看边买"购物模式。

3.多样化的赞助形式

除了精彩纷呈的晚会本身,相关的每个环节都有数量、形式众多的广告展出。2015 年天猫双十一晚会,特步斥资千万赞助,不仅主持人穿的是特步,其品牌甚至还出现在男团 TFBOYS 的演唱画面里。良品铺子在去天猫双十一晚会现场的必经之路上,拿下了从奥体中心到水立方路段的独家广告资源。天猫晚会还把摇一摇红包变成"一元购",奖品分别是:2 000 吨进口牛奶、10 万份全棉床上四件套、2 万台智能扫地机器人、美国往返含税机票等等。促成了二次传播和二次消费。

4.联合推广,降低成本

2015 年天猫"双十一"狂欢夜晚会,天猫联合湖南卫视举办晚会。晚会的明星资源也是友情价。有阿里营业做后盾,同时天猫旗下数以万计的入驻品牌(特步、上海家化、蓝月亮、三只松鼠、良品铺子、韩束等等)背后拥有众多的品牌代言(TFboys、郭采洁、王凯等),天猫在对外宣传时带上相关品牌以便费用分担,比如微信的海报都会有各大品牌的影子。

5.受众参与度高

2018 年天猫双十一狂欢夜晚会,转发"欧气锦鲤"活动吸引了从粉丝到普通观众的疯狂参与。11 月 7 日官微发起转发欧气锦鲤吸欧气微博,获得转评赞共计100 万次。话题词"欧气锦鲤"阅读量达到 1.5 亿。"权益超好玩""全民薅羊毛",以话题带互动的形式引导用户参与转化。通过"老外视角看晚会"活动,打造"老外实名制羡慕中国人"话题,配合"薅羊毛"攻略解读天猫"双十一"狂欢夜互动玩法,降低参与门槛。"笑脸大作战"话题征集全网笑脸,话题阅读量达 3 045 万,数百万网友参与。

6.评析

(1)明星造势。天猫晚会每届都邀请了许多顶级流量明星参加,为的就是通过明星效应吸引粉丝的观看,迁移明星自身的流量助力晚会的曝光度和传播度。天猫以明星为核心开展内容传播活动预热,从 10 月底到晚会正式开播前,逐步引起受众注意力和期待。天猫"双十一"晚会邀请的明星兼具国际性、国民度、粉丝基础等各个方面,迎合各种群体的口味,并在每年的晚会上增添当年热门综艺、热播影视、热议流行现象等潮流元素,力图挖掘此类焦点明星名人与焦点事件的注意力吸引价值,从而实现从观众到消费者的引流。这在登台明星名人所代言的商品网页浏览量增加、销售额上升中得到充分体现。

(2)互动性强。以好玩的活动、福利等激发受众参与。通过话题带互动的形式引导用户参与,通过互动玩法为观看直播的观众发放了多个品牌优惠券,大大调动用户的想象力和参与度。

(3)合作共赢。天猫入驻品牌赞助晚会、联合推广。同时,天猫晚会承载着大量的商业表达,已经成为从晚会内容向天猫"双十一"购物转化的重要推动力。

(4)融媒体传播。天猫"双十一"狂欢夜晚会是传统电视媒体和视频平台的一次通力合作,晚会本身具备了媒体融合的强烈属性。在节目宣推和传播过程中,运用在线视频、卫视台和社交网络等多种媒体形式,服务于所有用户,并让全民参与其中。

(五)天猫"双十一"全球潮流盛典

2016年10月23日,天猫在上海东方体育中心举办首届天猫"双十一"全球潮流盛典,这是一个融合秀、表演、展览、互动的时尚秀场,也是2016年天猫"双十一"的"开场秀"。天猫"双十一"全球潮流盛典的特点如下:

1. 时尚品牌携手明星名模参与

2017年天猫"双十一"全球潮流盛典,LVMH、Estee Lauder、SMCP等国际时尚奢侈品集团以及Victoria's Secret、Furla、Jason Wu、Opening Ceremony等国际时尚品牌,携手明星和名模参与。李宇春、张艺兴、周笔畅、何穗、黄立行、吴建豪、VAVA、金大川等演艺圈明星及国际国内名模参与走秀、互动。

2. 现场新品首发

2016年天猫"双十一"全球潮流盛典,Burberry、玛莎拉蒂、娇兰、Rimowa、沙宣等品牌在现场首发新品。2017年天猫"双十一"全球潮流盛典,Polo Ralph Lauren、Erdos等多个国内外时尚品牌150多款秀场新品在天猫首发。

3. 虚拟试衣互动

2017年天猫"双十一"全球潮流盛典期间,用户在观看直播时,点击手机屏幕上的"试穿"按钮,会出现一个分屏页,通过上传照片、输入身高体重生成一个虚拟的形象,可虚拟试穿超模走秀款服饰。虚拟试衣体验成为融入互联网+技术的潮流盛典区别于传统时尚走秀的一个看点,也是传统服装品牌年轻化的一次集中预演。

4. 潮流趋势发布

2017年天猫"双十一"全球潮流盛典期间,天猫联合全球趋势预测机构发布包括Tools、Calm、Genus、Transit在内的2017四大秋冬潮流趋势。这四大趋势也在潮

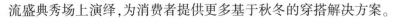

流盛典秀场上演绎,为消费者提供更多基于秋冬的穿搭解决方案。

5. 多平台直播互动

2016 年天猫"双十一"全球潮流盛典 8 小时的时尚秀由在天猫直播、淘宝直播、优酷、斗鱼、虎牙多平台上进行直播,直播累计观看人次超过 600 万,让用户通过直播参与互动,获得近 4 000 万点赞互动,社交媒体上话题讨论量近 3 亿。2017 年天猫"双十一"全球潮流盛典在北京卫视、天猫、优酷、微博、今日头条等 7 个平台同步播出。同时全渠道、跨平台实现"边看边买",消费者只需一边观看直播,一边点击心仪商品即可实现购买。

6. 评析

天猫"双十一"全球潮流盛典成功的原因在于:

(1) 天猫具有海量高端用户。近年来,中国市场日渐成长为全球最具消费力的市场,而天猫上的海量高端用户成为时尚品牌进军中国市场的最佳路径。天猫"双十一"全球潮流盛典已成全球品牌中国首秀最佳舞台。国际时尚品牌通过这个集高科技、消费力和时尚感的秀场实现与中国用户的面对面,完成一次进入中国市场的华丽亮相。

(2) 海量数据的支撑。依托天猫平台海量消费者数据、商品企划数据,天猫能第一时间了解潮流趋势变化,并用于指导商品企划。不断推动全球时尚品牌从生产企划、新品研发迭代到消费洞察等全领域的变革,天猫正成为潮流趋势的权威。

(3) 融入互联网+技术的潮流盛典区别于传统时尚走秀,天猫"双十一"全球潮流盛典打造成了全球潮流新品和互联网技术交互的第一展示舞台,互动性极强,并且实现"即看即买"。

(六) 天猫"双十一"的传播策略

1. 线上传播

天猫"双十一"通常提前一个月开始宣传,网络上会陆陆续续地开始出现各类宣传广告。天猫采用了多种形式的网络广告,主要有展示性广告、网络分类广告、搜索引擎广告、手机广告、社交网络红包广告、电商平台(淘宝、天猫平台)网络广告六大类。因为购物节主要的消费对象是年轻人,天猫将宣传力度投注到微博、微信、QQ 等新媒体上,通过悬浮式、自动滑动式等各种广告形式,将宣传影响放到最大。无论是土豆、优酷、爱奇艺等视频网站,或是新浪、搜狐、人人、凤凰等门户及社交网站首页,还是诸如 360、百度等导航网站,都投放了大量宣传广告和消息,用户可以随时随地通过所观看的网页链接到达商品网站。只要消费者一上网,就会看到有关天猫"双十一"的宣传信息。

以微博互动传播为例,2015 年开始,天猫将营销传播重点放在了微博上。从 10 月 20 日开始,天猫开辟了微博分会,专门为"双十一"造势。2015 年微博上参与抽红包的人次超过 3 600 万,共发出 500 多个红包,红包相关博文累计阅读量接近 4 亿,主话题讨论量高达 4 300 万,双 11 期间的话题累计阅读量超过 17 亿。天猫利用微博平台,将粉丝经济和购物节绑定,由明星、网红、达人共同组成"买手天团",买手们直接发布长微博推荐单品,由天猫来匹配商品链接,促成用户购买。

2. 传统媒体传播

2011 年,天猫把注意力投向了非网民群体,有关广告随之开始投向报纸、广播和电视等一些传统媒体。2012 年,一条 30 秒的天猫购物狂欢节的宣传广告在央视一套的黄金档播放,打开了传统媒体的宣传道路。2017 年,天猫宣传广告在收视率最高的湖南卫视等传统媒体上的播出已经司空见惯。天猫在传统媒体上投入广告宣传,一方面加深了网络宣传的印象,另一方面也是为了吸引一些不经常或是根本不接触网络的人群加入网购大军。

3. 户外广告传播

户外广告是性价比非常高的一种广告形式,它具有宣传效率高、视觉冲击力大、覆盖面广、适应性强等特征。地铁公交广告位、广场展厅、马路灯箱和墙贴、大楼 LED 等能够覆盖城市 80% 的客流,在这些地方进行广告宣传,能够有效扩大购物节的影响,不仅可以提高消费者对活动的熟悉度,也能够大大提高活动宣传的曝光率。天猫就这样让购物节的广告无处不在,提高大众的认知度,提醒人们网购狂欢节即将到来,提前几个月就将购物节话题深深植入消费者的脑海中。同时,天猫的知名度也在日益提高,网上购物的社会影响越来越大。

4. 明星及意见领袖传播

马云在近年来已经打造成为阿里巴巴的代言人和充满传奇色彩的商界明星,其本身就具有强大的号召力和影响力,同时也是带有网络符号范式的成功人物代表之一。2017 年的"双十一"购物节前,马云与王菲共同演唱了一首歌曲《风清扬》,2020 年合作演唱改编版《如果云知道》,对于购物节的宣传已经深刻地植入到了歌词当中(如"如果云知道,逃不开淘宝的牢"),引起各界热议。此外,2017 年由马云领衔主演,拥有李连杰、甄子丹、吴京等豪华配角阵容的电影《功守道》,是马云负责引爆购物节所投放的重磅"广告",马云利用众明星以及自己的影响力,潜移默化地引导大家关注电影背后关联着的购物节的到来。2018 年天猫"双十一"前,易烊千玺微博首发双十一主题曲,转发量达 1141 万、总互动次数约 1 240 万,主题曲视频微博端播放量达 1 052 万。同年,"十年一转眼"活动邀请了包括影视、文化、体育等多个领域的名人明星,以他们讲述自身十年来的变化与坚持的故事,活动上线 5 天,便吸引了近千万用户参与,晒出超 150 万张用户自己的十年对比照。

5. 开幕式倒计时活动传播

在"双十一"的前一周,天猫会通过各种渠道进行"倒计时营销",为重要节日的到来造势,引起公众的话题讨论。在这一预热期,在通过线上广告覆盖用户使用场景的同时,线下也运用各种生活化场景进行全方位地海报宣传,比如在地铁站、公交站、商业广场等人群聚集场所,"距离双十一还有××天"的文案醒目张扬,通过大量重复刺激强化用户记忆,在潜移默化中对参与者观念、意识甚至行为产生影响,通过日常生活场景的反复强调建立"双十一"与人们现实生活的联系,并在无形中通过倒计时符号强化这种联系,让"双十一"购物狂欢节成为一种生活方式融入人们生活,让消费者对双十一的到来更加关注、重视和期待,营造全民迎接"双十一"狂欢盛典的氛围。

6. "双十一"晚会造势传播

以2017年天猫"双十一"为例,晚会分为两场,一个是10月31日开启预售模式的天猫"双十一"全球潮流盛典,另一个则是万众期待的"双十一"狂欢夜,两场晚会明星、大咖云集,极丰富的表演形式、超震撼的视听手段以及技术在线的各种互动玩法,让观众在明星与红包的轮番轰炸中"措手不及",边看边买模式的引入成功打破购物平台的局限,在沉浸式体验中实现由"看"到"买"自然过渡,"双十一"的两场晚会让参与者产生购物期待,节目风格与现场布景完美呈现购物狂欢的主题,从整体氛围上奠定过节的基调。数据表明,截至晚会结束在优酷平台在线观看的用户总人数已经突破1 000万人,所有人跨越时空,平等参与到天猫"双十一"的购物狂欢中。

7. 告别闭幕式活动传播

"双十一"疯抢结束后,活动正式落幕。天猫当天的交易总额成为各大媒体竞相报道的对象,成交额数字播报为购物狂欢画上圆满句号。通过"我的双十一战绩"的链接分享,天猫将销售奇迹归功于每一个人,让普通消费者也能拥有活动的参与感、归属感甚至成就感。在表现形式上,除了通过大量图片展示销售成果外,在文案宣传上,"双十一"的海报口号由"尽在天猫双十一",变成了"祝你双十一快乐",配合晚会主题曲《祝你双十一快乐》联合造势,强调狂欢购物的价值理念。除此之外,"双十一"推出特制版告别视频感谢消费者,"双十一快乐""再见双十一""再见,为了再相见"等文案强势袭来,结合文字、图片、音频以及视频营造某种仪式圆满落幕的氛围,释放用户的情感。告别仪式集中传达了感谢和约定的主题,通过"珍惜""再见"等词汇进行情感营销的同时,强化参与者对这场仪式的忠诚度,让其找到个人参与这场狂欢仪式的情感皈依。

8. 天合计划传播

"天合计划"是天猫推出的品牌合作计划,旨在与知名品牌进行合作,当知名品牌在其他地方进行广告投放时,需带上天猫品牌。所有合作品牌的广告都会带上类似"双十一上天猫搜索××旗舰店"的广告语。

9. 评析

(1)整合营销传播。天猫整合传统媒体与新媒体资源,使"双十一"活动以多渠道、方便廉价地方式传播给消费者,由此提升品牌形象和知名度。线下渠道为了完全曝光活动,选择在人流量较大的地点投放海报广告。不仅要营造出"双十一"到来前的热闹氛围,而且试图通过高频的线上线下场景让用户记住天猫"双十一"这一"全民狂欢节"。据相关调查显示,有近90%的消费者是因为广告宣传的吸引才参加"双十一"购物狂欢。

(2)借势传播。借助明星及意见领袖传播,吸引广大粉丝参与,使"双十一"活动更具有吸引力,赢得了更高的关注度。邀请明星加入是"双十一"宣传的重要手段,以此来营造"不管是谁,全民参与"的"双十一"氛围。

(3)合作传播。天猫与其入驻品牌合作,使得"双十一"活动传播更深入、更广泛。天猫商家很多都是发展了多年的大企业,比如雅诗兰黛、戴尔笔记本、华硕笔记本等。这些企业在实体店销售的时候就拥有了大量的用户支持。在天猫"双十一"活动的时候,商家可以利用顾客对这些品牌企业的认知来开展相应的促销活动。

(4)传播具有仪式感。大多数人都过着仪式化的生活,人们更喜欢"集体购物欢腾"这样仪式化的购物氛围。天猫积极构建"双十一"传播的仪式化,让消费者更有共鸣感以及主人翁的参与感。天猫"双十一"的仪式塑造过程分为仪式预热期、仪式爆发期、仪式告别期,相对应的造势活动分别为:开幕式倒计时活动、天猫"双十一"晚会及告别闭幕式。

(七)天猫双十一的盈利模式

1. 软件服务费盈利

阿里通过天猫可以获得2项费用,分别是软件服务年费和软件服务费,软件服务年费是一年收一次,费用大概是几万元。而软件服务费是阿里按比例收取天猫店每笔交易的费用,这个比例根据经营内容的不同会有所变化。比如服装类的天猫店就要付5%的费用,有些天猫店由于经营的类别不同,可能会少付一些软件服务费。交易额越高,为阿里带来的软件服务费收益越多。按照2018年天猫双十一交易额2 135亿元计算,估计阿里靠软件服务费就可获得60亿元到100亿元的收益。

2. 花呗服务费盈利

近年来蚂蚁金服大力扶持花呗,鼓励用户使用花呗交易。花呗对用户是免息使用,而对商家是要收每笔交易0.8%的服务费。天猫"双十一"期间,花呗还给很多用户提额,就是为了让用户在"双十一"期间有花呗额度去消费,蚂蚁金服能多赚一些商家的花呗服务费。同时用户有更多花呗额度消费,就有可能提高天猫"双十一"的交易额。

3. 支付宝盈利

天猫"双十一"大获成功的一个重要因素就是第三方支付平台,即支付宝的支持。支付宝在使买卖双方的行为都获得一定保障的同时,也成为天猫盈利的一个重要渠道。初步估算,支付宝每天的交易额在 60 亿元以上,平台发放贷款的时间从客户到商家需 3~5 天不等,每天因买卖双方的交易而保存在支付宝平台上的资金大概为 240 亿元,按中国人民银行公布的活期存款利率计算,全年获得资金利息可达到 4 亿元。同时,还有客户与商家由于交易争议或其他原因而不得不暂时冻结在支付宝平台上的资金也会产生一笔不小的收益。另外,支付宝 2013 年 6 月推出的余额宝等全新理财产品,也可以获得不小的收益。

4. 网络广告盈利

天猫在 2007 年 7 月正式开展"双十一"互联网广告业务,针对商家出售人气比较高的广告位置与搜索栏右侧的广告位置。在创建品牌旗舰店的基础上招募广告代理商,在使广告客户知名度与产品销售额得到显著提升的同时,也为公司创造了可观的收益。

5. "双十一"晚会广告赞助盈利

以 2016 年天猫双十一晚会为例,根据商家提供的广告报价,"双十一"晚会涵盖了冠名、联合特约、互动支持、奖品赞助、开买倒计时、晚会看点、硬广等多种商务合作方式,报价从几百万到上亿不等。据媒体报道,上海家化最终以 1 亿元拿下了天猫"双十一"晚会的冠名权。此外,标价 4 000 万一席的"联合特约"一共有 2 个席位,其主要权益包括晚会现场展示及硬广等。以晚会的 15 秒硬广为例,天猫"双十一"共有 6 个广告插播时段,每个插播时段约 6 条广告,总计约 36 条广告。虽然这 36 条广告的报价因播出时段有所不同,但平均每条的费用约达 100 万,粗略估算,这个项目的收入约在 3 600 万元。

6. 增值服务盈利

天猫商家通过购买增值服务,可以获得专业化与差异化的店铺设置服务,提高店铺设置的合理性,提升人气值。以一个标准店铺为例,其每个月的租金是 30 元,由于天猫平台上的商家数量非常多,增值服务可创造不少的经济收入。同时,天猫还提供统计会员数量、货物发送管理等收费插件供商家选择购买,以不断拓展赢利渠道。

7. 评析

天猫"双十一"的盈利方式呈现出多样化、全渠道的特点。盈利来源包括软件服务费盈利、花呗服务费盈利、支付宝盈利、网络广告盈利、"双十一"晚会广告赞助盈利、增值服务盈利等,涵盖了天猫、淘宝、支付宝等平台。仅天猫"双十一"超高的交易额就为阿里带来超高的营收,虽然阿里为了"双十一"投入一些成本,但是投入的成本对于"双十一"的收益就变得微不足道。

第十节 南宁国际民歌艺术节

一、基本情况

（一）南宁国际民歌艺术节的简介

南宁国际民歌艺术节的前身是创办于 1993 年广西国际民歌节，1999 年正式改为南宁民歌艺术节。艺术节由国家文化部社会文化图书馆司、国家民委文化宣传司和南宁市人民政府联合主办，是一个融文化、旅游、经贸为一体的综合性大型节庆活动。该艺术节每年在广西壮族自治区首府南宁不定期举办一次。从 2004 年起，南宁国际民歌艺术节在连续服务九届中国—东盟博览会的实践中，成功开启了中国与东盟文化合作的新篇章，也成为广西与全国各地、世界各地文化交流的重要平台。

（二）南宁国际民歌艺术节的影响

1. 经济影响

民歌节是南宁经济发展的载体，它至少在四个方面给南宁经济带来巨大作用：

第一，打响南宁城市品牌，使南宁市的知名度得到大大的提高；

第二，促进信息流、资金流、人流、物流的进一步畅通；

第三，可以带动邮电、电信、交通、旅游等相关产业及第三产业的繁荣；

第四，可以提升城市的管理及服务水平。

2. 社会影响

一个城市举办节庆文化活动，对交通设施、公用设施、环保、绿化、卫生等都有相应的标准和要求。良好的城市环境，完善的自然与人文景观，较高的城市改造度与管理水平，为城市的可持续发展打下了坚实的基础。节庆文化活动的世界性、艺术性、高科技性特征，使城市人的眼界更开阔，艺术欣赏水平更高，追求科技进步的欲望更强。南宁国际民歌艺术节就是一个窗口，透过这个窗口，南宁人可以领略到世界各国优秀民族文化的风采，近距离感受先进文明的芳香。在文明礼貌、待人接物、迎来送往的节庆活动中，人们的文化素质不断提高，创新进取、勇于奉献、团结协作的精神也得到进一步弘扬。同时，通过这个窗口，也可让更多的外国人认识广西，了解南宁，了解古老而文明的壮乡文化。这样也可大大地提高南宁的文明开放度。

3. 文化影响

南宁国际民歌艺术节的宗旨是继承和弘扬壮族人民的文化艺术,加强与世界各民族文化的交流和发展。艺术节期间,国内著名艺术家、歌手以及国外民间艺术家为观众带来精彩纷呈的民族文化节目演出。与民歌节同时举办的还有时装大赛、壮族节日联欢、全国少数民族孔雀奖声乐大赛、旅游美食节、广西山歌擂台赛以及经贸洽谈会等活动。历届艺术节举办以来,在国内外受到了广泛赞誉,影响力不断扩大。

二、立项创意及评析

(一)南宁国际民歌艺术节的立项背景

广西素有"歌海"之誉,是壮族歌仙刘三姐的故乡。刘三姐是壮族人心目中美与爱、智慧与才能的化身。每逢节日及重大节庆活动群众都以唱山歌的方式互相交流,传情达意。为把民歌发扬光大,从 1993 年起广西开始举办民歌节。人们在民歌节上以歌传情,以歌会友,共同抒发对美好生活的向往和热爱。民歌成了飞架于广西各民族与全国各兄弟民族及世界民族之间的桥梁。

作为面向东盟的国际大通道、西南中南地区开放发展新的战略支点和"一带一路"有机衔接的重要门户,广西承载着与东盟国家政策沟通、设施联通、贸易畅通、资金融通和民心相通的特殊使命。随着"一带一路"的延伸,国际间文化与艺术交流的渴望,愈发不受空间与地域的阻碍,不断迸发出新的生命力。南宁国际民歌艺术节之所以取得成功,不仅因为它有独特的节庆定位和鲜明的节庆特色,更是得益于南宁市委、市政府坚持把节庆文化作为一种产业来运作,走市场化运作道路。

(二)南宁国际民歌艺术节的立项优势

广西是我国少数民族最多的自治区,居住着壮、汉、瑶、苗等 12 个民族,八桂大地孕育着悠久灿烂的民族文化。在中华民族发展的漫长历史进程中,民歌是中华民族灿烂文化的组成部分,是各民族传统文化的结晶。传统文化得以熠熠生辉,民歌发出了自己的一份光和热。神州大地的肥沃土壤孕育的优秀民歌,古朴、悠扬、明快、美妙、悦耳、令人感动、神往。素有"歌海"之称的广西,充分发挥民歌优势,使之从山野飘向都市,融入"城市文化大餐",成为沟通城乡独特的情感语言,也以此成为南宁民歌节的天然优势。

(三)与东盟博览会的关系

为了加强与东盟各国的联系,表现中国与东南亚各国源远流长的生活习俗和文化渊源。从 2002 年第四届民歌节开始,民歌节推出了一台表现中国和东盟万种风情的"东南亚风情夜"大型歌舞晚会。在"风情东南亚·相聚南宁 2004"的演出中,中国傣族的孔雀舞、壮族大歌、印尼的民族舞蹈《眼镜舞》、泰国歌舞《哆来咪》、文莱流行歌曲《缤纷梦想》、缅甸歌舞《新米节》和菲律宾民族歌舞《伊哥洛特人》等节目尽显东南亚风情,将晚会的主题"风情东南亚,风靡全世界"表达得淋漓尽致。而在经济全球化的背景下,文化全球化决定了各国民族文化的发展必定是一个世界性的发展过程。因此,经济全球化为中国民歌国际化提供了一个宽广平台,中国民歌要想在全球化的环境下生存和发展,就必须走国际化的发展道路。

(四)立项创意的评析

1.民歌的优势

广西是一个以壮族为主的各少数民族集中居住的西南省份,壮族是一个能歌善舞的民族,广西素有"歌海"的美誉,是壮族歌仙刘三姐的故乡,广西各族人民一向都有爱唱歌的习俗,而广西南宁也是全国最具民歌文化的地方,借此举办民歌艺术节不仅使民歌得以新唱,而且提高了广西的知名度,促进了经济的发展,吸引了大量外资,推动城市的发展,也使更多人了解广西的文化及民歌的魅力。

2.政府的支持

南宁国际民歌艺术节是由国家文化部社会文化图书馆司、国家民委文化宣传司和南宁市人民政府联合主办。在前四届中,由政府主办的艺术节引入市场机制,将民歌节分类打包成许多商业项目,一届比一届的赞助高,最终实现了收支平衡。在 2002 年南宁市政府投资 500 万元,组建了大地飞歌文化传播有限公司,并由此公司具体负责整个民歌节的经营性项目,形成"名片效应"。

3.地理位置特殊

广西壮族自治区地处西南中南地区开放发展新的战略支点,南宁市作为广西省会,具有在政策、经济、贸易及文化等多方面的作用。南宁国际民歌艺术节可以将我国民歌文化推广至世界,让世界认识南宁、认识民歌文化。

4.产业化运作

南宁国际民歌艺术节具有独特的节庆定位和鲜明的节庆特色,同时南宁市委、市政府创新性的将该活动进行产业化运作,在宣传文化的同时,带动当地经济与相关产业发展。

三、南宁国际民歌艺术节的经典做法及评析

(一)宣传推广

1. 传统媒体宣传

南宁国际民歌艺术节在举办之前和之后分别召开新闻发布会,公布民歌艺术节期间将举办的各项重大活动内容和总体筹备情况以及节后经验总结,利于现场各方媒体进行二次宣传。同时,在举办之前会在地方台、卫视频道、广播和报刊等进行滚动式广告宣传,增加受众人群,提高知名度,之后在南宁国际民歌艺术节举办期间于电视和广播进行实况直播和转播。与国内高端主流媒体搭建合作平台,同时实现在马来西亚、澳洲及中国的香港、澳门等多地电视媒体同步播出。1999年南宁国际民歌艺术节的组委会"借鸡生蛋",请来中央电视台的一流导演筹划开幕式晚会,利用央视的影响力吸引明星大腕,一炮而红,快速地带动了当地的经济发展。"大地飞歌·2015"晚会除了与国内高端主流媒体搭建合作平台,全面展示民歌节的特色亮点外,还实现境外媒体播出,在马来西亚嘉丽台、澳洲天和电视台及中国的香港卫视、澳门电视台等电视媒体同步播出,不断增强民歌节的对外宣传影响力、吸引力、亲和力和适应力,形成宣传推广活动影响力强、覆盖面广的立体式格局。

2. 新媒体宣传

在全球一体化和新科技背景下,民歌艺术节与国内知名新闻网站合作,如"搜狐网"等在南宁国际民歌艺术节举办之前进行发文造势,并在艺术节举办期间发布现场图片和现况。此外还与国际在线、Chinanews APP、央视频 APP、中国网 APP、百度 APP、爱奇艺 APP、腾讯新闻、新浪微博、人民网广西频道、广西新闻网、壮观APP、老友网、南宁头条、南宁手机台、南宁广播电视台抖音号、南宁新闻网、南宁云APP、北京京视网手机台、中国休闲体育台、柳州台、成都台、青岛台、太原台和济南日报等有关新媒体平台进行合作,发布宣传推文吸引流量。

3. 评析

随着新科技和新媒体的出现,南宁国际民歌艺术节开始运用"线上+线下""国际+国内"等方式宣传推广,并进行节前预热,提高社会关注度。一方面,吸引国内外大量关注,获取经济效益;另一方面,借助国内外平台将民歌文化进行推广宣传。随着互联网、自媒体等技术的不断发展,民歌节也拓宽了宣传渠道,增大了曝光量,有了向海外传播的机会。

(二)精彩的歌台演出

在第 16 届中国—东盟博览会期间,"绿城歌台"(艺术节组委会主办)共设置 13 个歌台,其中,民歌湖主歌台 1 个和各县区分歌台 12 个,进行 18 场演出,集中展示广西优秀民歌,搭建世界优秀文化交流的大舞台。

1. 民歌湖主歌台

(1)"同饮一江水,两广一家亲"粤桂文化交流专场演出

演出邀请来自广州、深圳等地的艺术家到壮乡歌台,与南宁、北海、钦州、防城港、崇左、梧州等地的本土艺术家同台献艺,以演出为桥梁,搭建两广文化旅游交流新平台,积极推动珠江—西江经济带与北部湾城市群文化和旅游的深度融合,携手谱写新时代粤桂文化和旅游交流的新篇章。

(2)中国—荷兰(南宁)文化交流专场演出

邀请荷兰艺术家到南宁,与广西本土艺术家切磋交流,相互学习,推动中荷文化交流互鉴。

(3)2019 年"春雨工程"内蒙古呼伦贝尔专场演出

演出纳入中央文明办、文化和旅游部 2019 年"春雨工程"全国文化志愿者边疆行活动项目。表演艺术家全部是来自内蒙古呼伦贝尔的文化志愿者,他们将蒙古族、朝鲜族、达斡尔族、鄂温克族、鄂伦春族等民族原汁原味的优秀歌舞节目带到壮乡南宁,用嘹亮悠长的呼麦、马头琴等表演,为观众献上民族特色浓郁、地域特色鲜明的视听盛宴。

(4)"最美山歌献祖国"2019 年南宁国际民歌艺术节"绿城歌台"开幕式

开幕式以民歌传唱为主线,结合大型歌舞,呈现广西壮丽山河、民歌海洋的景象,献礼新中国七十华诞。开幕式分"序《最美山歌献祖国》、上篇《壮乡美·民歌颂祖国》、中篇《民歌美·歌海传丝路》、下篇《丝路美·奋进新征程》、尾声《大地飞歌》"5 个部分,以民歌新唱的形式演绎爱国经典歌曲及历届民歌节优秀作品。

(5)2019 中国—东盟国际少儿文化艺术节演出盛典

演出以"弘扬民歌"为主旨,做好民歌传承,展现民歌从娃娃唱起、代代相传、唱响世界的文化脉络。演出以"儿童唱、儿童舞、儿童演"为主,以少儿民歌演唱、民族歌舞、民族服饰展示的形式,演绎中国及东盟各国各民族儿童经典歌曲,以民歌为纽带,搭建中国与东盟各国的友谊之桥。同时向观众呈现一台童趣盎然、民族色彩浓郁、舞台互动性强的少儿民歌主题演出,从民族、童真、欢乐的角度全面展现新时代少年儿童形象。

(6)"我和我的祖国"南宁市庆祝中华人民共和国成立 70 周年大型群众歌咏活动

邀请广西区内著名歌手、专业演员及业余文艺队团员参与演出,用领唱合唱、

方块队表演唱、小组唱、阿卡贝拉演唱、歌伴舞等演唱形式,歌唱祖国,唱响美好生活,调动观众参与互动,形成台上台下的同唱共鸣,打造一场人民群众歌唱祖国、歌颂党、热爱生活的大型群众歌咏活动。

2.各县区分歌台

(1)西乡塘区歌台:魅力城西·辉煌绽放

西乡塘区结合香蕉文化旅游节品牌和美丽南方休闲农业特色,搭建中外文化交流平台,营造热烈喜庆的节庆氛围。

(2)横县歌台:醉美花乡

歌台活动以"醉美花乡"为主题,在茉莉花盛开的金秋时节,邀请世界各地演出团体到横县与当地文艺工作者一起,载歌载舞,共同庆祝。

(3)江南区歌台:平话情韵·活力江南

围绕平话文化精髓,坚守"民族化、大众化、包容化"的节目定位,创编涵盖各方面文化元素、独具特色的精品节目,提升观众参与度,以多种形式体现平话文化的包容、民族融合与团结等特性。

(4)上林县歌台:养生上林·常来长寿

以"养生上林·常来长寿"为主题,结合生态扶贫、生态旅游、生态养生等内容,立足本土文化特色,展示上林多方位文化元素。

(5)武鸣区歌台:情韵壮乡·创新武鸣

以原创节目营造喜庆、热烈、浓厚的节庆氛围,充分展现新中国成立70年来武鸣区所取得的丰硕成果。

(6)隆安县歌台:砥砺奋进七十载决战脱贫奔小康

以"那"文化独有民族特色,展现脱贫攻坚工作中取得的丰硕成果,邀请国外艺术家和广东省化州市、艺术家,与县演职人员及部分艺术院校师生共同演出。

(7)宾阳县歌台:炮龙腾飞·盛世中国

将现代文化元素与宾阳民族文化相融合,举办面向基层、受群众喜爱、能传递社会正能量的文化演出,全面展示宾阳优秀传统文化。

(8)马山县歌台:鼓乡歌海·祥寿马山

坚持原生态、大众化、民族化特点,充分展示以"马山文化三宝"为核心的马山文化元素,向观众呈现马山本土文化艺术魅力,唱响新时代壮美华章。

(9)兴宁区歌台:千年古城·魅力新兴宁

发挥兴宁区文化和旅游优势,将老城区传统文化元素与兴宁区相关旅游景点有机融合,以好歌、好景、美食为重点,展示兴宁区文化、旅游、商贸特点和亮点,营造丰收、喜庆、和谐的氛围。

(10)邕宁区歌台:国庆70年·邕宁日子甜

整合邕宁区最具特色的民间民俗歌、舞、乐表演团队,呈现邕宁区八音民俗、嘹啰山歌、花婆送福等特色文化艺术,展示邕宁区特色民间文化资源。

(11)青秀区歌台:歌声飘过 70 年

重温经典,用音乐、舞蹈艺术的正能量,激发爱国热情、凝聚奋斗力量。以经典歌舞演绎青秀儿女与祖国同呼吸共命运的赤子心声。

(12)良庆区歌台:我为祖国唱山歌

用独特的原生态山歌视角,讲述民族文化、民族精神、民族生活情感状态,展现山歌之乡的音乐活力以及蓬勃向上的文化自信,让传统与现代相互交融、对话。

3.评析

南宁国际民歌艺术节歌台演出具有以下特点:

(1)文化交流

不仅推广了广西本土民歌文化,同时进行了国内外民歌文化交流,具体表现在与荷兰文化、粤桂文化、内蒙古文化等之间的交流碰撞。

(2)主题鲜明

南宁国际民歌艺术节有多个主题表演,比如中国—东盟国际少儿文化艺术节、"我和我的祖国"庆祝中华人民共和国成立 70 周年大型群众歌咏活动等,这也使得艺术节具有广泛的受众群体,挖掘文化内涵。

(3)借文化推经济

南宁国际民歌艺术节设立各县区分歌台,借势文化节推动县区特色文化,比如西乡塘区的香蕉文化、横县的茉莉花、上林县的康养文化、隆安县的脱贫工作、宾阳民族文化、马山文化等,合理运用了节庆活动的文化交流、经济带动及成果展示等功能。

(三)2020 年大地飞歌·南宁国际民歌艺术节巡演云歌会

1.简介

本次民歌艺术节的巡演,场地不设在高大上的场馆里,而是选择在人来人往的老南宁·三街两巷中华大戏院门前,真正地走进人群中。云歌会将精选历届南宁国际民歌艺术节部分经典曲目,并通过老歌新唱的形式对部分歌曲进行改编,使经典老歌也能融入新的时尚元素,用新的旋律勾起观众满满的回忆。同时,云歌会还加入了时下流行的热门歌曲引爆现场,如《无价之姐》《少年》《你的答案》《Closer》等。此外还将推出广西原创歌曲,让更多的人认识广西,了解广西原创音乐。在形式上也更接地气,演出全程都在大地飞歌文化传媒官方抖音号、南宁云、南宁新闻网等各大直播平台上同步直播,观众如果不能到现场,也可以通过手机观看演出。在直播的过程中,还有限时秒杀和福利大放送活动,直播活动不仅让人们看到精彩的表演,同时还有网红直播达人在南宁威宁集团旗下众多打卡点进行现场直播,带领观众全面了解威宁集团,观众在直播的过程中看到喜欢的东西,还可以立即下单购买,实现经济效应。

2.评析

大地飞歌·南宁国际民歌艺术节巡演云歌会是"新技术+节庆活动"的最好诠释,通过自媒体平台扩大活动影响力和辐射面积,加大对传统文化的宣传推广,让人们更为立体地了解南宁这座城市。另一方面,通过直播的形式也带动品牌推广与商品销售。

(四)配套活动:南宁·东南亚国际旅游美食节

1.简介

南宁·东南亚国际旅游美食节在南宁华南城举办,有上百家经营美食及的商品商家参与,共设美食区、商品区、文化旅游互动区3个功能区,2020年在延续往年东南亚特色美食及置景的基础上,通过深挖中国传统美食文化内涵,打造广西、广东、四川、湖南、非遗国风、东南亚风情六大美食主题街区,将广西本地特色美食和川菜、湘菜、粤菜三大名菜系以及东南亚风情美食三者相结合,以美食为媒,跨越时间、空间,为游客带来"重聚时刻"的美食文化旅游体验。美食节活动现场还将举办地方特色产品展销、民族手工艺展,为本地土货好货、少数民族特色产品、非遗手工艺品搭建展销平台,为旅游扶贫助力。此外,开办潮趣商品市集,汇聚东盟风情产品、创意创新产品,力求为游客呈现喜闻乐见的特色好物,让市民和游客"既吃得嗨,又购得爽"。

2020美食节首次开设文化旅游互动专区,举办旅游景区风情展,邀请广西著名旅游景点、优秀旅游企业展示特色旅游产品、线路、民俗文化,为广西文旅融合赋能,促进广西尤其是南宁旅游市场的恢复。此外,华南城会展中心还将同步开展华南车展、动漫展等展会活动。

美食节期间,广西烹饪餐饮行业协会同步举办第九届广西民族地方特色美食大赛,将同时向社会展示广西十大名菜、广西十大名小吃、广西十大米粉及广西桂菜招牌菜,扩大对广西桂菜招牌菜的宣传和促销。此外,还有欢乐霸王餐、民间厨神大赛等多项赛事互动以及东南亚风情秀、原生态少数民族风情、非遗零距离互动等文化活动,让美食体验更加丰富。

2.评析

南宁·东南亚国际旅游美食节为提振信心、促进消费,营造了节日喜庆氛围,丰富了市民休闲、娱乐、购物、消费的方式,为市民提供一个游玩出行的目的地。不断推进旅游产业融合发展,满足广大民众疫后出游的不同需求。

（五）民歌艺术节运作特点

1. 市场化运作

早在 1999 年南宁市政府举办首届国际民歌艺术节时，就确定了逐步走市场化的发展思想，最终把民歌艺术节办成以企业运作为主、充满活力的节会。经过科学地市场分析和严谨地论证，2002 年第四届南宁国际民歌艺术节开始改革办节机制，走"政府办节、公司经营、社会参与"的市场化新路子。2002 年 7 月，南宁市政府成立国有独资公司——南宁大地飞歌文化传播有限公司（以下简称大地飞歌公司），专门负责民歌节的资金筹措和主要演艺活动的策划经营。在招商筹资方面，大地飞歌公司遵循市场经济的"游戏规则"，首次实行票务包销的方式。广告集资方面，大地飞歌公司推出了一系列的招商新招，其中包括公开拍卖各项主题活动的独家冠名权等。

2. 意蕴深厚，讲好民歌故事

民歌是世居广西的各民族表达情感、沟通交流、和睦相处的特殊文化载体。艺术节的晚会延续精彩，创造性地将多元民族文化、历史情脉、时代主题与南宁城市发展有效串联，分为上篇《云上歌圩》、中篇《天下民歌》、下篇《丝路歌汇》、尾声《大地飞歌》四个篇章，打造"情动天下的盛大歌圩、乐动天下的民族歌海、浪漫多彩的海上丝路"三大情境，将民族的多元文化、历史情脉、"一带一路"与南宁城市发展和美丽中国的时代脉搏紧密融合。

3. 编创用心，创新呈现方式

民歌节不仅注重主题、风格、视觉、音乐、舞蹈的打磨，而且全面兼顾时尚造型的塑造、主题道具的运用、情景表演的呈现，引入情景音画的概念，采用当下最时尚的阿卡贝拉等演唱方式，结合民族与现代、本土与国际的混搭编曲手法，将民歌曲目、文化内容及现代声光电技术手段良性衔接，赋予民歌故事情境，突出展现民歌自然优美、宁静高雅的特质，深度传递附加在民歌上的精神文化内涵。

4. 全民狂欢，强化互动体验

"大地飞歌·2015"打造"体验式民歌晚会"，通过舞台表演区的延伸、前厅体验区的设置，化大众被动观演为更多元的互动参与，在"迎客"和"送客"环节做足文章，让观众从步入会堂的一瞬间就感受到浓郁的民族风情，在结束时留下依依不舍的脚步。晚会内容中设计了贯穿始终的歌圩场景，以歌舞渲染壮乡民族魅力，以对唱绽放民歌无限风采，真正回归民间民歌盛会。晚会还创新增加"手绘彩图"环节，以各国艺术家们在晚会现场即兴作画的方式，绘就一幅展示"一带一路"美好寓意的美丽画卷。

5. 匠心独运，打造简洁舞美

晚会的舞美设计打破了传统舞台的框架结构，将表演区域延展至后舞台及两

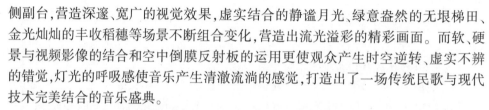

侧副台,营造深邃、宽广的视觉效果,虚实结合的静谧月光、绿意盎然的无垠梯田、金光灿灿的丰收稻穗等场景不断组合变化,营造出流光溢彩的精彩画面。而软、硬景与视频影像的结合和空中倒膜反射板的运用更使观众产生时空逆转、虚实不辨的错觉,灯光的呼吸感使音乐产生清澈流淌的感觉,打造出了一场传统民歌与现代技术完美结合的音乐盛典。

6. 审美、娱乐、艺术性相融合

民歌节经济效益的发挥并没有使其艺术性遭到贬损,反之,为其艺术性的充分展示奠定了物质基础。民歌节的艺术性首先表现在精心筹划打造的民歌节开幕式晚会。每一届民歌节的开幕式都是以融民族性、现代性、国际性于一体而著称的。在民族性方面,舞台的设计以体现壮族文化的绣球、铜鼓、凤凰等为素材,营造浓郁的民族气息。为充分挖掘广西民歌传统,民歌节组委会每年还邀请、组织区内外专业音乐人士深入广西民间采风,搜集整理民歌,把深山远寨的古老民歌搬到舞台。其次,民歌节审美娱乐性还表现在历届民歌节的保留项目及重头戏——"绿城歌台"。这是中外艺术家、艺术团体与观众同台献歌竞舞、共同联欢的盛会。

7. 评析

民歌艺术节实行组委会领导下的专业公司经营与部门负责相结合的机制,提高了资金运筹能力,减轻财政负担,最大限度地实现节庆的社会效益与经济效益的结合。民歌艺术节为世界讲出属于中国的民歌故事,在民歌文化内核基础上,不断创新呈现方式,提高观众参与互动体验,让观众如同身临其境,切身感受民族文化的魅力。民歌节不仅对民歌的搜集、整理、展示,新民歌的创作、推广,各民族文化的交流起到了积极的促进作用,同时还丰富了广大人民群众的精神文化生活,促进了社会主义精神文明建设,推动了广西的对外开放、经济发展,南宁国际民歌艺术节实现了社会效益和经济效益的双丰收。

第四章 会展场馆经营与管理的经典案例分析

第一节 汉诺威国际会展中心

一、场馆基本情况

汉诺威会展中心(Hannover Exhibition Center)是世界上超大型会展中心的典型代表。这座超大的展览场馆拥有完美的基础设施和艺术级的技术手段,它为26 000余位展商和230万观众的年流量而设计(图4-1)。整个场地占地100万平方米,共27个展馆,室内展览面积达到49.8万平方米。每个场馆都可以根据需要进行灵活间隔,中间用玻璃走廊和自动电梯通道连接,场馆内设有许多休闲场所。会议中心分为35个多功能厅,均有现代化展览、会议设施(图4-2)。

二战后,由于莱比锡展览中心被占领,英国贸易展销会不得不寻找一个新的合适地方举办,于是就选择了汉诺威南部曾经制造飞机的工厂。并于1947年在那里举办了第一次展览会,从那以后这个地方就成了展览会场,除了2000年的世博会,每年的德国汉诺威国际信息及通信技术博览会(CeBIT)和汉诺威工博会都在这里举行。汉诺威自1947年举办工业博览会以来,不断发展壮大,日益成为"世界会展之都"。在2018年世界百强商业展览统计中,德国共有51家入围,其中仅汉诺威就有10家,已经形成了享誉国际的汉诺威工业博览会与CeBIT这样著名的商展品牌。汉诺威的会展组织模式主要为"政府领导为主,协会组织协调,公司直接经营",政府、行业协会、公司三者职能相互配合,协调分工,避免资源重复浪费,同时充分发挥企业的自主性,不断开拓创新,这也使得汉诺威会展业一直处于国际领先地位。

汉诺威会展中心的展览技术和设备也一直在不断改进和完善。汉诺威现代化的展览馆成功地经受住了2000年世界博览会的考验。另外,博览中心还拥有两个设备完善的、欧洲最大的专用客运火车站,还有专用的货运站,货运站设有能装卸大件重型货物的设备,并且有多条支线直通各展览大厅,有分别连接着飞机场和火车站的两条地铁线路,可直达博览会北面入口,博览中心的停车场可停放5万辆汽车,场内还有一个直升机场。展览一到这个城市,市内的交通就为其开绿灯,不仅开设专线地铁,观展人士甚至还可以坐直升机到达展馆。除完善的硬件设施外,汉诺威在展会的组织和服务等"软件"方面也有口皆碑,他们会专门为展商和观众提供一个册子或书,其内容不仅包括历年展会的情况回顾,而且还介绍欧洲的某个行业甚至整个世界的发展趋势和动态,这本资料还会涉及参展费用、装修费用等信息。一些宣传材料中仅酒店介绍就有五六页篇幅,罗列上百家档次不同的酒店供用户挑选,并详细介绍价格、优惠政策等。

图 4-1　汉诺威会展中心全景

二、汉诺威会展中心的发展优势

(一)汉诺威得天独厚的地理条件

汉诺威是德国下萨克森州首府,北德重要的经济文化中心。它濒临中德运河,位于北德平原和中德山地的相交处,又处于巴黎到莫斯科、北欧到意大利的十字路口,是个水陆交通枢纽,这为当地展览业的发展提供了重要的自然条件。世界十大展览会中的五个在汉诺威举办,因而汉诺威市被誉为"世界会展之都"。

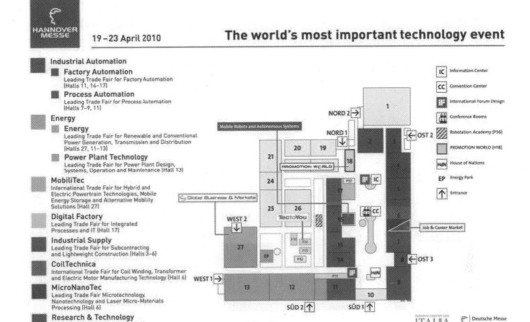

图4-2　汉诺威会展中心场馆分布图

(二) 汉诺威展览公司的成功经营

汉诺威会展中心的蓬勃发展也离不开汉诺威展览公司多年的成功经营。从1947年举办第一届工业博览会至今,汉诺威展览公司已发展成为世界第一大展览公司。目前它负责协调和筹备在汉诺威举办的所有展会,每年平均承办的国际展会数量多达二十多个,几乎月月都有一到两个大展览,其中最著名的当属每年春季举办的工业博览会和信息、通信及办公室自动化博览会。前者前身为1947年的德国出口博览会,到2020年已举办了52届,它在全球工业领域中有无可比拟的权威性,后者始于1986年,目前已成为这一领域里世界最大规模的展会。两大展会的观展人次每年均在30万以上。同时,汉诺威展览公司还在新兴国家和经济增长较快的地区大力开拓海外市场,一方面是吸引德国及欧洲以外的大量的厂商来汉诺威参展,另一方面则是在海外建设新场馆,并将自己成熟的展览会运作方式延伸到海外。比如,进入20世纪90年代以来,汉诺威两大展会中来自德国和欧洲以外的厂商均在40%以上。在2000年,汉诺威和另外两家德国展览公司一起与上海浦东土地发展控股公司合作,兴建了新上海国际博览中心。其著名的信息、通信及办公室自动化博览会如今已经有了亚洲版、美洲版等,亚洲版自 2001 年以来已经举办了 4 次。凡去过汉诺威的展览界人士都有这样的感受,就是会展的气氛特浓,每逢展会期间,来自五湖四海的客商都会涌入这个城市。人们如此热情地去观看展览,是因为这里有两个基本的保证:一是汉诺威过硬的城市基础设施;二是汉诺威找到了自己的会展商业运作模式,能够良好运营。在城市基础设施方面,尤其是展览会的各种硬件设施上它都堪称世界一流。

(三)德国政府的大力支持

汉诺威会展业发展的原动力还来自政府的高度重视和支持。在会展业极为发达的德国,许多城市的政府部门普遍将展览业作为支柱产业加以扶持。德国几个大的展览公司都是有政府背景的,政府对展览业的支持力度很大,比如,汉诺威展览公司的两大股东——下萨克森州政府和汉诺威市政府,就持有其 49.8% 的股权。在政府的支持下,汉诺威公司逐步发展壮大,从而带动了整个城市会展业的蓬勃兴起。在过去的十多年里,德国博览会集团公司投入了总计超过 8 亿欧元的资金建设新的展览馆,改善停车设施,建立卓越的公路网,大宗货物运输道路和具有吸引力的建筑。这些使得汉诺威展览中心成为国际市场交流的最佳场所。除了政府投资建设场馆外,在会展活动进行期间,德国政府部门也会积极为会展活动提供所需的支持,简化行政流程,为会展活动的顺利举办做好服务工作。在政策制定方面,因会展业有很强的经济拉动效应,德国政府对会展行业有较大倾向,给予了很多优惠的政策,并积极为会展业调配资源。

三、汉诺威会展中心运营管理的经验借鉴

(一)政府主导型模式保障场馆的高水平运营

德国会展业之所以能够享誉全球,得益于德国独特的会展场馆发展模式——政府主导型模式。汉诺威会展中心是政府主导型模式的典型代表。汉诺威会展中心的政府主导型模式是指场馆由政府投资兴建,归政府所有,但是由专业的会展公司——汉诺威展览公司来负责场馆的具体运营,地方政府采取民主监管方式,支持会展中心按照市场化运作。但是,场馆虽然交由会展公司来运营,地方政府也不是完全放手不管,为确保会展业健康发展,地方政府牵头成立监管委员会,会展中心的重大经营决策,只有得到委员会批准才能实施。这样既保障了场馆建设的高投资额,场馆的经营符合会展行业发展需求,又使场馆运营机制灵活,运作效率高。

(二)德国会展行业协会的管理协调作用显著

贸易展览业协会(AUMA)是德国会展业的最高行业协会,主要成员来自会展活动组织者、会展场馆经营者、参展商和采购商等,协会也是政府间接管理会展业的重要机构。德国会展协会是由政府授权的,在制定会展行业发展计划和处理相关事务具有权威性。其主要工作就是最大限度地为会展业在国内和国际市场上争取利益,为在德国举办的或者德国企业在国外举办的各种会展活动做好统筹安排,尽可能为国外参展商来德国参展提供便利,同时也积极帮助德国会展企业出国办展。AUMA 每年都会制定官方出国参展计划,在帮助会展企业争取更多出国参展预算、提高政府对会展业的扶持程度等方面都发挥着积极作用。汉诺威会展中心作为 AUMA 的成员,其在制定展览计划和组织展览过程中都得到了协会的大力支持。

(三)场馆组织水平和服务质量高

如果说展览馆和酒店等配套设施是展会经济的"硬件"的话,那么组织和服务就是"软件"了。汉诺威会展中心的成功经验同样得益于"软件"的发达。为了更好地为参展者提供服务,汉诺威展览公司曾不惜血本,赶在 CeBIT 展会开幕前修建了一个可容纳 1 150 辆汽车的多层停车场、一个新的展会入口以及一座直通展会广场和东侧停车场 30 米宽的天桥。此外,从汉诺威北部到达展览中心的有轨电车也在展会期间投入试运营,而在 26 个展馆组成的展览中心内,免费巴士不停穿梭运送参观者,不同的线路还用不同的颜色标在站牌和车窗上,方便参观者搭乘。

在饮食服务方面,汉诺威会展中心内设 50 家自助式快餐吧、44 家风格各异的餐厅;在展览服务方面,汉诺威会展中心设有专业部门处理客商提出的要求,包括展位设计、施工、保安等;在住宿服务方面,汉诺威会展中心成立专门公司,为客商预订展览中心内部和周边 180 千米范围内星级酒店房间,以及经过严格审核、具备基本配置的民宅;在管家服务方面,汉诺威会展中心通过业务承包商向客商提供餐饮配送、房屋保洁、洗衣等管家服务;在物流服务方面,汉诺威会展中心内设货物装卸区,物流业务全部分包给 5 家国际性物流公司;在个性化服务方面,汉诺威会展中心建立分级管理制度,为不同客商尤其是 VIP 客商提供包括特色餐饮、娱乐休闲等个性化服务。此外,在会展中心内邮局、银行、商店、租车公司等一应俱全。其所带来的便捷的服务使汉诺威会展中心的客户满意度不断提升。

(四)汉诺威会展中心为会展品牌培育发挥了重要作用

汉诺威会展中心在建设国际化的会展场馆时,采取的战略是以城市产业为基础,打造大型国际化、专业化、品牌化的展会活动。在培育会展品牌过程中,汉诺威展览公司通过建立专业的营销渠道、采用目标客户细分方法、在全球各个国家和地区宣传本场馆举办的展览会、极力邀请国外参展商和观众等一系列举措,扩大了展会的知名度与国际影响力,也促使德国会展业处于国际领先地位。汉诺威会展中心为了树立德国会展业品牌的形象,打造具有国际化影响力的会展品牌,重视举办国际化的贸易平台从而强化会展品牌的影响力。

第二节　科隆展览中心案例分析

一、场馆基本情况

在科隆市市长 Konrad Adenauer 的提议下,道依茨在 1920 年成立了会展公司和展览馆。第一届展会于 1924 年开幕,是春季贸易博览会,主要展出五金、纺织品和家具。为了满足对展览空间的巨大需求,从 1926 年开始扩大展览场地,1928 年建成了莱茵赛德大厅、国家大厦和梅塞图尔姆大厅(Staatenhaus),得益于在 1928 年举办的国际新闻展,新的展馆也闻名于世。

由于科隆展览的管理者很早就意识到了会展行业专业化的趋势,1944—1953 年他们专注于举办专业性展会,如 photokina、Anuga、科隆家具展和西德专业办公展(ORGATEC 的前身)。

1954—1963 年,科隆展览中心的许多展览活动已发展成为各自领域的重要展会。会展公司不断扩大,到 1961 年,展馆总面积达到 100 000 平方米。在这十年间,家庭和五金博览会确立了中心作为该行业主要会议点的地位。

20 世纪 80 年代,尽管面临着激烈的国际竞争,但在科隆展览中心举办的领先全球的展会确保了其在世界舞台上的领先地位。

科隆市和科隆展览中心在 1993 年决定成立合作经营公司"KölnKongress",负责营销科隆展览中心的会议业务以及该市的宴会厅 Gürzenich。

截至 2006 年,科隆展览中心已经建成了四个新的会场展馆(图 4-3),分别位于北会议中心、北入口和林荫大道。通过 gamescom 和 dmexco 展会,数字化产业已经进入到科隆的展会中,并正在巩固科隆作为德国媒体中心的突出地位。道依茨的展览场地正吸引着越来越多的外部公司来此组织新展会,这些展会给科隆带来了新的目标群体和具有吸引力的行业。

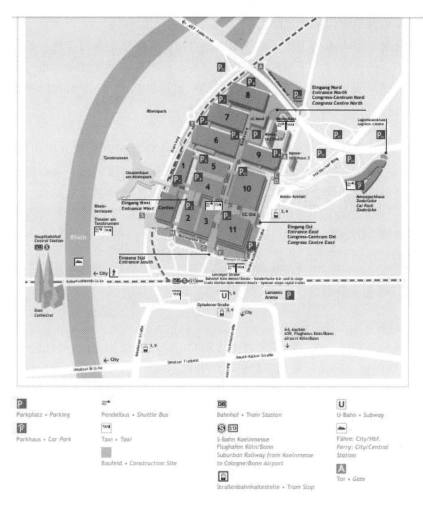

图4-3 科隆展馆平面图

二、场馆运营特色

(一)参与城市整体营销

所谓城市整体促销,就是整合城市的相关资源,进行统一设计和精心策划,并通过旅游节庆、文艺演出、媒体广告等途径,向公众宣传城市的经营理念、建设成就、自然资源和精神风貌等,从而改善城市环境,树立城市形象,增强城市对国内外各种资源的吸引力,加大城市对其他地区的辐射力和影响力,实现城市的保值增值和持续快速发展。

1.在全球范围内推广科隆市

科隆展览中心致力于在全球范围内大力宣传科隆市作为商业场所的功能。科隆展览中心的许多活动是与科隆市合作进行的。科隆市市长 Henriette Reker 和科隆展览总裁兼首席执行官 Gerald Böse 定期访问印度、日本、中国和巴西等主要市场,以促进该市成为展览会和商业活动的场所。

2.提出展会城市倡议

为了确保科隆更好地向潜在投资者展示自己作为展览会举办地的能力,科隆市长 Henriette Reker 和科隆展览共同制定了科隆展会城市倡议。展会城市计划的目标是使科隆市和周边地区更紧密地参与科隆展览的大型贸易展览会。该倡议让展览会的理念走出了展览中心的大厅,并走向城市,让城市居民和游客都有所体验。科隆展会的理念十分具有说服力,科隆市的许多机构都参与其中,并为该倡议的顺利实施做出了贡献。

(二)绿色展会理念

1.提倡乘坐公共交通

在科隆展览中心举办的许多展会活动的门票可以作为莱茵—西格公交系统的车票。此外,通过与德国联邦铁路公司的合作,参展人员还可以以折扣价预订火车票。科隆展览中心还参与扩建科隆铁路枢纽项目,并提出替代运输解决方案,比如从科隆中央车站到科隆/德国展览中心站的有轨电车就是科隆展览大力参与的项目。

2.提高能源利用率

科隆展览从使用自营发电站转变为使用集中供热系统。自 2016 年初以来,科隆展览一直使用块状热电站的环保方式生产电力。通过这一措施,科隆展览每年减少了 3 200 吨的二氧化碳排放量。虽然 11 个科隆展馆的总面积为 284 000 平方米,需要大量的能源,但是随着建筑的不断更新升级而减少了能耗。作为科隆展览 3.0 投资计划的一部分,公司将给 200 000 平方米的展览空间配备最先进的技术。北部大厅的技术目前也在关键点得到增强。通过这些措施,从 2019 年起,科隆展览将每年减少高达 30%的热能消耗,以及为建筑服务业减少 25%的电力消耗。

3.资源管理

(1)科隆展览重视原材料的可持续处理。一年中产生的废物有 90%以上都送去回收。

(2)在欧盟禁止一次性塑料使用的法规实施之前,科隆展览就禁止了在交易会上发放吸管,并将一次性材料换为可持续材料,如蔗渣或 PLA(聚乳酸,由马铃薯、玉米淀粉或乳酸制成的有机安全塑料,可在几周内完全生物降解)。此外,科隆展览没有使用铝或塑料箔作为外部包装。

（3）展览会管理部门积极确保资源有效利用。例如，在一些展览会上，根据人流量，科隆展览决定灯光强度、是否铺设地毯以及是否开启暖气和空调。

（4）由科隆展览经营的展位主要由可重复使用多次的系统材料组成。

4.应对可持续发展：举办"DMEXCO 森林"活动

德国科隆国际数码营销展览会（DMEXCO）和 Treedom 推出 DMEXCO 森林计划（图 4-4）。DMEXCO 2019 不仅关注最新的数字化趋势和发展，而且也关心社会潮流对数字化产业的影响。例如，2019 年实施持续发展措施以及在市场营销方面表达更明确的立场，作为领先的数码营销贸易展览会，DMEXCO 致力于可持续发展项目，并与 Treedom 公司一起在肯尼亚种植树木，这些树木将储存约一百万公斤的二氧化碳。DMEXCO 森林计划旨在抵消国际旅客前往科隆参观科隆国际数码营销展览会带来的一些碳排放。开幕式上，DMEXCO 的首席顾问 Dominik Matyka 博士在开幕词致辞时 DMEXCO 观众介绍了可持续发展项目，并邀请其他业内同行也加入植树活动中。

图 4-4 "DMEXCO 森林"活动现场图

(三)人力资源管理

1.线上沟通和学习

为了优化合作，甚至优化跨国合作，科隆展览中心的所有员工都使用现代化的移动 IT 设备。方便团队中世界各地同事的人员整合，同时，科隆展览中心还在制定标准，优化知识和质量管理，并且通过定期的活动、员工电子快讯、社交工作平台和新的培训计划来加强内部互动。随着数字化的发展，很多事情的变化越来越快，为了顺应数字化的发展趋势，科隆展览中心推出了在线学习平台"Academy"，这让

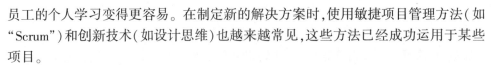

员工的个人学习变得更容易。在制定新的解决方案时,使用敏捷项目管理方法(如"Scrum")和创新技术(如设计思维)也越来越常见,这些方法已经成功运用于某些项目。

2.促进公正性

科隆展览参加了针对女性的跨顾问计划。该计划的大改内容为将一名女学员分配给来自另一家科隆企业的导师,来自科隆展览的四名学员和四名导师参加了该计划。除了一对一指导之外,该计划还包括研讨会、公司参观和社交活动。其目的是促进女性在科隆展览和科隆地区企业的职业发展。

此外,中心通过女性内部关系网来提供讲座、研讨会和社交活动,为女同事们提供支持,无论其年龄、职业水平或职位如何。这使得"女性在领导地位"这一话题更加引人注目。

(四)数字化服务

1.数字化交通系统

面对在贸易展览会期间满负荷运作(涉及 8 万辆卡车,其中 1.6 万辆重达 40 吨以上,以及围绕场馆大约 300 万辆汽车)的问题,科隆展览中心采取的措施是:使用交通管理综合系统,为卡车预订时段,从卡车出发的那一刻起,它们就被精确地导航到装卸条件最好的展会目的地。如果卡车出现延误,该时段将自动重新分配,与此同时,员工将得到通知,叉车也将进行重组。该系统的基础是数字化路由技术"NUNAV"。它是专门针对科隆展览的情况而设计的。通过最新获得的展会场地空间数据和专门开发的管理界面,可以更有效地对交通流量、大门、大厅通道、停车场占用率和城市交通情况进行协调。该系统与科隆市和北莱茵-威斯特法伦州的中央交通局联网。此外,他们还安装了 25 个用于交通指引的数码指示牌,用来优化交通路线。

2.提供线上服务系统

(1)参展商可以使用科隆展览的"LeadTracking"服务,以数字形式更容易、更快捷地收集观众联系信息,给合作伙伴和客户留下了更多时间进行商谈。

(2)为家具行业提供的在线商务平台"ambista"。在展前、展中和展后,加强展商和观众之间的商务联系,将展会体验和交流时间放宽到 365 天全时段,可以加强已建立的联系和产品体验。

(3)通过直播和视频点播,可以在线体验展会活动的亮点。最高峰时段,有 1 000 万全球游戏玩家同时在线参加了"gamescom 2020"展会,200 万名观众同时在线观看了开幕式。

(五)反对盗版、坚持原创

科隆展览与德国专利商标局、德国中央工业产权办公室和德国联邦北威州警察局展开密切合作。参展商可在有需要时通过"拒绝盗版"活动获取工业产权律师的联系信息。在博览会举办期间,使用盗版产品将要承担相应的风险。"拒绝盗版"活动将提供在线信息服务台,作为参展商和观众获取工业产权信息的主要来源。此外,来自德国专利商标局的专家和知识产权律师也将出席部分活动。

三、科隆展览中心运营管理评述

(一)参与城市营销使展馆与城市相互促进

每一次成功的国际会议或展览会都是一次重大的城市促销活动,都是宣传城市、提高城市知名度和美誉度的良好机会,其成功举办不但能够吸引国内外客商与本地企业开展经济贸易活动,还能吸引国内外游客,促进旅游业的发展,同时,各级新闻媒体对会展或旅游节庆活动的主动报道也可以有效地提升城市形象。科隆展览中心的商业运作促进了当地经济的发展。参展商和参观者不仅参观科隆的展会,他们还会在酒店过夜,在餐厅用餐或在城市购物。在科隆过夜的人有 50% 都是参观展览会的人。仅展览会参与者所花的钱就可以为科隆提供大约 11 500 个全职工作岗位。科隆展览的每一欧元营业额可在该市产生约五欧元的效益。展览会和大会的参与者每年在该地区创造的总消费额超过了 10 亿欧元。

城市整体形象的提升,能给会展场馆带来更多的展览会。许多公司都认为科隆是举办展览会、会议和代表大会的好地方。该市的支持计划(包括城市内外的活动)获得了很高的评价。科隆的中心位置和展览中心本身也被视为举办展览会的加分项。

(二)沟通和学习让员工保持积极性

会展场馆要维持其经营活动有效运转,必须投入人力、物力、财力和信息等资源,而人力资源则是最具有能动性的资源,也是场馆最基本、最重要的资源,只有通过人力资源,才能控制和使用场馆的其他资源。场馆的财力资源、物力资源、信息资源的使用和管理必然要受到人力资源素质的影响。因此,工作人员保持及时地沟通,能够使公司更加快速地发现问题、解决问题,从而提升公司效益。让员工一直保持学习,才能充分提高工作人员素质,激发主动性和积极性,最大限度地挖掘潜能。能够激发企业管理者和员工归属感、积极性和创造性,从而推动管理目标的实现。

(三)绿色办展节约成本,迎合世界发展趋势

随着人们生活质量不断提高,人们对健康和良好的生活环境的重视程度也在不断提高。科隆展览中心近年来举办的会展越来越突出节能和环保特色。既满足客户和观众的需求,又引领行业时代潮流,迎合了世界发展趋势。

例如在布置展台时注意环保材料的使用,在会展设计的前期注意选取材料的可回收性,避免展会结束后造成材料的浪费。这样既保护了环境,又能在很大程度上节约材料,避免大量的浪费,从而节约成本。

(四)数字化服务系统提高服务效率

科隆展览中心应用各种科技手段,不断开发线上服务平台,将线上服务与线下服务相结合。例如数字化交通系统可以降低排放、能耗和交通负荷。丰富了展览中心的服务内容,提升了服务效率,在满足各方个性化需求的同时,大大降低了参展各方交流协调的成本,提高了会展服务水平,让参展人员和观众都可以享受到优质的服务。

而在线商务平台无论是展前、展中以及展后都能够为用户提供全面性的服务内容,使展商和观众的交流可以突破传统展览的时间和空间限制。

(五)打击盗版释放展会活力

创新是展会的灵魂,创新能够打造健康协调的会展业发展格局,会展业的发展和繁荣需要创新,这就要求我们要保护原创打击盗版。盗版行为破坏了会展业公平有序的市场环境,损害了权利人的合法权益。而科隆展览中心的打击侵权行为使原创作者的知识产权得到了法律保护,使参展商的自主创新活力得到充分释放。既可以提高展会的质量和效益,又能够创造更加活跃的市场效益空间。

第三节　国家会展中心(上海)

一、场馆基本情况

国家会展中心(上海)(以下简称国家会展中心)位于上海虹桥商业区,是集展览、会议、办公及商业服务等功能于一体的会展综合体,常有各种大型的展览在此举行,也是上海市的标志性建筑之一。建筑采用优美而具有吉祥寓意的四叶草为原型,以中央广场为花心,十分宏伟壮观(图4-5)。会展大道将中心内各个部分连

接起来,观展者可方便地步行穿梭在展厅、商业中心和酒店之间,轻松参观。此外,地铁可直达位于建筑中央的商业中心,这里集聚了各类餐饮、休闲娱乐、精品商店等服务,看展看累了可以到这里休息一下。国家会展中心项目自投入运营以来,就连续多次举办超大规模国内、国际展会活动,接待参展嘉宾逾千万人次,稳居国内会展业龙头地位。

图 4-5　国家会展中心俯瞰图

(一)投资及经营模式

国家会展中心是由中华人民共和国商务部和上海市人民政府于 2011 年共同决定合作共建的大型会展综合体项目,总投资约 160 亿元,由国家会展中心(上海)有限责任公司投资建设并运营。国家会展中心采取国建民营模式,即政府投资建设场馆,但选择市场化企业负责展馆的经营,将所有权和经营权进行分离。由于建设场馆的投资巨大,如上海国家会展中心的投资额为 50 亿元,单就政府投资回报率而言,这种投资金额仅银行借款利息就已很高。而所有权与经营权分离可以减轻场馆在经营方面的成本压力,激发场馆活力,方便其采取多元化经营方式。

(二)超大规模展览展示面积

国家会展中心(上海)总建筑面积约 147 万平方米,可展览面积近 50 万平方米,拥有 40 万平方米的室内展厅和 10 万平方米的室外展场,配备 15 万平方米商业中心、18 万平方米办公设施和 6 万平方米五星级酒店。综合体共 17 个展厅,包括 15 个单位面积为 3 万平方米的大展厅,和 2 个单位面积为 1 万平方米的多功能展厅。全方位满足大中小型展会对展馆的使用需求。国家会展中心还适合举办各种规模的商业推广、文艺演出、论坛年会、文化展示、时尚娱乐等活动。位于东厅的演艺馆"虹馆",总面积1万平方米,拥有近8000个座位,是虹桥地区面积最大的文娱演艺平台,既满足举办大中型演艺活动的要求,亦可用于展会会议服务。国家会展中心还拥有丰富的会议场地和先进的会议组织体系,从几十人的小型聚会到大型国际会议的举办均能轻松应对。其中,90~400平方米的小型会议室40个,400~600平方米的中型会议室7个。室内软件功能完善,硬件设施齐备,会议环境舒适。

(三)超强承重能力

在国家会展中心,集装箱卡车可以直接开到二楼,进行快速布展和撤展,这是以往任何展览会场都没有过的设计,它对承载力的要求非常高。为了达到强度,展厅二层大跨楼盖采用预应力钢筋混凝土结构体系,并采取预应力筋分段优化,解决了承载力的世界性难题。一层北片的4个大展馆地面荷载高达每平方米5吨,是目前世界上承重能力最强的展厅。一层南片的4个双层大展馆和北片1个小展厅地面载荷每平方米3.5吨。二层的7个大展馆和小展厅地面荷载每平方米1.5吨。即使是对展厅承重能力要求最高的重型机械,国家会展中心亦可轻松承载。而会展场馆主要集中在一层,这大大减轻了展品、布展材料等物资的搬运工作。

(四)超高展示空间

国家会展中心单层无柱展厅3号馆,拥有无与伦比的展示空间,净高32米。而且一层的8个展馆均为无柱展馆,场馆单层高达32米,这为举办大型会展活动,特别是展品体积很大、参展人数众多的展会提供了广阔的场地,会展活动组织者和参展商可以在这里根据自身需要对展台进行布置。1号馆、2号馆以及4至8号馆为双层大展厅,其中一层大展厅净高12米,二层大展厅净高17米。为各类展品搭建和使用提供无限可能。

(五)现代化的办公楼宇

位于"四叶草"端部的三座5A甲级办公楼,坐拥大型展会活动的人流、物流、资金流和信息流带来的无限商机,是品牌推广的绝佳舞台。国家会展中心办公楼宇打造绿色商务空间,改写传统办公体验。办公楼宇有2000平方米气派大堂,16米挑高,8000平方米超阔标准层,宜展宜办,空间分割灵活,8米标高步道便捷连通各大展厅和商业广场,每座办公楼配备两间500平方米多功能会议室及两座500平方米空中花园(图4-6)。办公楼内配置商务中心,可满足各类商务洽谈和短期租赁需求。B座办公楼一站式行政服务窗口,集合工商、税务、旅游等服务,极大地便利了企业行政报审。办公楼内咖啡厅、便利店、员工食堂及银行等配套设施齐备。国家会展中心办公楼依托国家会展中心的平台力量,直面全年数十场行业大展,是世界进入中国市场的第一站,也是中国走向世界的新起点。

图 4-6　国家会展中心内部图

(六)配套完善的商业广场

国家会展中心商业广场(图4-7)位于"四叶草"建筑的中央,由围绕中心广场的圆楼与环抱圆楼的八座钻石楼组成,中央圆楼与钻石楼在1~3层相互连通。商业广场集品牌创新、时尚精品、科技体验和艺术人文于一体,是国内外品牌的世界级秀场,更是消费者的乐园。商业广场与各大展厅在三个交汇层无缝对接,展商观众可便捷地在各大展厅与商业广场之间穿梭往来。在商业广场内,3层的半室外建筑空间以及16米标高的露台形成了独具特色、活力无限的时尚休闲空间,可以让客户在不同视角感受商业广场的异样风景。商业广场融合了餐饮美食、创新体验、时尚精品、城市主题、创意文化与娱乐休闲六大业态,为展商和观众在参展之余提供完美的购物、休闲、人文体验。国家会展中心是集会议展览、商业办公以及购物娱乐等于一体大型会展综合体,会展活动为周边商业圈带来了大量客流,同时周边的商业圈也为参会参展人员提供了服务,实现了合作共赢良性发展。国家会展中心拥有的15万平方米商业广场和独特的首层设计,能够实现各展馆与商业圈的对接,为参展人员带来便利的同时,也为商业圈带去了源源不断的客流。

图4-7　国家会展中心内的商业广场

二、国家会展中心的多维信息化应用情况

国家会展中心在建设之初就非常重视信息化建设,早在第二届进博会召开前夕,国家会展中心(上海)已经实现5G网络全覆盖,并成为全球最大的5G覆盖单体建筑群。在第二届进博会期间更是全方位开展多维的信息化应用,成为智能场馆建设的典范。

(一)场馆运行一网通管

国家会展中心(上海)围绕第二届进博会的需要进行了信息化的建设。信息化建设分为两个阶段,一个是在筹展阶段,打造了由24个信息系统组成的进口博览会综合业务平台,主要围绕招展、招商、展会服务、国家展、论坛嘉宾注册、人员背景审核、证件管理等一整套的展前综合服务平台。另一个是在现场管理阶段,主要是针对现场的观众的信息化服务和应用。

(二)提升和优化 APP 应用

第二届进博会在APP应用方面做了很大提升和优化,通过这个APP,可以让广大的展客商进得来、出得去、吃得上、找得到。第二届进博会APP主要在以下几个方面挖掘了一系列功能:一是基于5G以及综合应用的场馆综合导览;二是APP提供了在线智能翻译、文字翻译、语音翻译、图片翻译等功能;三是APP提供展客商的预约、停车管理等一系列的服务。第二届进口博览会官方 APP 下载装机量达到近 30 万次。

(三) 围绕 5G 应用在信息驿站提供 5G 示范的展示和落地

国家会展中心在第二届进口博览会举办前实现了 1 470 万平方米的 5G 全覆盖,这在国际大型活动中尚属首例。同时会同三大运营商与上海市通信管理局等单位,共同落地 4 大类 17 项的 5G 示范应用,在整个进口博览会期间也获得了一致的好评。在进博会现场直播时,拍摄人员背后可以随身携带一个基于 5G 的信号发射装备,现场采集到的信号,通过这个装备,就可以直接部署到 31 个信息驿站上,可以让观众看到当前最热的产品、最火爆的活动。

在场馆内还有一些基于 5G 的客流密度检测,告诉观众哪些场馆是最热的,哪些区域是最火的。还有一些分层的展示,包括在场馆内部署基于 5G 传输的摄像头,可以看到现场实时信号的采集,以及实现导览的功能。

(四) 建立基于现代信息技术的智慧场馆综合管理平台

智慧场馆综合管理平台是根据国家会展中心日常运营及进博会保障需求定制开发的,平台服务对象包括所有一线管理部门。目前对接的各项智能化子系统达到了 16 个,后期还会根据需要进行增加。智慧场馆综合管理平台重点关注核心安防管理,包括人流、车流、安检门禁、周边公共交通等,以及设备管理,包括所有的设备管理、能耗管理、物联网感知等。

智慧场馆综合管理平台以物联网大数据开发应用为重点,全面实现运营管理数据的可视化、业务管理的闭环化以及安全管理联动化。智慧场馆管理平台,在进博会期间有效实现了大客流的管理目标,充分发挥了作用,做到智慧中心统管全场,"让数据多跑路,让人少跑路"。这个平台可以根据多维度的大数据进行信息处理和分析,采集了通信运营商、公安系统等数据,可以实时知道客源地,各个出入口流量压力等,确保馆内同时在场的人员不超过 15 万(15 万人是国家会展中心服务保障的压力极限值)。其餐饮、保洁、现场服务都是以这个目标来进行服务能力的配置。通过智慧场馆综合管理平台可以实时跟踪地铁数据,并掌握出站人数和进站人数,包括国家会展中心出入口的两个主要地铁站。通过场景化配置的摄像头,可快速切换查看会议中心、人车通道、地铁出入口等地方。智慧场馆综合管理平台还可以基于视频结构化,对采集到的数据进行多维度分析。通过分析可以知道重点区域人流密度以及单位时间进出场馆人数。同时也可以对进出场馆的人、车、物进行重点布防、监控和数据获取。

三、国家会展中心运营管理的经验借鉴

(一)建筑设计艺术化和绿色化

国家会展中心主体建筑以伸展柔美的四叶幸运草为造型,采用轴线对称设计理念,设计中体现了诸多中国元素。国家会展中心的这种四叶草设计改变了以往会展场馆的分散布局模式,使会展区域作为整个综合项目的核心引力空间,占据四个"叶面"的大空间,室外广场位于最核心的位置,起到人群汇聚融合的作用。由于功能集中,建筑形体通过叶片的曲线变化,拓展出外围的延展面,将不同功能区域出入口沿外围均匀布置,有利于外部人群的分布式集散。

国家会展中心 2020 年荣获国家绿色建筑运行三星标识认证,达成设计、运行三星双认证,成为国内首家大型会展类三星级绿色建筑,同时也是国内体量最大的绿色建筑。国家会展中心项目为确保工程质量,使之完全符合国内外重大会议和展览活动的安全及环保要求,对所采用保温材料的材质,提出了非常严苛的技术要求。即在节能和阻燃基础指标完全达标之外,还必须符合对人体健康无害的绿色环保要求。

国家会展中心规划建设了适当规模的热、电、冷、生活热水四联供的区域功能能源站,集中向展厅、酒店、商务中心、公共服务设施、办公设施提供空调冷媒水、采暖热水、生活热水。这一举措集中减低了能源消耗,也有利于内燃机烟气排放集中管控,减少污染程度。同时,采用智能光伏发电系统,提高了电能的利用效率,减少能源损耗。国家会展中心也是世界第一个全部使用 LED 照明的大型会展建筑,用电量仅是金卤灯的 70%,不仅节省了电能,而且减少二氧化碳和二氧化硫的排放。国家会展中心采用超级电容电梯,中心共有 50 台超级电容电梯,其中有 6 台在国内首次实现了"停电不急停"的安全功能。经过权威部门检测,超级电容节能电梯在模拟情况下综合节电率为 25%,最高可达 33%。400 多台电梯通过采用超级电容和回馈系统结合的方式,年节电约 300 万度,相当于上海 3 500 多户居民的年用电量。国家会展中心还首创了红线范围内新建垃圾处理中心对会展固体废弃物进行回收和综合处置。

国家会展中心作为国内最大的会展综合体,在设计、施工、管理上都坚持全周期的绿色低碳理念,它不仅刷新了会展综合体建设的规模纪录,更是绿色建筑材料及理念在会展综合体上的一次创新应用,实现了社会效益与经济效益的统一。

(二)承接展会大型化和国际化

国家会展中心自建成以来,以其超大规模的展览空间、优越的地理位置、现代

化的场馆建设等优势吸引了大批大型国际展会在此举办,进博会、建博会、机床展、工博会等知名展会均落户于此。

以进博会为例,国家会展中心是中国国际进口博览会的固定场馆,第三届进博会共使用场馆面积 36 万平方米,承接了 101 场配套活动,接待近 40 万名专业观众入场参观。第三届进博会是疫情防控常态化背景下我国举办的一场规模最大、参展国别最多、线上线下结合的国际经贸盛会,展示了我国疫情防控和经济社会发展的重大成就。通过推动展品变商品、展商变投资商,进博会的贸易平台作用凸显,溢出效应不断放大,传递出坚定扩大开放、共享中国大市场的积极信号,为实施扩大内需战略、加快形成双循环新发展格局提供了有力支撑。第三届进博会在往届基础上精益求精,以安全为中心,创新现场服务水平,展会服务更加优质。主要体现在:组建专业团队,专人跟进需求,全面做好展品运输、会务活动等各项服务保障工作;餐饮供应更加便利,供餐品类多元,新建进博会 APP 餐饮预订接口,实现线上便利点餐,快捷到店自取;导览指引更加周到,扩大临时标识覆盖面,增加防疫标识 5.5 万个,累计发放《导览手册》等印刷品超过 50 万册;入馆安排更加顺畅,严格落实疫情防控要求,通过两次红外测温筛查,实现"无感知、不停留、可追溯"入场,自 2020 年 11 月 5 日早 8 时至 10 日中午 12 时,累计进场近 61.2 万人次。

国家会展中心在服务进博会等大型展会期间积累了丰富的经验,形成服务进博会的一套固定模式,并把这套模式移植到其他展会的服务中,提高服务水平。用进博品牌提高场馆的知名度和满意度,作为吸引场馆客户的重要资源,为吸引其他展会奠定基础。

(三)以智能化展现服务的有序化

国家会展中心运用全面信息化手段,使得从场馆内部管理到展会组织、现场安检、交通流量控制等各个方面的信息化服务变得更加先进。在第三届进博会期间优化智能数字导览系统,提供一站式业务办理平台,借助信息化手段确保安全办展,提高了参展观展人员的满意度。通过这些信息化手段,使得会展场馆的服务更加便捷,管理更加有序,减少了服务人员数量,提高了服务效率。国家会展中心智能化服务可为其他会展场馆借鉴,在信息化、数字化全面覆盖的大趋势下,会展场馆必须转变传统的管理思路和管理方式,做到让"数字多跑路,让客户少跑路"。

(四)发展基础雄厚

国家会展中心是一个具有国际水平的综合性会展中心,是顺应会展业壮大和发展的重要产物。国家会展中心可以解决上海、长三角乃至国内大型会展场馆缺失的问题。伴随着上海会展业的飞速发展,尤其是上海世博会成功举办后,上海作为新兴会展城市在国际的影响力越来越高。上海处于长三角地区的核心,是集经济、金融于一体的国际大都市,有着得天独厚的经济优势,产业基础雄厚,会展市场很大。因此,国家会展中心有很好的发展前景。中心以突破性的设计和完善的功能,立足长三角,服务全中国,面向全世界,全力服务做好中国国际进口博览会的筹办工作,努力成为服务对外开放基本国策和一带一路合作倡议、服务国家商务事业发展、服务上海市国际会展之都建设的重要平台。

国家会展中心的发展得益于上海市的经济基础、会展产业基础和区位优势,这也使其能够以超大规模场馆服务于长三角、全中国和全世界的大型展会,对于没有这些发展优势的地区并不适合发展如此大规模的会展场馆。

第四节　上海新国际博览中心

上海新国际博览中心(SNIEC)位于上海浦东新区(图4-8),凭借优越的地理位置、方便的交通、单层无柱式为特点的展馆设施以及多样化的现场服务博得了世界的广泛关注。自开业以来,上海新国际博览中心发展迅猛并吸引着越来越多的展览会到此举行。通过持续扩建,其室内面积超过20万平方米,室外面积超过13万平方米,这将进一步巩固其在中国市场的领导地位并确保上海作为东亚地区会展中心的领导地位。

图4-8　上海新国际博览中心图片

上海新国际博览中心由上海陆家嘴展览发展有限公司与德国展览集团国际有限公司(成员包括德国汉诺威展览公司、德国杜塞尔多夫展览会有限公司、德国慕尼黑国际展览中心有限公司)联合投资建造。自2001年开业以来,上海新国际博览中心取得了稳定发展,每年举办100余场知名展览会,吸引700余万名海内外客商。上海新国际博览中心的成功运营凸显了展会经济在中国及东亚经济区迅猛发展过程中的重要作用。

一、展馆基本情况

上海新国际博览中心于1999年11月4日举行奠基仪式,2001年11月2日W1—W4馆举行开业典礼,2002年3月1日W5号馆建成开放,2004年3月1日E1、E2号馆建成开放,2006年3月1日E3、E4号馆建成开放,2008年3月1日E5、E6号馆建成开放,其后中心也不断扩建,最近的扩建工程于2019年3月完成。

2018年8月,在经过上海新国际博览中心多方研究及论证,同时得到相关主管部门批准后,上海新国际博览中心的又一次扩容计划正式公布。上海新国际博览中心于内广场区域搭建半永久的中央场馆。第一期总面积达27 200平方米,已于2019年3月正式投入使用(图4-9)。慕尼黑博览集团旗下慕尼黑上海电子展、慕尼黑上海电子生产设备展与慕尼黑上海光博会成为了中央馆首批用户。

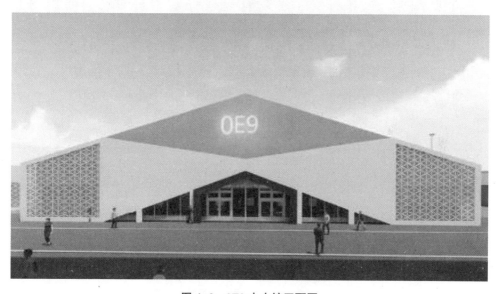

图4-9 0E9中央馆正面图

上海新国际博览中心中央馆地处展馆中心位置,建筑高度为6米到12米。整体设计简洁,配置高端(图4-10)。展厅的主体颜色呈莹白色,外墙面由专业设计师采用优质的搭建材料进行镂空雕花设计,便于场馆的内外通风,具有半永久性质。展厅地台为双层18毫米建筑模板,采用木方调平方式。每个展厅均配备中央空调与雨廊,使得展厅不受天气影响。场馆内部宽敞明亮,布展高度达4.5米。全厅无柱的设计能更好地满足企业的全方位需求,具体参数见表4-1。

图4-10 0E9外观设计图

为了满足日益增长的光电企业参展需求,2019年慕尼黑上海光博会已启用中央馆,展会规模再创新高,参展商数量超1 177家,观众数量超60 000人。

表4-1 上海新国际博览中心主要参数一览表

地点	上海浦东龙阳路2345号	所属城市	上海
奠基时间	1999年11月4日	开幕时间	2001年12月2日
场馆数量	18个	楼层数量	1层
总面积	33万平方米	会议室总面积	7800平方米
室内面积	20万平方米	室外面积	13万平方米
室内承重	3 000 kg/m²	室外承重	5 000 kg/m²
出入口数量	70个	出入口大小	高×宽:4×5
电压供给	380 V/220 V,50 Hz	接入方式	3相5线制

注:本表数据截止到2012年。

二、上海新国际博览中心运营管理模式

(一)上海新国际博览中心的运营模式

上海新国际博览中心是我国首个由外方投资参与及管理的展览中心,采用合资外营的运营管理模式,由上海浦东土地发展公司与德国展览界的三大巨头——汉诺威展览公司、杜塞尔多夫展览公司、慕尼黑展览有限公司共同建设而成的,双方投资各占50%。管理权属于德国,由德方出任总经理,中方出任副总经理,管理期限为50年。上海新国际博览中心的运营模式融合了中德双方的管理优势,尤其是凭借德方的管理经验、品牌影响力以及人才优势保证了场馆管理的高水平,既保证了场馆收益又降低了运营风险。三家德国股东凭借其在业界的知名度、对市场的理解与把握以及丰富的客户资源,为新国际博览中心带来了许多国际重量级的品牌展览会并吸引了众多国际参展商和观众,这也在很大程度上提升了中心在全球的品牌形象与品牌知名度。另外,三家德国股东还在专业化管理与技术层面上给予大量支持,贯穿展馆规划建造与后期设施改善和工程扩建始终,从而保障了上海新国际博览中心设计理念的先进性。这种吸收国外资本参与国内会展场馆运营的模式可为其他场馆的筹建提供经验。

(二)上海新国际博览中心的管理模式

1. 强化服务理念与服务质量、坚持服务持续创新

上海新国际博览中心始终坚持"顾客的满意和认同是展馆长期赢得市场、创造价值的关建",不断强化服务理念,提高服务质量并坚持持续创新,具体表现为:

第一,积极推行多层次、多种类、多规格的服务培训,大力加强服务人员的服务理念和质量意识,不断提高服务人员的专业技能、服务技巧与服务效率。

第二,实行定期客户满意度调查,及时了解参展商、观众和主办者的需求以及对当前服务的评价,逐步建立和完善服务质量测评机制。

第三,结合市场新的需要,推进服务的持续创新,如2004年中心在安防监控系统的优化、标示系统的更新以及小吃吧、西餐厅和商务中心等会展配套服务功能的扩容改造方面加大投入,增强了展馆的配套服务功能,同时还在空调系统、消防系统、室外展场等方面进行了技术改造。可以说,正是优质的服务理念、过硬的服务质量和持续的服务创新机制使上海新国际博览中心能够不断提高品质、提升竞争力并连续创造佳绩。

2. 坚持低成本战略、注重节省与成本控制

低成本一直是上海新国际博览中心追求的目标。其具体做法包括:

第一,加强高成本领域的成本控制,最大限度减少企业的金融成本,尽量避免过多的借贷,通过与金融机构的谈判寻求较低的贷款利率,选择在资金宽裕的情况下投入开支项目。

第二,狠抓运营成本的控制,积极加强存货管理,力求做到合理采购、及时回收,避免资源的浪费。

第三,善用预算,如每年整理以往的成本资料,列出所有超支项目,制定合理预算,增强企业资金运作的有效性。

第四,鼓励全体员工参与成本控制,让员工清楚认识到成本控制的必要性与合理性,要求员工不但牢记成本控制准则还要在日常工作中付诸行动是。

第五,对非核心业务实施外包,降低企业综合成本,如在保洁、保安、餐饮等方面,引入了专门的物业和餐饮管理公司,有效控制了成本,还改善了非核心业务的质量。

3. 坚持开诚布公、注重国际交流与合作

对内,上海新国际博览中心的合作是中德双方开诚布公、真心诚意交流的典范。德国三大股东始终把国际展馆建设的经验与技术毫无保留地应用于上海新国际博览中心的建设上,德方技术人员也经常在管理与服务方面进行技术指导。中方也一直保持高效、真诚配合的精神与态度,做到了"和而不同"。对外,上海新国际博览中心在国内市场取得了稳定增长后已开始涉足海外市场并积极推动国际间的交流与合作,如2003年11月上海新国际博览中心就与新达新加坡国际会议博览中心、日本会展中心签署成立亚太会展场馆战略联盟,以此加强三方在客户服务、市场营销、运营管理、设施技术、研究等领域中的合作与交流,从而吸引更多的国际展会进入亚洲,进一步强化和巩固各自未来的市场竞争地位,提升竞争力。

(三)上海新国际博览中心的营销模式

上海新国际博览中心致力于成为亚太一流的展览中心,以优质的服务和举办世界级的展览盛事而享誉全球。为此,上海新国际博览中心非常注重宣传营销,并以主要采用媒体广告、新闻公关和事件营销三种形式进行品牌的培育与传播。在媒体广告方面,它主要选择国内外专业的会展期刊或年鉴进行品牌推广,如 *Exhibition World*、*Trade Show Week*、《中国会展》和《中国展览年鉴》等;在新闻公关方面,它一方面积极加强与新闻界的联系,将企业各种有新闻价值的信息通过新闻报道来吸引大众眼球,另一方面又通过设计视觉统一的公司出版物(如小册子、视听材料等)来创造积极的品牌形象。在事件营销方面,它除了定期举办各种顾客联谊会或答谢会来加强和维护客户关系外,还会在一些大型展会开展期间对参展商、观众等进行随机调查,以了解自身的不足,为日后的改进做好准备。

三、上海新国际博览中心运营管理的经验借鉴

(一)利用便利交通保证出入的顺畅

上海新国际博览中心坐落于上海浦东——中国商业、贸易、经济、金融、航运、科技和信息中心,位于浦东国际机场和虹桥机场之间,东距浦东国际机场约33千米,西距虹桥机场约32千米。乘坐磁浮列车地铁即可到达场馆。若遇到展会,中心会在地铁口安排免费的接驳车。与上海火车站相距16千米,可乘地铁1号线,然后换乘2号线到达场馆。同时有多条公交线路途经上海新国际博览中心,设有989区间、大桥六线、大桥五线、东川专线、方川专线、花木1路、机场六线、机场三线等。自驾到上海新国际博览中心也很方便,从市中心横跨南浦大桥、杨浦大桥可直达,场馆提供4 603个车位供客人停车。上海新国际博览中心四通八达的交通网络保证参展客户能够顺畅出入会展场馆。

(二)利用完备设施满足参展客户的多样化需求

上海新国际博览中心设有配套完备的商务中心。商务中心位于场馆南入口大厅,主要提供办如传真、复印、上网、打印、电话卡及订票等办公服务。此外还可提供各类办公用品、快递货运服务及设计印制名片、展板制作、书报杂志零售等方便快捷的商务服务。

上海新国际博览中心周边具有良好的配套基础设施设备,聚集了证大喜玛拉雅中心、永达大厦、紫竹大厦、浦东嘉里城、博览汇广场、商业街等国际化大型综合性的商业设施,其中包括了五星级酒店、5A甲级办公楼、酒店式公寓、文化艺术中心、餐饮、购物、邮局、银行、电影院和其他商业和休闲设施。上海新国际博览中心周边完善的配套设施能够满足参展客户的参展需求和游购娱等需求。

(三)利用优质服务提升客户的满意度和忠诚度

上海新国际博览中心在场馆服务上十分重视,服务内容完善、细致。除设有咨询服务中心、国内外访问者中心,安全保卫、消防、海关办公室等政府支持的服务机构外,还提供传真、复印、印刷、刻字、名片制作、展具租赁、ATM自动取款机、贵宾洽谈休息室等配套服务。在餐饮方面,设有98餐厅、绿泉餐厅、JM明宇咖啡厅、小吃吧、棒约翰、蓝堡德国餐厅以及各类便利店、快餐店。提供各种中、西式的膳食和饮料,并承接各种类型的小型和大型活动的餐饮服务。还提供巴伐利亚美食、纯正意式美食、简约法式美食和各种物美价廉的商品,并提供免费外送服务。

在注重完善服务内容,提升服务细节化、人性化的同时,上海新国际博览中心还不断强化服务理念,提升服务的质量。并具体表现为:

第一,积极举办多种类、多层次的服务培训,增强服务者的服务理念和服务意识,不断提高服务者的专业技能、服务技巧以及服务效率。

第二,展会举办期间配备专门的导览员,为需要帮助的参展者提供服务,同时,还安排熟练使用英语、德语等常用语言的服务人员,以便更好地服务中外观众和参展商。

第三,在导览图中增加餐饮区域、观众休息区域等标识,让观众方便快捷地满足自己的需要。

第四,场馆不断优化更新安防监控系统,对逃生通道和应急设备的标识使用较为显眼的颜色标明,并进行定期更换,以便发生意外时参展者能够有序、快速地按照指引方向撤离。

第五,场馆按需增加流动清洁人员,在公共休息区及时清扫参展者所遗留的垃圾,从而营造一个良好、舒适、整洁的展示、参观环境。

(四) 利用品牌化实现场馆的持续发展

上海新国际博览中心经过近 20 年的发展积累了丰富的展览经验,运营模式更加成熟完善,通过合资外营的运营管理模式吸引不少国外展会在场馆办展,通过吸引品牌展会提升场馆的品牌知名度,不断积累品牌化资产,引进优质专业资源,拓展品牌化发展空间,踏上品牌化发展道路。虽然 2015 年国家会展中心在上海建成以后对上海新国际博览中心的业务带来一定的冲击,但是上海新国际博览中心仍然凭借其积累的品牌优势保证了展览的规模和场馆的高利用率。上海新国际博览中心 2015 年承接的展览会总数为 105 个,与 2014 年的 104 个相比几乎没有变化。虽然上海新国际博览中心是向国家会展中心输出展览会最多的场馆,但从外地会展场馆、上海世博展览馆和上海光大会展中心等与其相比更小的会展场馆转移过来的展览会数量分别占到其总量的 8.6%、3.8%和 2.9%。

(五) 利用人才强化场馆的竞争力

上海新国际博览中心在人才培养和引进方面建立了一套适合自身发展需要的人才管理机制。在不断引进外部优秀人才的同时,定期组织在职人员进行专业和技能方面进行培训,从内部提拔员工,并对表现突出、有潜力的员工进行嘉奖和鼓励。通过激发人才的工作积极性提高观众的满意度,提高场馆的综合竞争力。

上海新国际博览中心虽然已经取得了骄人的成绩,但与会展业发达的德国和美国相比,其在运营管理中仍然还存在一些问题与不足。上海新国际博览中心由于采取中德合作的运营管理模式,在引入和借鉴德国会展场馆管理体制方面存在一定的照搬照抄现象,部分德国的管理体制与具体方法在中国会展场馆管理中还存在一定的不适应性,企业对部分展览会项目还缺乏有效管理,部分员工对企业管理体制也还缺乏足够的认同,致使"不近人情""无法通融"之类的抱怨时常发生。这就要求上海新国际博览中心在管理体制方面应继续加强对外合作与交流,不断向除德国以外的其他会展发达国家和地区学习,借鉴它们先进的会展场馆运营管理理念与方法。同时加强对德国场馆管理体制与中国场馆管理实际需求的研究,逐步建立一套适应当前上海新国际博览中心发展需要的标准化管理体制并将之不断完善。此外还要加强内部教育,增强员工对企业管理体制的认同,提高员工的工作热情与积极性,保证上海新国际展览中心的稳步发展。

第五节 深圳国际会展中心

深圳国际会展中心是深圳市政府投资建设的重大项目,由招商蛇口和华侨城联合体负责建设和运营,是集展览、会议、活动(赛事、演艺等)、餐饮、服务等于一体的超大型会展综合体。深圳国际会展中心用地面积 148 万平方米,一期及周边配套设施总投资达 867 亿元。项目一期建成后,可能将成为净展示面积仅次于德国汉诺威会展中心的全球第二大、国内第一大的会展中心,整体建成后,将成为全球第一大会展中心。展馆由深圳市招华国际会展运营有限公司(招商蛇口和华侨城联合发起成立)和全球三大场馆运营机构之一的美国 ASM GLOBAL 公司合作运营管理。

深圳国际会展中心建设项目创造了 8 项世界之最:整体建成后为全球建筑面积最大的单体建筑;全球建安投资额最大的单体建筑;全球总展厅面积最大、单个展厅面积最大的国际会展中心;全球房屋建筑领域钢结构用钢量最大的建筑;全球房屋建筑领域基坑土方挖运量最多的建筑;全球房屋建筑领域面积最大、长度最长的无缝钢筋混凝土结构地下室;全球房屋建筑领域一次性投入机械设备最多的施工项目;全球第一个集地铁、周边市政道路桥梁及管廊、水利工程同时开发建设并投入使用的房屋建筑工程。

一、场馆基本情况

(一)展馆位置

深圳国际会展中心(图 4-11)位于深圳市宝安区福海街道展城路 1 号,紧邻深圳机场,地处粤港澳大湾区湾顶、珠三角中心和广东自贸区中心、广深港核心发展走廊和东西向发展走廊的交会处,广佛肇、深莞惠和珠中江三大城市圈交会处,狮子洋与内伶仃洋交汇处的空港新城片区,区位优势突出,具有良好的资源集聚效应和巨大的发展潜力。

图4-11 深圳国际会展中心俯瞰图

(二)展馆布局

深圳国际会展中心项目一期占地面积121.42万平方米,一期总建筑面积达160万平方米,室内展览面积40万平方米。整体建成后,室内展览总面积将达到50万平方米,将成为全球最大的展馆。

展馆采用长条形"鱼骨式"布局,19个展厅沿中央廊道东西对称排列。共设置5处主要入口,其中2处入口与地铁直接接驳。南北向设置二层中央廊道(图4-12),串联所有展厅以及登录大厅。展馆内布局结构清晰,人流动线流畅,货物运输高效。

(三)展览设施

深圳国际会展中心的展览设施包括19个室内展厅和1个室外展场(图4-13)。室内展厅为16个标准展厅、1个超大展厅和2个多功能展厅,室外展场为南广场。

深圳国际会展中心1—16号展厅为标准展厅,每个展厅2万平方米,均为单层、无柱结构,采用大跨度空间设计,净高16米。展厅悬挂吊点为全馆覆盖(9米×9米),地面承重高达5吨/平方米。此外还有3个特殊展厅,分别为:17号超大展厅——面积5万平方米,净高18米,地面承重5吨/平方米,可举办特殊大型展览,如航展、游艇展;18、20号多功能展厅——面积2万平方米,净高16米。18号展厅为包含各种规模会议室的会议中心,共三层,包含多功能厅、各种类型的会议室和VIP室;20号展厅为活动中心,可举办大型体育赛事、演唱会等活动。室外展场位于展馆南入口两侧的南广场,面积合计约3.5万平方米。

图4-12 深圳国际会展中心中央廊道

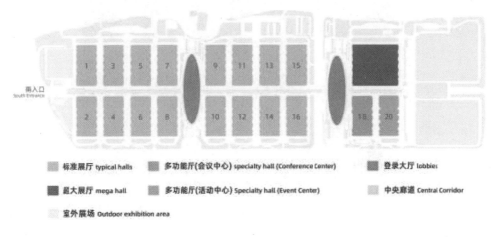

图4-13 深圳国际会展中心布局

深圳国际会展中心共有5个入口:南登录大厅、北登录大厅的东西两侧入口和位于展馆最南侧的南入口。其中两个登录大厅直接接驳两个地铁站:会展南站和会展北站。中央廊道上下两层贯通展馆南北,长1.75千米,二层设有自动步道,可轻松前往所有登录大厅、展厅和会议室。

(四)会议活动设施

深圳国际会展中心拥有 108 个各种类型的会议室和先进的会议设备,从十几人的小型会议到数千人的超大型会议均能举办。

深圳国际会展中心大型会议设施有南宴会厅、北宴会厅和国际报告厅。南宴会厅位于南登录大厅西侧二层,面积 3 645 平方米(可分隔),适用于大型会议与宴会,会议可容纳 2 400 多人,宴会模式可容纳 1 190 人;北宴会厅位于 18 号展厅即会议中心一层,面积 6 631 平方米,会议模式最多可容纳 6 100 多人,宴会模式可容纳 2 730 人;国际报告厅(图 4-14)位于北登录大厅西侧,面积 2 210 平方米,阶梯式布局设有 1 820 个座位。

深圳国际会展中心的活动中心为 20 号展厅(含活动中心与体育场)。活动中心面积 2 万平方米,体育场面积约 1.3 万平方米,设 13 000 个活动座椅,拥有先进的活动和演艺配套设施。活动中心设有餐饮区,展厅三层设有多个可观看赛事、演艺等活动的 VIP 包厢和行政酒廊。可举办大型室内体育赛事、演唱会、品牌发布会、企业年会等各类型的活动。

图 4-14 深圳国际会展中心国际报告厅

(五)餐饮设施

深圳国际会展中心拥有各类完善的餐饮设施(图 4-15),面积超 5.1 万平方米,另有共约 2.4 万平方米的中央厨房,以就近分级的原则规划布局在标准及超大展厅、特殊展厅和登录大厅三大区域,能提供健康、安全、美味的中式、西式、清真餐食,可提供从茶歇、快餐到大型宴会等多种餐饮服务,可在满展的情况下满足 12 万人一天的就餐需求。

展厅内餐饮区:1~17 号展厅第三层均设餐饮区。

展厅内外卖区:1~17 号展厅第二层均设外卖档口。

餐厅:两个登录大厅第三层设中餐厅、西餐厅、清真餐厅、自助餐厅、美食广场和包房。

贵宾室或包厢:18 号展厅第三层设 1 个 VIP 贵宾室;20 号展厅第三层设 1 个 VIP 贵宾室和 8 个 VIP 包厢;两个登录大厅东侧的第二层各设 1 个 VIP 贵宾厅。

休闲餐饮:20 号展厅第一层和第二层各设 2 个餐饮服务柜台;中央廊道第一层设 14 个餐饮服务区。

大型宴会厅:南宴会厅位于南登录大厅西侧第二层,可容纳 1 110 人就餐;北宴会厅位于 18 号展厅第一层,可容纳 2 730 人就餐。

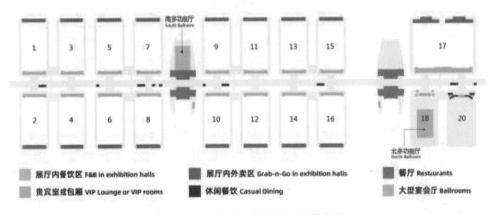

图 4-15　深圳国际会展中心餐饮布局

二、深圳国际会展中心的绿色会展

深圳国际会展中心总计应用 52 项全球领先的绿建技术,旨在全力打造规模宏大、节能环保的一流绿色展馆。

(一)打造最节能、最节水、最节材、最低碳的世界一流展馆

1. 最节能中

中心通过优化围护系统、空调系统、照明及设备系统,实现项目年能耗约为 70.98 (kW·h)/m²·a,仅为美国同类建筑能耗的 46%,远低于深圳市大型公建平均年能耗(图 4-16)。

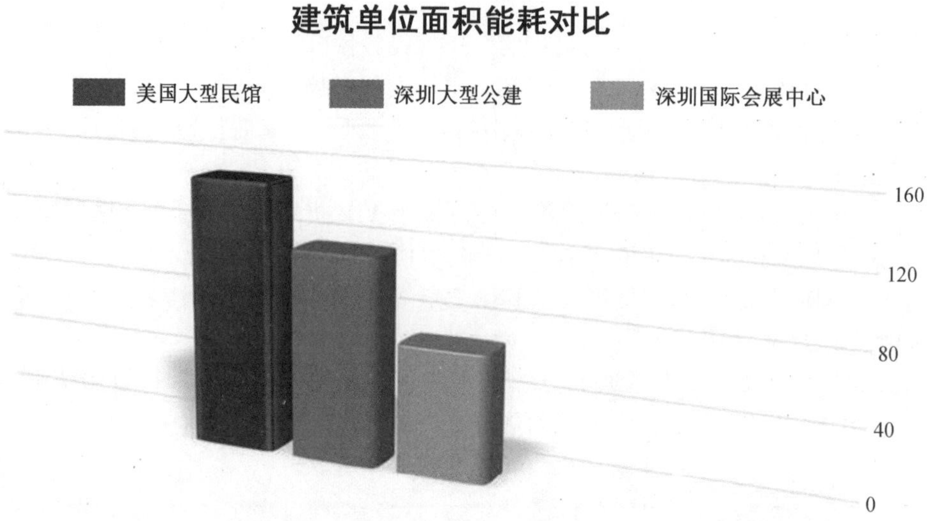

建筑单位面积能耗对比

备注：单位(kW·h)m²·a 美国大型展馆数据由底特律、丹佛、芝加哥、麦考密克展览中心的运营能耗值组成。

图 4-16 建筑面积能耗对比

2. 最节水

中心拥有全球最大单体建筑雨水收集系统。通过优化雨水收集回用、市政中水、节水器具,每年降低市政用水 42.21 万吨,雨水替代率 3.1%,超过《深圳市海绵城市专项规划》目标。

3. 最节材

中心通过优化全钢结构、地上综合管廊、可回收材料,降低施工费用(约 1 470 万元)和建筑主体结构的运营维护费用。

4. 最低碳

通过 LEED 及 BREEAM 认证的全生命周期评估,中心年碳排放指数为每平方米 12 千克碳当量,生态影响因子大大低于国际标准。

(二)四大绿色技术板块护航可持续发展

1. 综合规划

(1)因地制宜进行项目分析:屋面面积占比高、可绿化面积小、地面荷载要求高、雨水下渗空间有限、项目冷却水用水需求大。

(2)按照应做应尽原则设计:最大程度利用绿地净化径流、满足雨水回用需求(图 4-17)、局部适宜地面采用透水铺装、局部适宜屋顶设置绿色屋顶。

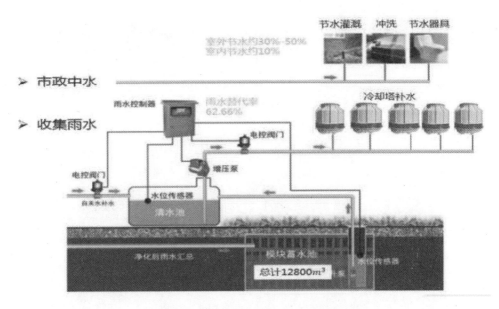

图4-17 深圳国际会展中心雨水收集系统

(3)有机结合不同系统方案:使用包括下沉式绿地、雨水花园、透水混凝土、绿色屋顶、雨水回用池在内的屋面径流(图4-18)和地面径流(图4-19)组织方案。

2.本体建筑

(1)高效送冷:分布式冷站、大温差送冷,冷冻循环水量大大减少;一级能效变频式冷水机组,调节灵活,按须取冷;高压供电,降低启动和运行电流,节能省钱。

(2)调峰蓄谷:水蓄冷措施,主机高效节能运行;避免冷水机组频繁变频,降低设备损耗。

(3)智能控制:高大空间分层空调,舒适节能;结合功能设置独立控制系统;设计过渡季全新风运行工况,生态环保;传感器反馈二氧化碳浓度,精准调节新风。

3.室内环境

(1)光照效率:高效 LED 灯具,视觉舒适度高于传统 LED 灯56%;照明功率密度设计值低于标准值60%以上。

(2)Dali 调光:控制讯号线与控制设备并接,智能寻址,同时电源线与讯号线同管分布,有效减少管线材料的使用;逐灯控制,满足多功能场景。

(3)节能效益:高效 LED 灯具节能75%,年节电量可达 220 万度。

4.建造运营

(1)全钢结构:建筑用钢量 27 万吨,高强钢筋比例 100%,高强钢材比例 98.5%;可再循环材料比例约 15%。

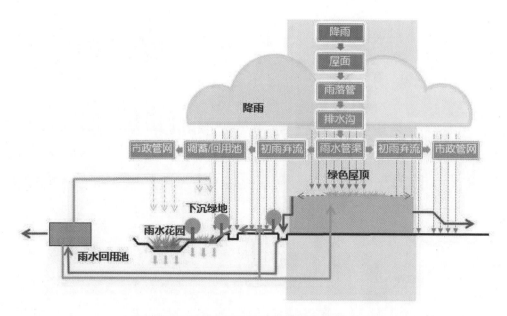

图 4-18 深圳国际会展中心屋面径流组织方案

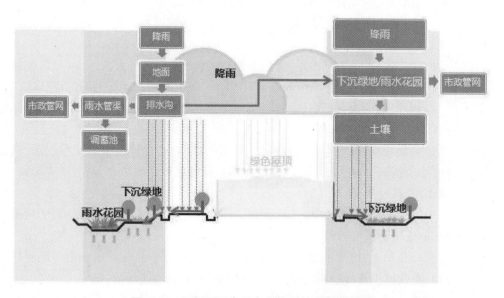

图 4-19 深圳国际会展中心地面径流组织方案

(2)预制构件:构件"BIM 下单,工厂预制";预制清水外挂墙板;减少现场湿作业,节约费用与工时。

（3）地上综合管廊：减少挖方 21 万平方米，便于安装，节省工期；明装敷设，综合集中排布，方便后期维护。

（4）绿色施工：太阳能结合 LED 照明，安全节能；办公区雨水收集、基坑降水回用；混凝土内支撑回收加工，用于地平回填，循环利用材料；全场自动喷洒防尘，裸土覆盖。

（5）精明运行策略：巧妙运用水蓄冷量，实现不同冷负荷比例下制冷机组平稳运行；25%冷负荷下，无须开启智能机组，蓄冷承担全部空调任务。

三、深圳国际会展中心"空港+保税+会展"模式

2020 年 11 月 24 日，"空港+保税+会展"全球品牌启动仪式在深圳国际会展中心举行，深圳海关、深圳市商务局、宝安区政府、招商蛇口、华侨城和深圳市招华国际会展运营有限公司相关领导应邀出席此次启动仪式，共同见证深圳外贸发展新动能模式的开启。

国际展会各类展品的运输通关能否顺畅进行，是国际展会能否逐步落地粤港澳大湾区、打开国际会展交流局面的关键一环。早在启动仪式之前，深圳海关与宝安区政府已正式签署了合作框架协议，将合力把深圳国际会展中心打造成为辐射粤港澳大湾区、服务全国、面向全球的国际一流会展平台，实施国际展览品"一站式"审批，探索创新"保税+会展"监管模式，真正把国际展品通关模式打造成为全球的模范标杆。

为促进深圳国际会展中心国际业务的发展，机场海关支持海、陆、空、铁、邮各类运输方式进口的展览品快速通过各个口岸，统一集中运抵机场国际货站海关监管场所，通过现有的审单、担保、查验、处置、检疫处理等部门，为展览品提供"一站式"通关服务。集成式运行业务的同时，指导会展运营商申建海关监管场所，在国际展会具备一定规模时，机场海关将直接于深圳国际会展中心提供相关手续办理服务，展品通关可不再经停机场货站，直接运抵深圳国际会展中心。通过免担保、保税及展示交易等便利措施，最大限度便利监管深圳国际会展中心业务。深圳海关为展会国际展品通关设计的"集成式""驻场式"一站服务，能够有效解决不同阶段国际展品快速通关问题，为大型国际展会的引进和落地创造了有利条件。

四、深圳国际会展中心运营管理的经验借鉴

深圳国际会展中心，是新时代深圳全面扩大开放的重要平台，是深圳增强粤港澳大湾区建设核心引擎功能、更好发挥辐射带动作用的重要载体，是建设中国特色社会主义先行示范区的强有力支撑。

(一) 高水平的管理团队

管理团队是场馆管理水平的保障,也是场馆生存发展的基础。深圳国际会展中心由深圳市招华国际会展运营有限公司管理运营,公司管理团队由具备国际会展视野、全球渠道资源和经验丰富的会展业专家,国际化场馆运营人才和地产界精英共同组成,并与世界领先的场馆管理公司及业界知名咨询公司合作。展馆运营国际合作方美国 SMG 公司为全球三大场馆管理机构之一,项目的设计、运营顾问机构则为德国的 JWC 公司,均具有成熟的展会运营及管理经验。中美德三方公司合作运营及管理能够使深圳国际会展中心凭借其"一流的设计、一流的建设、一流的运营"和国际化理念,提升深圳及中国会展业的整体国际竞争力、推动深圳及中国会展业走向世界。深圳国际会展中心不断创新、持续努力,将国际标准、体系和本地展馆运营管理经验完美结合,为全球客户打造世界一流的绿色智慧展馆和全球性的商贸平台,持续为全球客户创造价值。

(二) 将场馆作为区域发展战略的重要载体

深圳国际会展中心,是新时代深圳全面扩大开放的重要平台,是深圳增强粤港澳大湾区建设核心引擎功能、更好发挥辐射带动作用的重要载体,是建设中国特色社会主义先行示范区的强有力支撑。深圳国际会展中心设计规划以会展为核心驱动和战略性节点,结合空港和区域性交通枢纽发展会展商贸,创新研发与国际物流以及空港经济紧密相关的功能业态和产业集群,引领空港新城乃至大空港片区发展。尤其是"空港+保税+会展"模式将为深圳国际会展中心正式启动国际业务"会展+"提供源源不断的动力。大批国内外知名展览、会议和大型活动在深圳举办,将有效提升深圳会展产业的竞争力,在带动城市经济协调发展、推动重点产业的发展、进一步促进深圳经济结构优化和产业结构升级以及助力深圳优势产业、支柱产业、新兴产业、未来产业和其他产业的快速健康发展等方面起到重要作用。深圳利用国际会展中心带动空港新城发展,进而带动整个深圳经济发展的战略规划,可为一些城市的新区发展提供经验。

(三) 场馆与周边配套同时建设

一般来说展馆周边的酒店、餐饮、娱乐等配套设施往往会出现重复建设,造成同质化竞争严重,浪费土地空间。深圳国际会展中心则不同,明确建设运营主体后,深圳国际会展中心周边的配套设施得以统一定位,实现业态互补,布局更加科学合理。

深圳国际会展中心是全球第一个集大型建筑、轨道交通、水利工程、市政工程同时开发的建筑工程。在场馆建设的同时,综合管廊及道路一体化工程协调推进。空港新城启动区综合管廊及道路一体化工程包含 19 条市政道路,其中 8 条道路设置综合管廊。道路总长度为 29.28 千米,综合管廊总长度为 16.92 千米。主要建设内容包括道路工程、交通工程、桥涵工程、岩土工程、给排水工程、照明工程、通信工程、综合管廊工程等。目前除项目本身外,周边 12 条新建道路、2 条改扩建道路、7 座跨河桥梁组成片区路网已基本形成。连接沿江高速的国展互通立交工程已全面完工。周边市政配套及商业配套工程均处于全力推进之中。场馆与周边道路、配套设施同时建设可使整个场馆区域形成一体化发展布局,避免资源的浪费或闲置。

(四)绿色展馆关注生态及可持续发展

"建设绿色场馆"一直是深圳国际会展中心的目标。为推动可持续发展和环境保护,并顺应"绿色会展"这一世界会展产业的重要发展趋势,深圳国际会展中心秉承"一流的设计,一流的建设,一流的运营"的定位和国际化的理念,因地制宜地将国际成熟的环保技术、方法与经验运用在项目的建设运营之中。深圳国际会展中心的设计与建设运用了共计 52 项绿建技术,如慕尼黑新国际博览中心的雨水回用、光伏屋面和生态绿廊体系,波士顿会展中心的挑檐通风、灵活隔断和声学优化体系,香港亚洲国际博览馆的大流量低速送风、楼宇自控体系等。在场馆建设和运营过程中时刻贯彻绿色理念,减少污染和排放,实现"最节地、最节能、最节水、最节材、最低碳"目标。

深圳国际会展中心绿色场馆建设是对粤港澳大湾区塑造健康湾区理念的大力贯彻,不仅有助于形成示范效应,为后期的项目建设提供经验,推动深圳实现绿色生态城区建设,更将为全球客户提供世界一流的绿色智慧展馆和全球性商贸平台,持续创造非凡价值。未来,深圳国际会展中心将持续创造无可估量的经济收益、环境效益和生态效应,护航会展业可持续发展,打造领航会展、服务未来的绿色典范,成为全球会展业的低碳先锋。

(五)场馆智慧运营

利用智能化和数字化进行智慧运营是现代会展场馆的发展趋势,尤其是对于深圳国际会展中心这种超大型场馆来说,进行智慧运营可以大大提高运营效率,增强服务受众的满意度。

深圳国际会展中心在智慧运营方面做了非常多的努力。2020 年 8 月 6—8 日,2020 宝安产业发展博览会、第六届深圳国际智能装备产业博览会暨第九届深圳国际电子装备产业博览会分别在深圳国际会展中心 6、8 号馆以及 5、7 号馆隆重举行。双展齐发,对深圳国际会展中心的智慧化运营带来了更高的挑战。深圳国际会展中心的数字化运营手段在精彩纷呈的展示中出力不少,也给参展逛展的人群留下了深刻的印象。深圳国际会展中心联手华为、中国电信和腾讯共同打造高效智能的数字化服务平台,全面引入人脸识别、人工智能等新技术,将"科技""智慧"元素深入到逛展的每一个细节之处。作为全球首家实现5G移动通信全覆盖的超大型展馆,深圳国际会展中心拥有带宽可调的随选网络,满足大型展会期间参展商、观众上网需求,为双展现场的直播、短视频等联动提供了顺畅的网络条件。智能会议系统,对场馆150多个会议室数字化管理,保障不同会议的高效顺畅运行。智慧安保为智能安防、智能监测、指挥调度提供了一体化保障,进一步优化了参展企业与逛展客户的现场体验。深圳国际会展中心运营部门聘请华为和埃森哲两家公司为项目进行顶层设计,将智慧停车、餐饮、物流、安防、网络、设备等智慧服务整合到统一的移动应用中,提升场馆的安全水平和运营效率。此外,深圳国际会展中心也正在筹备会展直播间,以满足展会日益增多的直播等新媒体需求,给未来展会的主办及参展方,带来更加优化的体验。

第六节　成都世纪城新国际会展中心

一、场馆基本情况

成都世纪城新国际会展中心(以下简称成都新国际会展中心)位于成都市城南新区,西临人民南路沿线天府大道,北靠外环线,东面有蜿蜒而来的锦江河水,北侧紧临世纪公园,东部及西部为河滨绿地。机场与火车站可多条地铁直达,交通便利。作为成都地标式建筑群、市政府南迁地的政治核心区和泛城南经济圈核心地带,中心的人流、物流、信息流以及资金流高度集中,有力地促进了地区经济的发展。

世纪城整个项目占地约225万平方米,其中包括商业住宅区、国际会议区、展览区、酒店及商务办公区五大部分。成都新国际会展中心作为整个项目的核心展览区域,总建筑面积达12万平方米,其形状呈扇形向府南河展开(图4-20)。会展中心包含室内展览区和室外展览区。其中室内展览区由9个展览馆8个连接馆构成,展厅采用单层无柱结构。室内面积达11万平方米,可提供5 500个国际标准展位。各单馆面积为11 000平方米,其中1号展馆定义为会议型展馆,内部经过多次改造,极力打造成适合举行会议的场所,若在其他馆已满的情况下,也可举办展会。2—9号馆为综合性展馆,会议与展览都可选择该场地,但就举行会议而言,效果相对较差。

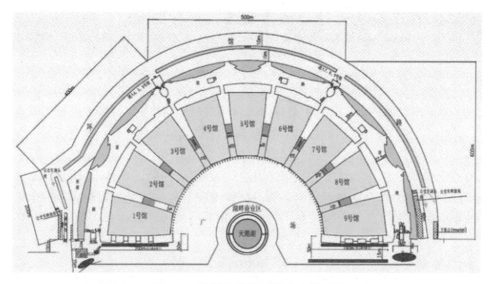

图4-20　成都新国际会展中心平面图

　　中心每个馆是相互独立的,又是相互联系的,可按照不同的需求形成不同的功能格局。室外展览区占地面积为1万平方米,与室内展览馆一样呈扇形展开,二者融为一体,构成成都新国际会展中心。成都新国际会展中心2005年7月正式投入使用,2006年通过UFI认证。在2005年到2018年期间,成都国际新会展中心已成功举办展会共计1 028场。随着全国糖酒交易会、中国国际西部博览会、全国药品交易会、成都国际汽车展览会、全国汽车配件交易会、世界华商大会、全国高教仪器设备展等大型知名展会的顺利召开,成都国际新会展中心引起了会展业的重视,成为西部最具潜力的展馆之一。成都新国际会展中心虽起步较晚,但从建成起,便获得"中国会展标志性场馆奖""金五星优秀会展场馆奖""中国会展最佳城市形象场馆奖""最具影响力会展综合体"等一系列荣誉称号,已经成为业界影响力较高的展馆之一,由此开启了它的快速发展之旅。

　　会展业作为第三产业的重要组成部分,是近年来我国极具活力的行业之一。由于国家及政府对会展业的重视,以及与其他经济产业的相辅相成,会展业迎来了发展的机遇。成都新国际会展中心作为成都市主要的展馆之一,在经济发展中扮演着重要的角色。

二、民营会展场馆的生存之道

(一)扎根于市场和团队

成都世纪城新国际会展中心属于民营会展场馆,从一开始就注定是非国有身份,这使得场馆有着强烈地扎根于市场、服务于市场以及依托于市场去获取应有的经济效益和社会效益的特质。成都会展旅游集团旗下的成都市世纪城新国际会展中心刚刚开始建立时,为了挖掘市场,依托当时仅有的会展媒体、电话号码本和全国各种行业协会,从这些渠道着手去寻找资源和业务。展览公司设立了三个平行的展览销售部门,采取分别考核、彼此竞争和全员销售等方式,促进了业务的快速发展。这种方式虽然形成了内部竞争,造成一些混乱,但是全体员工都被调动起来,大家都不依赖、不等待、不气馁、"脑勤、嘴勤、腿勤",以团队作战、快速行动的方式,逐步获得了行业的认同。也就是说,从一开始展馆销售团队成员就形成了市场中去挖掘,市场中去求效益、求发展的顽强生存及危机意识。团队既是基石,更是作战灵魂,有了充满市场竞争意识、充满战斗力的团队,才能有希望取得更大的胜利。因此,成都新国际会展中心不断培养从业人员危机意识、市场竞争意识,打造卓越团队,走市场发展之路,也使得场馆的业务量稳步增长。

(二)夯实场馆运营内涵

在场馆的基础运营中需要重点强调两个方面:一方面是优化管理制度,另一方面要精细化服务流程。这两个方面是基础服务的重中之重。企业经营发展首先要靠制度,制度先行,定好规矩才能成方圆,所以成都新国际会展中心在发展过程中逐渐完善管理制度,包括考核制度、责任制度、人才培养制度、项目预决算制度、资产管理制度等,这些制度的逐步建立完善,使得管理工作、基础服务才能够有规矩、有步骤。第二是不断优化完善服务细节和服务流程,才能逐步形成一个系统,进而提高效率。随着展会的发展,主办单位对于服务的需求也会逐渐提高。同时随着时间的变化,相关环境和政策也会相对有一些变化。在这个过程中,就需要快速应对所有变化,把服务精细化,提前完善工作流程及各项服务。只有根据完善的流程去提供服务,成都新国际会展中心的服务才能够尽可能做到标准化和精细化,也才能够更加地高效有序。

成都国际会展中心树立"服务无小事"的理念,无论在服务过程中出现任何细微的改变,展馆方都会快速地做出反应。正是通过制度和流程的完善,才能够保证场馆基础运营工作的快速顺利完成。

(三)拓展场馆运营外延

对于会展场馆来说,只是把基础服务做好是远远不够的,还需要时时关注其配套服务,提高综合服务能力。成都新国际会展中心在创建之初就处于集团多元化运营并存的业态体系中,展馆的周边从一开始就拥有会议中心、酒店、餐饮和娱乐设施,到后来也涉及商业、住宅、旅游等方面,这些业态互相依存,当然也互相制约。一方面,展馆周边服务业态丰富多样,配套齐全,客户的体验感较好,在请会招展等方面具有很强的核心竞争力。另一方面,展会的布撤展以及会期的交通流向与周边的商业住户的冲突也会随着会展业的日益成熟而逐渐凸显出来。因此,会展场馆运营服务机构不仅要提供最基本的场馆基础服务,更需要围绕着周边相关服务业态去为主办方丰富完善服务品类。

场馆运营外延服务还涉及产业链服务逐步专业化和社会化要求。产业链服务在展馆建立初期运营时基本为零。比如说成都在 2005 年世纪城刚建好的时候,承接了一些全国的大型展会,但是当时成都没有办法满足大展组委会的部分广告业务、VI 系统以及高端的喷绘材料需求,很多都是从北上广做好以后再发货到成都,也就是说当时的配套产业根本还做不到专业化,更谈不上社会化。随着十多年来的快速发展,如今成都的展馆周边甚至整个成都围绕着会展产业链分布的一些服务机构越来越成熟,现在的展览服务涉及的一些相关内容,也逐渐由当初自营的项目向委托社会化的专业公司服务外包转变。如保洁、保安、广告、特装、运输等,都逐渐实现了专业化、社会化的分工。表面上企业失去了部分收益,实际这种模式能够使得成都的会展业服务更快更好更专业,也使得成都整个会展行业的发展水平更高。当然在社会化的同时,展馆方并没有完全放开,因为展馆方还是要为主办方把好服务关,考察相关专业服务的技能和水平,提出规范要求,同时协助主办方一起去监管,使得整个社会化的配套服务工作能够更加有序更加专业。因此场馆运营外延服务,是必须重视的事情,产业链服务的专业化和社会化是未来的发展趋势,这是不以人的意志为转移的。

三、后疫情时代的场馆布局

新冠肺炎疫情给会展场馆的经营带来了极大的困境,场馆要想突破这种困境,就需要在后疫情时代有所作为。成都新国际会展中心在后疫情时代对场馆布局进行了认真地思考,从近期、中期和远期三个阶段,对场馆进行不同维度地布局和部署。

(一) 短期布局:密切实施公共卫生防控措施

由于疫情导致大量展会延后,一旦允许开展,展会举办密度将剧增,很多展会首尾相连无缝衔接,必将加大服务难度、增加服务成本、降低安全生产的抗风险能力,原有的人力机力储备无法完全满足生产需求,鉴于以上情况展馆主动思考如何提早应对做好储备。

1. 上游部门

从单纯协调调整时段转为与主办方形成统一战线应对疫后顺利复产。

(1)随时主动联系关心延期展会主办方,了解展会相关事宜。

(2)将国家和当地政府相关的补贴政策及时通知预约和签约客户,帮助客户对政策进行解读分析,并协助客户申请相关优惠或补贴。

(3)将场馆方疫情后出台的公共防疫应急预案主动提交给相关主办客户,配合主办方的应急预案共同形成更加完善的公共应急防控预案并提供给参展商和观众;以增强展商、观众对将要到达场馆参展参观的信心和决心。

(4)对因为疫情带来的全国各种展会变动情况时时关注追踪,结合展馆自身档期情况加大邀约力度,分得资源红利。

2. 下游部门

参照生产部门从人、机、料、法、环五大类别做好应对准备。

(1)人:对员工进行工作技能及工作素养全方位系统培训,提升团队整体竞争力。

(2)机:对展馆硬件设施设备进行整修、维修、改造。

(3)料:准备充足的疫情防控物资和后期生产材料,从材料到供应商的预估和储备以能够应对复工后大量需求为标准。

(4)法:根据相关部门的要求,按照主办方与展馆方的应急预案规定密切实施公共卫生防控措施,架起一道牢固的安全卫生防控战线。

同时成都新国际会展中心从为主办方解忧的角度出发,对于疫后展会主办、展商、主场服务商将出台临时应急优惠服务新办法,与主办方、展商、服务商共渡难关,如:

①免费让主办单位于部分功能区提前进场搭建。

②简化展商进场管理手续流程,基础服务配合工作前移,在布展前两周介入咨询落地工作。

③对展商因为前后展会时间间隔短带来的布展和撤展时间延长的情况提供酌情适当优惠。

④降低主场服务商安全押金额度,每馆押金最高可减少50%(不同展会标准不同)。

⑤加快主场安全押金清退程序,缩短主办主场服务商安全押金的资金占用时间。

(5)环:对展馆内外消毒实施情况进行巡逻检查,协助配合主办方进行主场消防、防疫等应急演练,共同降低开展期间的经营风险,确保场馆具有良好的环境满足公共防疫的要求。

(二)中期布局:重点放在场馆智慧智能建设

因为疫情影响,会展行业普遍意识到线下展会自身的局限性和短板,未来的展会该怎样发展已经提上了主办方的议事日程。疫情期间也促使人们从不同维度运用线上平台,如线上学习、直播授课、线上论坛、视频办公、云会议等,相信人们对于互联网的运用会越来越熟悉,也越来越能感知它的优势。

未来,线下展会与线上工具、线上展会的融合运用必将加快步伐,作为展会主办方要考虑的首先是在后疫情时代如何让未来的展会面对类似风险时不再全部停摆。为了不再全体束手无策,必须变革、必须快速学会"多条腿走路",提高自己的抗风险能力。未来展会对于智慧互联的依赖必将越来越大,结合度会越来越高,未来场馆服务对于智能智慧的需求依赖也必将越来越高。所以成都新国际会展中心的中期布局重点放在场馆智慧智能建设方面。未来的智能场馆一方面可以满足展会对互联网高科技运用的诉求,另一方面也可以从通过启动智能场馆的门禁远程测温监控、现场观众分级动向可追述等智能手段,更快更好更准地防控疫情,降低后疫情时代的传播风险,消除人们对疫情的担忧和顾虑。

(三)长期布局:探索除办展览会外的多元化功能空间

很多场馆都有自己的经营特色,展馆作为一座城市的公共建筑,所承载的功能往往差异很大。有的是城市的地标,有的是专业化规模化的代表,有的是过去时代的先驱而现在已经变得相对小巧但成熟精干。成都新国际会展中心从后疫情的时代背景和场馆自身特点中得出结论:对于非唯一的且并非城市最主要专业展馆来说,应着眼于后疫情时代的远期影响和未来"Z时代"人群的特点。不应该把展馆仅仅作为一个举办展览会的地方,更应该综合考虑使之成为除举办展览会以外的多元化功能空间。

场馆的多元化功能空间可以从以下几个角度进行探索:

1. 大健康馆

疫情后的人们必将更加重视身体,健康将成为人们首要考虑的事情,健身锻炼将成为普遍需求,而居民住宅区周边通常缺乏大型室内运动场地。展馆具有空间高、中间无柱无障碍、周边疏散通道多的优势,可以根据市民日益增长的运动需求,开设各种室内运动项目如网球、篮球、羽毛球、乒乓球等。可分区设置同时进行。

2. 沉浸式体验馆

用于在一定时期内举办各种具有大量受众粉丝的体验活动。如具有独立IP的动漫人物场景体验等,体验经济属于未来新经济范畴,作为新兴产业而言大有可为。

如2020年12月25日,成都新国际会展中心在场馆里举办了一场新颖生动的特展——由四川国际博览集团和广东省广告集团联合打造西南首创10 000平方米的山海经主题光影互动展"鲸梦奇缘·神隐山海经"。本次如梦如幻的超级光影盛宴是由14个故事主题、15个脱胎于《山海经》故事全新原创角色构建而成的。这个以《山海经》为主题的超级IP,基于古老奇书奇幻唯美的艺术性思维方式、辅以新潮思维和科技化的光影元素,用沉浸式和互动体验的形式、震撼的视觉及感官体验让华夏儿女看见更大的传统文化世界。本次特展开展12天来,已经吸引来自成都及绵阳、内江、自贡等地游客参观,全网传播量破1.2亿。展览期间,为了让游客更好地感受展览氛围,突出互动展的特点,《鲸梦奇缘·神隐山海经》沉浸式体验剧于2021年1月2日正式开演。该剧目以沉浸式戏剧特殊的零距离观演关系和身临其境的戏剧体验,结合3D技术、VR、AR技术、虚拟技术打造了10 000平方米声光电场景。此次光影展将以一场文化和视觉的极境之旅的方式,为传统文化赋予新的时代内涵与价值表现,凸显其在新媒体环境下的新国潮、新玩法,利用现代光影技术打破时间的壁垒,赋予《山海经》新时代生命。这种创新的展览方式突破了传统展馆的仅承接展会功能,赋予场馆更多的可能性,扩大了场馆的市场空间,提高场馆利用率。

3. 多功能馆

多功能馆需求逐步增大,不仅可用于传统的超大型会议举办,还可用于举办中小型演出活动、大型婚礼宴会、大型产品发布会、企业年会等。

4. 赛事馆

可针对专业体育赛事重新布局改造,一旦赛事馆设置后能成功举办各类体育赛事,吸引大量观众常年观赛,同时也可改变场馆的盈利模式。

如2019年在成都世纪城新会展中心1—2号馆举行的成都国际马术嘉年华,是国内首个将国际马联星级赛事、国际马术论坛、专业马术生活展完美结合的马术综合盛会。在后疫情时代,成都新国际会展中心可利用举办国际赛事的经验,继续举办更多高水平的体育比赛,提高场馆的知名度和利用率。

第七节　重庆国际博览中心

一、场馆基本情况

重庆国际博览中心(以下简称重庆国博),位于重庆两江新区的核心——悦来会展城,是一座集展览、会议、餐饮、住宿、演艺、赛事等多功能于一体的现代化智能场馆,是西部最大的专业化场馆。

重庆国博北接悦来古镇,西邻嘉陵江,东侧为地处丘陵起伏地区的会展公园,项目沿嘉陵江流向呈北东南西带状展开,属丘陵斜坡场地,集展览场馆、会议中心及会展酒店于一体,总占地面积130万平方米,总建筑面积60万平方米,展馆建筑面积约43万平方米,全部为平层无柱式展馆,地面承重3~5吨。室外展览面积19万平方米,停车场可泊车11 500辆;会议中心建筑面积8万平方米,拥有30余间不同规格会议室,5 000个座位,满足大型会议需要,宴会厅可容纳4 000人同时就餐;25 000平方米多功能厅可举行会议、展览、演出及体育活动;酒店建筑面积51 762平方米,由美国温德姆酒店管理公司进行标准化管理。

重庆国博东西宽800米,南北长1 500米,平面布局似一江边嬉水后欲展翅归林的蝴蝶(图4-21),寓意着重庆会展经济的蝶变和腾飞。项目主要由"蝴蝶"左右两扇"翅膀"的南北展馆区(总计16个展馆)构成,"蝴蝶"的身体由自东向西依次为多功能厅、会议中心和悦来温德姆酒店,以及酒店左右两侧倚江堤而建的阶梯状的南北台地商业区等7个相对独立的子项目组成。其中南北两侧的展馆区和台地商业区沿场地中轴线对称。

重庆国博为突出建筑第五立面(屋面)的蝴蝶轮廓,在南北展馆区、会议中心、多功能厅及各区间道路和场地上空设置了一层铝结构镂空曲壳屋面,并在其双翅区域各形成了4个大小各异的梯田状椭圆形生态包。此铝结构装饰屋面覆盖面积53.7万平方米,铝型材用量约1万吨。

二、场馆运营特色

(一)多元化经营

1. 自办展

随着"一带一路"倡议和长江经济带建设的深入实施,重庆内陆开放高地建设迎来新的机遇。借此契机,以国博会展为支点,一座兼具会展、旅游、居住和生态为一体的宜业宜居新城在嘉陵江边崛起。

图 4-21　重庆国际博览中心俯瞰图

　　值得注意的是,在引进展会的同时,国博中心的自办品牌展会模式也正走向成熟。国博中心先后举办过"重庆国际高等教育展""重庆国际美容产业博览会""重庆国际塑料工业展""西部旅游产业博览会""重庆国际旅游狂欢节"等自办展项目。

　　其中,"重庆国际高等教育展""重庆国际塑料工业展"以及"重庆国际旅游狂欢节"已经形成可持续发展的品牌展会,"重庆国际塑料工业展"于 2014 年被重庆市会展行业协会评为最佳品牌展会。

　　国博自办展业务旨在根据所在地区产业结构及供需结构,依据地区建设以及发展方向,凭借场馆自身的各方资源,与国际国内的政府、行业协会以及同行业等机构密切合作,以互赢互利为主导思想自主打造会展经济交流平台,同时自办展项目可以永久性的落户重庆,使之持续稳定地推动地区经济发展。而自办展业务从开办期的一两万平方米的展会规模,到十几万、几十万平方米的规模,也需要几年甚至十几年的培育与打磨才能真正实现。

　　国博中心以场馆自身设施设备为依托,以所在地区影响力以及市场潜力为导向,以服务周到便捷以及给予客户温馨舒适的参展、参观、旅行等体验为根本,吸引着国内及国际广大的主办单位来重庆办展。其主要特征是能够迅速通过国博这一平台,把"重庆形象"推送出去,增加经贸流通量。

　　随着西部地区乃至全国区域展览场馆的不断增加,各场馆自办展业务也随之增加,重庆的展馆在自办展思路上不会以场馆优势与办展机构或主体搞硬性合作,而是以展馆的政府资源、观众资源、采购对接、商务服务等自身优势资源为依托,以解决办展主体的现实困难与需求为契机寻求发展与合作机会。比如,国博结合自身先进实用的硬件以及周到的场馆运营服务与"智慧国博"全方位全新概念的参展观展新体验,打造最好用的会展场馆。

2. 承接大型演艺

重庆国博中央大厅这一万人级专业室内演艺场地,已经逐渐成为各大演艺公司在重庆举办演唱会的首选之地。

2018 年,林俊杰、李宇春、李健、莫文蔚、张韶涵、汪峰、朴树、陈慧娴、李玟等歌手先后在国博中心举办了演唱会,为大家带来了精彩的演出。除此之外,张学友、张惠妹、梁静茹、刘若英等一大批当红演艺明星也曾在国博中心开唱,这使得国博中心成为深受年轻人喜欢的时尚潮地。

3. 影视剧拍摄基地—全平层无柱空间

新时代,展馆迎来多维度思考,大型场馆运营已进入跨界时代,大型会展场馆不再是单一的展览和会议举办地,它是新生活动力场、新都市会客厅、新文化集散地、新区域聚集点和新旅游目的地。

国博中心凭借展馆的百变空间,充分发挥场馆资源优势,如 16 个全平层无柱式展馆、充分的空高及完善的配套设施、客制化服务、精细化管理、以客为先一站式服务体验,成功吸引多家网络剧组落户拍摄。

(二)创新模式应对多展同开

2018 年 5 月 9 日,重庆国博四大展会同期召开,包括第 75 届(2018 春)全国摩托车及配件展示交易会(N5—N8)、第 19 届立嘉国际智能装备展览会(中央大厅、S1—S4)、2018 国际(重庆)表面处理、电镀、涂装展览会、2018 国际(重庆)工业水处理、环保技术及设备展览会(N2)和 2018 中国西部国际制冷、空调、供热、通风及食品冷冻加工展览会(N1)。本次四展同开,现场共有近 3 000 家展商参展。自重庆国博 2013 年正式投用以来,这已不是第一次出现四展同开的局面。

随着重庆会展业不断发展以及重庆国博承接服务能力逐步提升,将会频繁出现多展同开和大展连开的情形,重庆国博饱和状态运作也将是一种常态。重庆国博秉承"专注体验与成效"的服务理念,软硬件两手抓。经过多年的运营,面对这样规模巨大、同期举办的展会都能轻松应对。在夯实的硬件基础之上,作为场地服务方,重庆国博在服务上下足了功夫。重庆国博创新采用了"项目经理制+馆长制+网格长制"的服务模式,一对一与组委会对接,利用"前期助宣传、展中管服务、展后帮收尾"的管家式服务,实现随时解决展商或组委会提出的问题。比如,展会前,提前一个月制定专业的交通保障方案,人、车、物流各行其道;展会中,通过有效的登录规划,满足多展同时登录及主办方的各种登录需求。

重庆国博完备的配套体系,保证了各个展馆独立办展而不互相干扰。多展同期举办,独立举办又互相联动,既实现了观众资源的共享,又保证了各组委会对专业观众的区分接待。

重庆国博的高品质服务始终是其受各主办商青睐的核心竞争力。目前,重庆国博中心实现了动态立体交通、会展交互、自助服务和大数据分析四大功能,形成了围绕展会的一站式智能服务平台,打造了一个高度智能化、数字化、信息化的"智慧国博"。重庆国博始终坚定从"传统"向"数字化"转型,以"互联网+"为主线,利用先进科技不断创新、改进和完善各个服务环节。

(三)整合传播提高知名度

2020年8月13日晚8点,重庆区县"晒旅游精品·晒文创产品"大型文旅推介活动(简称"双晒")两江新区专场直播在多个平台开播。"双晒"带着观看直播的全球友人们享受了一场"云"游两江之旅,感受重庆时尚都市新风情及智慧城市新风景。悦来国际会展城在两江新区"双晒"中闪亮登场,在"双晒"直播晒精品8分钟、文旅精品90秒、文旅精品荟、《重庆日报》通版以及云上文旅馆等板块都出现了悦来的美丽"身影"(图4-22)。

图4-22 重庆国博的线上展示界面

在两江新区文旅精品90秒中,开篇便展现了悦来的美景,悦来嘉陵江畔的重庆国际博览中心犹如一只巨型蝴蝶,寓意着重庆会展经济的蝶变和腾飞。两江新区云上文旅馆以"开放两江·智慧之城"为主题,观众通过云上文旅馆,就可以进入重庆国际博览中心线上展馆,随时随地在手机上就能远程看馆,实现沉浸步入式地观看全馆实景。

承载余光中乡愁的悦来场,如今已成为闻名世界的城市会客厅——悦来国际会展城,同时也出现在两江新区晒精品 8 分钟视频中。重庆国博作为悦来国际会展城的核心,搭借悦来国际会展城和两江新区的宣传活动进行整合传播,提高了场馆的曝光度和知名度。

三、重庆国际博览中心经验借鉴

(一)多元化经营拓展场馆生存空间

重庆国博虽然是西部最大的会展场馆,但是知名度高的常驻展会少,场馆经营效益不能得到长久保证。而且由于场馆面积大,单纯依靠场馆出租不足以保证场馆的高利用率。重庆国博通过自办展可以自行培育大型品牌展会,通过品牌展会的发展稳定场馆的利用率。但是,培育品牌自办展会要求场馆有很强的展会运营能力,重庆国博除了通过承接展会学习借鉴一些经验外,还寻找有实力的会展企业,通过合作办展的方式把自办展做大做强。此外,引进大型演艺活动和承办体育赛事也是重庆国博提高利用率的手段,这主要得益于重庆国博大规模的空间布局、优越的地理位置和良好的出入性。重庆国博通过多元化经营提高了场馆利用率,2019 年重庆举办了各类展会 513 场,展出面积 992 万平方米,排名全国第四,成为中西部地区会展经济增长最快,增长潜力最大的地区之一。

(二)智慧+创新提高场馆经营管理效率

重庆国博自建立之初就树立"智慧"理念,"智慧"不仅是重庆国博的标签,还是其竞争砝码。悦来国际会展城的发展目标为打造"国际会展聚集区、生态示范先行区、智慧创新引领区",作为悦来投资集团的全资子公司,重庆国博中心从 2013 年投入使用以来,就坚持"数字化"方向,尤其是随着重庆近年来大力发展数字化产业,重庆国博中心的数字化建设也逐步升级。

重庆国博中心的"智慧"体现在场馆、展会、观展服务、交通安防等各个方面。比如参展商的布展服务,通过重庆国博中心自主规划并设计开发的自助服务平台,能够实现展会期间展具自助租赁及在线下单、支付、配送一体化。在市民观展服务方面,重庆国博中心内具有实时定位导航服务,能够与悦来国际会议中心和 26 度街区实现联通。功能上与场馆服务、观展路径、展商服务、餐饮服务、会议日程、交通、广告等深度结合。同时,在已实现 5G 全覆盖的基础上,重庆国博中心还打造出

"VR 探馆",实现"线上+线下"观展融合。在安防交通方面,重庆国博已上线物品及人员动态监控系统,利用 RFID 技术,能够对固定物品及租赁物品进行动态监控及盘点。同时结合大数据与图形可视化技术,在指挥中心设置了展会大数据管理平台。该平台能够 3D 高精准建模还原展区现场,实时展示交通数据、清晰查看周边道路拥堵情况,有针对性地调整交通组织方式,加强场馆内外引导,提高通行效率,还可在地图上实时调取现场各监控画面,加强安防监控,提升安防等级,防范突发事件,缩短应急响应处置时间。

重庆国博通过智慧化手段加创新化的多展同办模式使越来越多的展会选择在此办展,智博会、西洽会、创新者大会等展会不仅使场馆的智能化得到最大限度发挥,而且也吸引了腾讯、华为、阿里巴巴等业界巨头,川崎重工、sk 海力士、奥特斯、英特尔等行业领先企业纷纷在重庆落户投产,进一步促进重庆智能化发展。

未来,悦来国际会展城将加强数字化场馆建设,推进云上会展模式,不断完善悦来国际会展城的智慧功能。此外,还将吸引设计创新人员,孵化培育创新主体,不断充盈悦来国际会展城的智慧源泉,形成最新智能制造产品、科技创新成果的展示交易平台,打响悦来国际会展城的智慧名片。同时,做好区域智慧交通、建设智慧社区和智慧商圈,加快推进智慧会展城市建设和管理,加快建设智慧场景化示范区域,全面提升悦来国际会展城的智慧体验。

(三)场馆宣传助力场馆开拓市场

重庆国博通过制作宣传片、传统媒体、微博等方式不断向外界推介自己,提高自身的知名度。而重庆国博通过"双晒"活动以及与两江新区和悦来国际会展城共同宣传的方式为场馆宣传起到了极大的助力。场馆和周边环境是相辅相成的,重庆国博依山傍水,周围公园环抱,并有古镇相伴,拥有城市、森林、自然浑然一体的优美环境。悦来国际会展城已成为重庆旅游的热门打卡地,重庆国博利用周边环境的人气效应,与周边配套设施共同宣传,发挥其整体的吸引力,通过提升整个区域的人气带动场馆的发展。

第八节　佛山·南海国际会展中心

一、场馆基本情况

南海国际会展中心项目(图 4-23)由大沥镇政府规划,保利发展控股集团、兴海集团承建,总投资约 26.8 亿元。会展中心位于佛山市南海区千灯湖中轴线北段,大沥智慧安全小镇核心区内,地处城市核心圈,紧邻广州,距广州市城区(荔湾区）只有 8 千米路程,距广州白云国际机场 50 分钟车程,距广州南站 30 分钟车程,距佛山西站及佛山机场仅 30 分钟车程,会展中心周边两大高速——沈海高速、广佛江珠高速环绕,从珠三角几个高能兄弟城市都能便捷抵达。

南海国际会展中心占地面积约 5 万平方米,其中会展中心面积约 2 万平方米。为 3 层建筑,每层高达 12 米,第三层的展厅可变身为中大型会议室,室外展场约 1 万平方米。作为佛山市政府的重点项目,南海国际会展中心以安全产业为主题,集会议展览、企业总部、产业孵化、商务配套于一体。

图 4-23 南海国际会展中心

南海国际会展中心"生于盛世",但也可以说"生不逢时",其一出生就面临周边会展场馆的激烈竞争。周边广州、深圳的展览馆、会议中心不用多说(广交会四期开始扩建,还要新建空港会展中心等多个场馆),中山有中山火炬国际会展中心、中山市博览中心,东莞有现代国际展览中心,珠海国际会展中心在扩建,江门有珠西国际会展中心,肇庆有肇庆新区商务会展中心。南海国际会展中心展览面积偏小,这样一个小规模的会展场馆如何在周边会展场馆林立的局面下寻得一席之地是场馆在建设之初就开始认真思考的问题。

二、南海国际会展中心的发展背景

会展场馆是会展业发展的载体,一个地区想要兴建会展场馆,当地必须有支撑发展会展业的产业。从城市经济体量分析,佛山市从 2019 年起迈进 GDP 万亿俱乐部,2020 年 GDP 达 10 816.47 亿元,增速 1.6%。作为粤港澳大湾区极点城市,制造业是佛山的王牌。2019 年,南海生产总值突破 3 000 亿元。南海有雄厚的制造业基础和完善的产业体系,拥有汽车制造、有色金属、家具制造等 12 个百亿级产业集群。不过,彼时南海却没有一个专业的会展中心,南海企业参展常需外出,这与南海的经济地位、产业规模是不匹配的。

南海作为制造业强区,围绕国家推动安全产业产值超万亿元的发展目标,展开了积极布局。2018 年,南海承办了安全产业领域最有影响力的全国性活动——第一届中国安全产业大会。2019 年,经工信部批准,中国安全产业大会永久落户南海。为更好承办该项盛会,南海区委、区政府决定在广佛国际商贸城片区,建设南海国际会展中心,作为中国安全产业大会的永久会址。

作为全省首个安全生产技术服务集聚区,南海已出台《佛山市南海区安全产业发展规划(2019—2025)》和《佛山市南海区促进安全产业发展扶持办法》,为安全产业带来更多发展红利。南海区经济促进局局长夏泽鸿表示,未来,南海将重点推动安全产业和生产性服务业聚集发展,支持安全产业高端项目、优质企业和专业人才落户南海,同时也一如既往地支持大沥镇安全产业的发展。

作为南海国际会展中心所在地的大沥镇,正在以大沥泛安全特色产业为基础,利用广东有色金属总部大厦等作为产业载体,配合太平安全智造产业园、九龙公园安全教育主题公园等项目,打造集安全产品研发设计、展览推广、安全工程设计、安全教育普及、安全金融服务等于一体的高品质安全服务产业集聚区。未来,大沥将在安全出行、安全城市、安全工厂和安全服务四大板块发力,加速创建智慧安全小镇。

以会带展,以展促产。随着南海国际会展中心等更多项目的建成,也将加速南海安全产业实现全链条发展,助力打造中国安全产业高地。

南海国际会展中心的兴建正是南海产业发展的需要,未来必将在促进南海产业集聚和产业提升中发挥重要作用。

三、南海国际会展中心的多元化发展思路

小体量的会展中心,常见的定位是"小而美",但要实现"小而美"其实是有难度的。就会议功能而言,800 人的会议规模,主办方一般倾向于选择酒店。如果是不到 1 万平方米的展览,这类展览对价格又很敏感。从服务方面入手,但没有足够的员工,同时人工费用也会水涨船高。面对可能存在的现实发展问题,南海国际会展中心唯有另辟蹊径才有出路。

(一)产业+会展+衍生服务

面对广佛已有的大体量会展场馆,作为中国安全产业大会永久会址的南海国际会展中心要通过中国安全产业大会的举办,把佛山南海打造成全国安全产业的

"先进技术发布地"，并围绕周边38个专业市场，打造细分领域的高端精品展，促进这些专业市场升级改造。南海国际会展中心要做好专业化细分展，满足精品高端需求，打造小而实、小而特、小而精和小而美的会展中心。除了实、特、精、美外，南海国际会展中心还深挖新兴科技产业，旨在打造成小而新和具有培育功能的会展中心，延长产业链，引进在研发和销售等两端具有高附加值的产业。

以安全产业为主题的南海国际会展中心建成后，凭借其独特的区位优势，利用"产业＋会展＋衍生服务"的产业链优势，全面带动周边区域的产业更新和升级，进一步拉动会展相关产业群的发展，打造城市建设标杆和产业集聚高地，成为促进本地与国内外经济贸易往来的重要平台。

南海区还是重要的泛家居产业基地，其目标是2025年实现泛家居产业工业总产值超5 000亿。与泛家居相关的产业主要包括：金属加工及制品业(铝型材、五金)、家具制造业、纺织业、非金属矿物制品业(陶瓷)、电气机械和器材制造业(家电、照明)。这些产业的协会拥有行业资源和号召力，南海国际会展中心还要利用这些有优势的产业群和企业群开展"产业＋会展＋衍生服务"模式。

(二)与八大单位合作签约，借势发展

2020年9月23日下午，以"会展撬动产业，运营承托未来"为主题的南海国际会展中心媒体发布会在南海举行。在活动现场，进行了南海国际会展中心项目合作方签约仪式，广东会展组展企业协会、大沥镇凤池社区等八大单位分别与南海国际会展中心进行签约，涵盖有本地文旅类、专业类等各种丰富业态。通过这个签约仪式，南海国际会展中心与一些品牌展会和会展服务机构建立了联系，为场馆的发展提供了助力。

当天的签约仪式上，南海区大沥镇的凤池社区也是签约单位之一。大沥镇拥有38个专业市场，年交易额超过6000亿元，每年都有大量的大沥企业到全国乃至世界参展，其中凤池铝门窗建筑装饰展览会是全国知名行业展会之一。凤池社区党委书记陈伟津表示，凤池社区从2013年起举行第一届铝门窗建筑装饰博览会，经过七年时间，参展商铺从原来26家，到如今已超400家，展会期间营业额超两亿元。本次与南海国际会展签约，也希望能够突破原有的大数据收集和会场场地的局限性，通过强强联合，助力凤池社区的品牌展会。通过与广东会展组展企业协会的签约，凤池社区可以借助广州优势，在人才建设、产业配套服务等方面与广州深度合作。

(三)吸引本土企业年会、销售订货会和展览展示会

佛山的制造业很强，特别是南海区。佛山超万亿的GDP里面蕴含着不少未知的潜力。南海国际会展中心位于南海区大沥镇广佛"黄金走廊"之上，集聚了约

6万家本土商户。很多商户每年都有组织年会、销售订货会和展览展示会的需求，南海国际会展中心可以发挥"近水楼台先得月"的优势，利用适当的营销手段把这些企业活动吸引过来，提高场馆的利用率。

(四) 提高场馆组展能力

佛山南海的会展综合实力偏弱，区内缺乏专业的组展组会机构。南海国际会展中心从建立之初就认识到这一问题，因此场馆除了组建专业的运营团队，还组建具备专业策展、组展和办展能力的小分队，主动与本地商协会对接，共同打造属于南海的、具有南海特色的城市产业会展项目。

在提高场馆组展能力方面，南海国际会展中心还做了许多努力。首先，考虑到本地展览公司实力不强，南海国际会展中心引进外地展览公司，与其强强联手。其次，南海国际会展中心通过结合新营销和传统会展的方式实现展览运营的创新，为当地的产业和会展项目全面赋能。

(五) 打造南海直播人才培训基地

作为佛山优势产业的直播业近年来发展迅速。南海国际会展中心看到这一商机，计划与中国贸促会和广州亚太媒博会会展公司共同在会展中心打造南海直播人才培训基地，结合本地产业和商贸的独特需求，为企业、协会开办高级别的直播培训项目。直播人才培训基地不仅能够提升场地出租率，还能增加场馆的曝光度和知名度。

(六) 引入电竞赛事活动

电竞产业也是佛山市南海区重点发展的产业。2020年12月27日第二届王者荣耀全国大赛总决赛在佛山南海落下帷幕。南海国际会展中心对此又"按捺不住"了。受球场运营模式的启发，南海国际会展中心决定以"硬设施"切入，计划与头部电竞俱乐部和电竞赛事运营机构形成冠名合作，并借助赛事的引流和媒体曝光，把场馆打造成"网红馆"。这样，既树立了场馆品牌，又服务了本地产业，还能聚集产业资源，为下一步自创新展会项目做好铺垫。

参 考 文 献

[1] 崔晓文.世界著名论坛成功经验(一):世界经济论坛[EB/OL].(2017-12-29)[2022-12-01].http://www.qbxh.sh.cn/node/3482.

[2] 蔡礼彬,谢思环.世界经济论坛与博鳌亚洲论坛运营模式对比研究[J].西部论坛,2013,23(6):76-84.

[3] 国家发展改革委国际合作中心课题组,曹文炼.达沃斯论坛和博鳌亚洲论坛比较研究[J].全球化,2013(6):104-113,128.

[4] 王楠.2013年《财富》全球论坛落户中国成都[N].成都日报,2012-04-10(001).

[5] 国务院新闻办公室网站.《财富》全球论坛简介[EB/OL].(2013-05-29)[2022-12-01].www.scio.gov.cn.

[6] 国务院新闻办公室网站.《财富》全球论坛背景资料四:精打细造的《财富》全球论坛[EB/OL].(2013-05-30)[2022-12-01].www.scio.gov.cn.

[7] 360百科.亚布力中国企业家论坛[EB/OL].[2022-12-01].https://baike.so.com/doc/6961644-7184155.html.

[8] 新浪财经.俞敏洪:"中国企业家是一个孤单的群体"[EB/OL].(2019-12-25)[2022-12-01].https://baijiahao.baidu.com/s?id=1653906636024893578&wfr=spider&for=pc.

[9] 搜狐号.中国企业家博物馆:亚布力论坛永久会址"揭幕![EB/OL].(2018-02-28)[2022-12-01].https://www.sohu.com/a/224364692_106666.

[10] 会议圈.90后会议人,如何策划一场千万级的会议[EB/OL].(2018-08-04)[2022-12-01].mp.weixin.qq.com/s/xV82liSDd-xLXXs_NEgZsw.

[11] 刘先福.中国春节在澳洲[J].节日研究,2013(2):133-155.

[12] 景俊美.中国春节的海外传播研究[J].节日研究,2012(1):252-271.

[13] 阎晓丹."欢乐春节"对中国文化软实力提升的作用与路径研究[D].北京:中国戏曲学院,2015.

[14] 约瑟夫·奈,王缉思.中国软实力的兴起及其对美国的影响[J].世界经济与政治,2009(6):7.

[15] 刘强,王莹.中华龙舟赛对我国龙舟文化的传承及经济发展的研究[J].体育世界(学术版),2019(2):78,81.

[16] 李允强.文化旅游产业创新体系评价指标研究[D].济南:山东大学,2010.

[17] 谢宇昕,朱寒笑.NFL"超级碗"赛事传播营销策略及启示[J].体育文化导刊, 2018(8):119-123,141.

[18] 张骞文.浅析美国"超级碗"赛事的传播策略[J].科技传播,2021,13(1):155-157.

[19] 李广英,苏洁.浅析美国超级碗火爆的原因及其营销策略[J].甘肃高师学报, 2018,23(2):133-136.

[20] 邝鑫,徐剑.NFL"超级碗"赛事发展特征及启示[J].体育文化导刊,2018(1): 73-76.

[21] 俞娜.旅游节事活动的社区参与研究:以海南岛欢乐节为例[D].海口:海南 大学,2014.

[22] 王卫光.世界狂欢之最:亲历巴西狂欢节[J].海峡影艺,2012(2):80-89.

[23] 丁颖.中外狂欢文化差异视域下的狂欢节城市品牌打造现象探析[D].上海: 上海师范大学,2014.

[24] 刘焕卿.巴西狂欢节的由来和发展[J].文化月刊,1996(2):56-59.

[25] 王平.巴西狂欢节[J].世界文化,2002(6):38-39.

[26] 宗刚,赵晓东.啤酒节对主办城市的影响效益分析:慕尼黑啤酒节与青岛啤酒 节的比较[J].旅游学刊,2013,28(5):72-79.

[27] 任玲.浅谈慕尼黑啤酒节[J].辽宁经济管理干部学院(辽宁经济职业技术学 院学报),2011(5):47-48.

[28] 于博,李安琪.德国啤酒文化发展研究[J].文化学刊,2019(6):71-73.

[29] 米夏埃尔·沃布林,王炎坤.对"老传统"的跨文化接纳:德国慕尼黑"啤酒 节"的全球性转移[J].历史教学问题,2017(6):97-103,58.

[30] 蔡礼彬,吴楠.节事网站的可用性研究:以慕尼黑啤酒节和青岛国际啤酒节为 例[J].青岛职业技术学院学报,2017,30(5):68-71.

[31] 邓华.鸢都潍坊与风筝史话[M].北京:中国档案出版社,2005.

[32] 罗富民.汇率变动对我国入境旅游需求的影响研究:来自日本对华旅游的实 证[J].工业技术经济,2007,2(8):86-88.

[33] 张彬,张捷.中国入境旅游需求预测的神经网络集成模型研究[J].地理科学, 2011,5(10):22-31

[34] 第二十五届潍坊国际风筝会.潍坊新闻网[EB/OL].(2014-11-01)[2022-12-01].http://www.wfnews.com.cn/subject/node_2984.htm.

[35] 第36届潍坊国际风筝会开幕.中国政府网[EB/OL].(2019-04-20)[2022-12-01].www.gov.cn/xinwon/2019-04/contont-5384789.htm#1.

[36] 第37届潍坊国际风筝会开幕式暨万人风筝放飞活动.光明网[EB/OL]. (2020-09-27)[2022-12-01].m.gmw.cn/baijia/2020-09-27/1301610852. html.

[37] 秦文贞.论潍坊风筝文化的传承和发展[J].潍坊学院学报,2011,11(2):4.

[38] 杨阳.潍坊国际风筝会对城市品牌打造的探索[D].济南:山东师范大学,2012.

[39] 李亚敬.古代节庆活动对我国体育发展的影响[J].兰台世界,2012(28):77-78.

[40] 张基振.文化视野中民间体育的保护、传承与发展[D].上海:上海体育学院,2008.

[41] 张语聪.潍坊国际风筝会市场化运营机制研究[D].北京:中国戏曲学院,2014.

[42] 赵方方.节会对城市形象的建构与传播研究:以潍坊国际风筝会为例[D].济南:山东大学,2019.

[43] 江欣.基于SCP范式的青岛国际啤酒节的运作模式分析[J].商,2016(15):74,94.

[44] 谭春波."青岛国际啤酒节"对青岛旅游发展影响研究[D].兰州:西北师范大学,2014.

[45] 龙英晓,王笑.青岛节庆旅游发展现状及策略研究:以青岛国际啤酒节为例[J].四川烹饪高等专科学校学报,2012(1):63-66.

[46] 兰星.青岛啤酒节对青岛旅游经济的促进问题研究[J].现代经济信息,2014(21):495.

[47] 宗刚,赵晓东.啤酒节对主办城市的影响效益分析:慕尼黑啤酒节与青岛啤酒节的比较[J].旅游学刊,2013,28(5):72-79.

[48] 宋超颖.城市节事对城市经济发展的影响:以青岛啤酒节为例[J].文化产业,2019(3):4-7.

[49] 袁荣.青岛啤酒节对青岛旅游经济的促进问题研究[J].度假旅游,2018(8):94-95.

[50] 盛红.青岛国际啤酒节的持续发展战略研究[J].海岸工程,1999,18(2):47-52.

[51] 卢晓.大型节事对当地居民幸福感的影响:以青岛国际啤酒节为例[J].城市问题,2013(9):59-67.

[52] 辛燕.从管理、营销视角浅析青岛国际啤酒节的可持续发展[J].财经界(学术版),2010(14):72-73.

[53] 冯丽帆.品牌"造节"营销的成功因素分析:以青岛啤酒节为例[J].现代营销(下旬刊),2020(2):65-66.

[54] 于丽.端一杯青啤,冲进40场啤酒节的狂欢现场:青岛国际啤酒节放眼全国,不断复制办节模式背后的思考[J].青岛画报,2019(8):74-77.

[55] 佚名.第五届三门中国青蟹节活动项目已作调整[EB/OL].新三门数字报刊平台,(2013-08-27)[2022-12-01].http://epaper.smnews.com.cn/html/

2013-08/31/content_1_5. html.

[56] 佚名. 三门中国青蟹节[EB/OL]. (2002-09-25)[2022-12-01]. https://www. xjlxw. com/hbdq/zjly/jrqd/40906. html.

[57] 郑胤. 淘宝三门青蟹节启动[EB/OL]. 三门新闻网, (2014-08-29)[2022-12-01]. http://www. smnews. com. cn/index. php? v=show&cid=80&id=39396.

[58] 佚名. 三门启动第二届淘宝青蟹节[EB/OL]. (2015-08-26)[2022-12-01]. https://www. sohu. com/a/29286643_162758.

[59] 中国台州网. "网红"吆喝三门青蟹首试全网营销[EB/OL]. (2017-01-13)[2022-12-01]. https://www. mudcrab. cc/archives/169.

[60] 佚名. 庆丰收|第五届三门·中国网络青蟹节 暨苍溪红心猕猴桃网络推介活动即将盛大启动! [N/OL]. 中国经济新闻报, 2018-09-17[2022-12-01]. http://www. development-cn. com. cn/show/j86n25. html.

[61] 佚名. 第七届三门·中国网络青蟹节启动[EB/OL]. (2020-10-22)[2020-12-01]. https://tz. zjol. com. cn/tzxw/202010/t20201022_12372506. shtml.

[62] 张宇虹. 探究上海国际艺术节对中国文化艺术的传播效果[D]. 天津:天津音乐学院, 2019.

[63] 张博,侯一然. 透视上海国际艺术节产业发展策略[J]. 上海艺术评论, 2015(6):5.

[64] 侯一然. 从上海国际艺术节看我国艺术产业发展策略[J]. 美与时代:创意(上), 2021(2014-3):34-36.

[65] 陆彦坤. 演出交易平台在对外文化交流中的策略研究:暨上海国际艺术节演出交易会个案研究[D]. 上海:上海音乐学院, 2019.

[66] 范艾婧. 中国上海国际艺术节的品牌推广研究[D]. 天津:天津音乐学院, 2016.

[67] 张雪妍. 北京国际音乐节和上海国际艺术节运作模式比较研究[D]. 天津:天津音乐学院, 2015.

[68] 王琪越. 北京国际音乐节与上海国际艺术节营销战略与策略比较研究[D]. 天津:天津音乐学院, 2020.

[69] 郭音. 消费狂欢的媒体奇观建构:天猫双十一晚会研究[D]. 南京:南京师范大学, 2018.

[70] 赵小燕. 2020天猫双11再创新纪录:总成交额4982亿元[N/OL]. 中国新闻网, 2020-11-12[2022-12-01]. https://www. chinanews. com/cj/2020/11-12/9336388. shtml.

[71] 胡勃,义梅练. 天猫"双十一"与电子商务事件营销的思考[J]. 现代经济信息, 2018(16):331.

[72] 新浪科技. "双十一"对中国经济有三大促进作用[EB/OL]. (2019-11-12)[2022-12-01]. https://baijiahao. baidu. com/s? id=1649932507651835343&wfr=spider&for=pc.

[73] 于丁宁. 浅论"双十一"对经济发展的影响[EB/OL]. (2018-05-14)[2022-12-01]. http://www. fx361. com/page/2018/0514/6419358. shtml.

[74] 巴中在线. 天猫双十一的由来是什么? 是怎么发展起来的? [EB/OL]. (2015-11-11)[2022-12-01]. http://www. cnbzol. com/finance/2015111125830. htm.

[75] 王舒. 浅析网络营销思想在天猫"双十一"活动中的应用[J]. 现代商业,2019(18):24-25.

[76] 朱名木. 网络消费文化对青年群体的影响:以天猫"双十一"为例[J]. 新闻研究导刊,2020,11(9):51-52.

[77] 赵倩如. 跨屏晚会的场景构建和发展策略研究[D]. 太原:山西大学,2019.

[78] 岳磊,郭博昊. 天猫双十一的营销方式研究论述[J]. 现代商业,2017(1):46-48.

[79] 程林. "双十一"天猫全球狂欢节分析[J]. 科技经济导刊,2019,27(5):183-184.

[80] 网易号. 一次天猫双11,阿里和蚂蚁金服共获利[EB/OL]. (2019-11-02)[2022-12-01]. https://www. 163. com/dy/article/ET05SR3A0511SKSC. html.

[81] 亿邦动力网. 一场晚会让商家看清天猫双11的赚钱新版图[EB/OL]. (2016-11-09)[2022-12-0]. https://www. ebrun. com/20161109/200606. shtml.

[82] 吕晶. 天猫双十一营销策略及改进措施研究[J]. 黄冈职业技术学院学报,2018,20(6):101-103.

[83] 雷文彪. 南宁国际民歌艺术节研究综述[J]. 柳州师专学报,2010,25(2):13-20.

[84] 兰铁民. 特色节庆文化活动对区域经济和社会发展的影响:以南宁国际民歌艺术节为例[J]. 学术论坛,2003(6):90-92.

[85] 黄国华. 中国民歌国际化的成功之路:兼谈南宁国际民歌艺术节与中国-东盟博览会的交融[J]. 广西师范大学学报(哲学社会科学版),2005(2):80-85.

[86] 杨林森. 以优势文化促城市发展:从南宁国际民歌艺术节得到的启示[J]. 创造,2003(8):16-17.

[87] 李耿民. 关于进一步做大做强南宁国际民歌艺术节的思考[J]. 中共南宁市委党校学报,2006(6):22-25.

[88] 赵艳丰. 多元化运营:探秘世界知名会展中心的运营模式[J]. 中国会展(中国会议),2018(8):52-55.

[89] 常松. 涨姿势! 上海国家会展中心竟然有这么多节能黑科技[EB/OL]. (2019-11-19)[2022-12-01]. https://www. 163. com/dy/article/EUB25QK20511DTU9. html.

［90］辜应康.上海新国际博览中心会展场馆运营管理模式探究［J］.现代城市，2009,4(1):41-44.

［91］施昌奎.发达国家展览场馆运营管理模式及其启示［J］.北京工商大学学报（社会科学版），2007(5):62-65.

［92］汪欢.上海会展场馆经营模式研究［D］.上海：上海工程技术大学，2016.

［93］贾岷江，万春林，岳培宇.大型会展场馆建设的市场影响与管理对策研究：以上海两大会展中心为例［J］.城市观察，2017(4):60-70.

［94］双展齐发！深圳国际会展中心将正式"首秀"［EB/OL］.凤凰网财经新闻，(2019-11-01)［2022-12-01］.http:∥finance.ifeng.com/c/7rFAUXDuWxB.

［95］深圳国际会展中心正式落成！三年完成全球最大会展中心［EB/OL］.快资讯，(2020-05-11)［2022-12-01］.https:∥www.360kuai.com/pc/96e063b234eb8c4 e1？cota=4&kuai_so=1&tj_url=so_rec&sign=360_57c3.

［96］全球最大！深圳国际会展中心今落成，奥妙都在这里！［EB/OL］.澎湃新闻网，(2019-09-28)［2022-12-01］.https:∥www.thepaper.cn/newsDetail_forward_4553802.

［97］深圳国际会展中心顺利通过竣工验收，宣告正式落成！［EB/OL］.凤凰网财经新闻，(2019-09-28)［2022-12-01］.http:∥finance.ifeng.com/c/7qL7XlOI2ai.

［98］深圳国际会展中心打造绿色展馆典范［EB/OL］.(2019-07-30)［2022-12-01］.http:∥www.qianjia.com/html/2019-07/30_345383.html.

［99］赵璇.成都新国际会展中心运营问题与对策研究［D］.重庆：西南大学，2020.

［100］左霖.后疫情时代展馆如何布局？［EB/OL］.(2020-04-20)［2022-12-01］.http:∥expo.ce.cn/gd/202004/16/t20200416_34703592.shtml.

［101］左霖.市场和创新是民营会展场馆可持续发展路径［EB/OL］.(2016-06-16)［2022-12-01］.https:∥www.sohu.com/a/83735044_120702.

［102］李阳.重庆国际博览中心：会展业自办展模式日趋成熟［EB/OL］.(2016-10-18)［2022-12-01］.http:∥www.cnena.com/news/bencandy.php？fid=49&id=72444.

［103］郑颖聪.重庆国博好戏连台 四大展会同期举办［EB/OL］.(2018-05-09)［2022-12-01］.http:∥cq.cbg.cn/ycxw/2018/0509/10225733.shtml.

［104］彭祎琦.悦来国际会展城：擦亮重庆"智慧之城"名片［EB/OL］.(2020-06-09)［2022-12-01］.http:∥www.eol.cn/chong qing/cqzt/202006/t20200616_1733677.shtnml.

［105］会展BEN.这个会展中心的手伸得有点儿长［EB/OL］.(2021-02-05).https:∥new.qq.com/rain/a/20210205A01BZP00.

［106］南海大沥.南海国际会展中心如何开辟"会展蓝海"? 国内专家聚首大沥献策! ［EB/OL］.澎湃新闻,(2020 - 08 - 05)［2022 - 12 - 01］. https://www. thepaper. cn/newsDetail_forward_8590394.

［107］李翠贞,刘贝娜.南海国际会展中心启动建设,大沥再添高端展贸平台［N/OL］.珠江时报,2019 - 08 - 30［2022 - 12 - 01］. https://fs. focus. cn/zixun/d5fdff0b8e638066. html.

［108］温利.南海国际会展中心永久会址首亮相,展览中心拟明年上半年投用［EB/OL］.(2020 - 09 - 24)［2022 - 12 - 01］. https://3g. 163. com/house/article/FN9J06IR000786I8. html.

［109］中新网广东.八大单位合作签约! 南海国际会展中心2021年将正式投用［EB/OL］.(2020-09-24)［2022-12-01］. http://www. gd. chinanews. com. cn/2020/2020-09-24/410022. shtml.